D1304690

EL DIMINUTIVO

BIBLIOTECA ROMÁNICA HISPÁNICA

DIRIGIDA POR DÁMASO ALONSO

II. ESTUDIOS Y ENSAYOS, 196

EMILIO NÁÑEZ FERNÁNDEZ

EL DIMINUTIVO

HISTORIA Y FUNCIONES EN EL ESPAÑOL
CLÁSICO Y MODERNO

BIBLIOTECA ROMÁNICA HISPÁNICA

EDITORIAL GREDOS, S. A.
MADRID

© EMILIO NÁÑEZ FERNÁNDEZ, 1973.

EDITORIAL GREDOS, S. A.

Sánchez Pacheco, 81, Madrid. España.

Depósito Legal: M. 33808-1973.

ISBN 84-249-0521-0. Rústica.

ISBN 84-249-0522-9. Tela.

Gráficas Cóndor, S. A., Sánchez Pacheco, 81, Madrid, 1973. — 4208.

A la memoria de mi padre.

A mi madre, que me enseñó a leer.

la lengua Toscana està llena de deminutos, con
que se efemína, i haze laciva, i pierde la gravedad;
pero tiene con ellos regalo i dulçura i suavidad. la
nuestra no los recibe si no con mucha dificultad,
i mui pocas vezes.

(Fernando de Herrera. *Obras de Garci Lasso de
la Vega con anotaciones de ...*, Sevilla, 1580.)

INTRODUCCIÓN

Este trabajo fue presentado como tesis doctoral en la Facultad de Filosofía y Letras de la Universidad de Madrid. El Tribunal, formado por don Francisco Maldonado de Guevara, como Presidente, y don Rafael Lapesa Melgar, don Rafael de Balbín, don Joaquín de Entrambasaguas y don José Vallejo Sánchez, como Vocales, le concedió la calificación de Sobresaliente el día 11 de junio de 1954. Poco más tarde, el 29 de noviembre del mismo año, obtenía el Premio Extraordinario del Doctorado.

Como no es habitual que medie un período tan dilatado de tiempo entre la realización de un trabajo y su publicación, creemos que es una obligación moral dar una breve explicación. Preferimos pasar por alto las circunstancias previas a la inscripción de este estudio como tesis doctoral, entre cuyas consecuencias sufrimos el no poder aprovechar un material acarreado incluso desde antes de acabar la licenciatura. Desde entonces guardamos un respetuoso temor al aparato administrativo.

Entre las causas más próximas de la no publicación en su tiempo de este estudio hay fundamentalmente dos: la primera, que prefiero silenciar, y la segunda, el deseo de seguir un consejo de remembranza horaciana oído en las aulas a don Dámaso Alonso: dejar que todo trabajo duerma en un cajón del escritorio por lo menos diez años antes de darlo a la estampa. Si pasado ese decenio, decía el maestro, el autor no se arrepiente del todo de haberlo escrito, puede arriesgarse a publicarlo.

En nuestro caso no uno, sino casi dos decenios han pasado desde la lectura de aquella tesis, que llevaba por título el de *Historia y funciones del diminutivo en el español clásico y moderno*. Con ello el riesgo que corremos ahora creemos que es mucho mayor, ya que puede ser este alumbramiento tardío un nuevo parto de los montes. Pero si no fuera así del todo, si el lector encontrara algo todavía válido, creemos que no habrá sido inútil por nuestra parte haber aceptado este desafío. Pero en honor a la verdad habrá de saber que lo que aquí pueda hallar de positivo se debe exclusivamente a quien tuvo la paciencia de dirigir este trabajo, don Rafael Lapesa, y forzoso será que nosotros asumamos la responsabilidad de los fallos.

Al escribir la primera parte, nuestra intención ha sido principalmente mostrar el diminutivo como un signo lingüístico de caracteres especiales, dados los elementos fundamentales que entran en su formación. Para ello, partiendo de la generalidad del concepto de Lengua y Habla, hemos mostrado el Habla y la Lengua no como meras abstracciones, sino como realidades concretas del fenómeno locutivo. El elemento propio de ambas es el signo lingüístico. En éste hemos precisado el sentido intencional, el cual se da gracias a la intencionalidad del hablante. El sentido intencional es el que confiere, en última instancia, la significación definitiva y concreta al signo, por lo cual la intencionalidad aparece como la nota capital del lenguaje, y pasa a ser el gozne sobre el que gira la facultad rectora del mismo, y es el individuo, el espíritu del individuo, la base sobre la que se apoya la locución.

Principalmente hemos llegado a estas conclusiones después de estudiar el signo en el momento de su creación, la comunicación lingüística y los complejos funcionales de las dos facetas del signo (significante y significado), al cual hemos considerado en todo momento como una unidad indivisible asentada en la intencionalidad.

Partiendo de este punto hemos visto el diminutivo como un signo lingüístico de características especiales a causa de los dos elementos pleremáticos que, cuando menos, entran en su formación, y de las relaciones surgidas entre estos elementos constitutivos. La tensión entre las dos partes componentes del diminutivo dan a éste la nota característica que posee como signo lingüístico, y es la base en que descansa todo su valor expresivo y nocional.

Una vez constituido como tal signo lingüístico, entra a formar parte del sistema locutivo formado por unidades similares —signos lingüísticos—, con las cuales tiene las relaciones propias de dicho sistema. La importancia que adquiere llegado este momento es debida al papel primordial que desempeña en las distintas funciones del lenguaje (expresión, apelación y representación), ya que es un signo lingüístico exponente como ningún otro, no sólo de la comunicación nocional y de la apreciación axiológica, sino también de la postura adoptada por el hablante respecto al objeto y respecto al oyente.

Por todo esto, la importancia del diminutivo en un análisis estilístico es grande por sí misma y por los numerosos indicios que nos suministra de manera más externa para el conocimiento de una obra literaria y de su autor, época, región, grupo lingüístico, medio, etc.

En la segunda parte presentamos a través de varios estudios el concepto que ha merecido el diminutivo a los gramáticos, desde Nebrija hasta Amado Alonso. No ha sido, pues, nuestra idea presentar dicho derivado en todas las gramáticas y trabajos filológicos, sino en aquellos más representativos, y que, a manera de hitos, señalan las vicisitudes por las que ha pasado el concepto del diminutivo y su estudio hasta llegar al momento actual.

De esta manera tomamos parte en el despliegue del diminutivo en cuanto al concepto, origen, facilidad o dificultad del español para formar diminutivos, abundancia o escasez, número de sufijos, normas que presiden la derivación y diferencias regionales y sociales respecto al empleo de los sufijos, acumulaciones, papel evocador de un formante concreto, empleo de un mismo sufijo en derivados distintos, confusiones nacidas de la forma y de la significación, partes de la oración en que aparece el diminutivo, funciones, equivalencia de sufijos, etc.

En la tercera parte presentamos un estudio del diminutivo en nuestra literatura a través de numerosas calas. Nuestro método ha sido el siguiente: en vez de hacer una rápida lectura y entresacar los ejemplos más característicos, hemos fichado la totalidad de los diminutivos de una obra, los hemos agrupado por sufijos y, a continuación, damos el número y la lista de formas en los acopios. De esta manera se obtiene una visión más completa de la importancia del diminutivo en una obra en particular, y en la literatura en general, con la apreciación de las diferencias propias del género, carácter de la obra, tema, etc., y las peculiaridades del autor. Presentar unos ejemplos escogidos sin ofrecer la totalidad, en número cuando menos, es ofrecer una visión fragmentaria y errónea de los alcances e importancia del problema del diminutivo en la literatura. Tampoco pretendemos elevar nuestra investigación a conclusión definitiva y generalizada, sino aplicada al corpus que se tomó en estudio. Lamentamos que las circunstancias en que éste se llevó a cabo no nos permitieran siempre manejar ediciones óptimas.

El criterio que hemos seguido para la confección de la lista de diminutivos ha sido el siguiente: hemos atendido, ante todo, al oficio concreto del diminutivo analizándolo desde un punto de vista predominantemente funcional y estilístico, con lo cual su importancia básica radica en lo axiológico; hemos reconstruido, en lo posible, las condiciones en que se presenta; por ello no hemos incluido aquellas formas que por una u otra causa deben considerarse más bien como positivos, tales como los diminutivos etimológicos, los topónimos, los diminutivos plenamente especializados, los diminutivos de los nombres propios de persona cuando esta es la única manera de denominación, o la fundamental, ya que en este caso lo que es rasgo estilístico es el empleo del positivo; otros criterios de elección menos importantes pueden verse en cada caso concreto.

A veces no es fácil determinar si un término fue considerado por el escritor como diminutivo o positivo, a causa de todo un complejo campo de influencias especialmente surgidas en relación con el positivo y en torno a la forma o a la significación; por lo cual, en determinadas circunstancias, puede prevalecer la presión de la forma sobre la conciencia lingüística del hablante en su concomitancia formal con los diminutivos derivados del mismo sufijo, o puede prevalecer la significación y su campo de influencias.

En la cuarta parte los «índices» proporcionan una visión esquemática del empleo de los distintos sufijos a través del elocuente lenguaje de las cifras.

Los diversos resúmenes parciales y las conclusiones señalan en síntesis los conocimientos y logros de nuestro estudio.

Finalmente, a modo de suplemento, presentamos los acopios y el gráfico de los porcentajes obtenidos de los autores estudiados, ya total, ya parcialmente.

PRIMERA PARTE

EL DIMINUTIVO COMO SIGNO LINGÜÍSTICO

FUNDAMENTACIÓN PREVIA. REVISIÓN DE ALGUNOS CONCEPTOS

NUESTRO CONCEPTO DE LENGUA Y HABLA

Si bien nosotros seguimos manteniendo la terminología de Ferdinand de Saussure, lengua y habla, creemos necesario aclarar en qué sentido tomamos una y otra para la mejor y más fácil comprensión de dichos términos cuando los empleamos.

Para Saussure la lengua es un sistema de signos y de las relaciones surgidas entre estos signos con idénticos valores para todos los hablantes. Pero entendida siempre como «un producto social de la facultad del lenguaje», «no es una función del sujeto hablante, es el producto que el individuo registra pasivamente» [1]. Así, pues, una nota característica de este concepto de lengua es la de ser un depósito que nunca se manifiesta, siempre está en potencia, nunca en acto.

---

[1] Ferdinand de Saussure, *Curso de Lingüística General*, trad., prólogo y notas de Amado Alonso, Editorial Losada, S. A., Buenos Aires, 1945, págs. 51 y 57. Vid. también F. de S., *Cours de linguistique générale*, édition critique préparée par Tullio de Mauro, Payot, Paris, 1972.

Nosotros, en cambio, tomamos como signos de lengua indistintamente tanto si los consideramos como un depósito como si los consideramos en un momento cualquiera, pero *siempre que no suponga su empleo modificación alguna* para el sentido que tradicionalmente se dé al signo en cuestión. «Es —para decirlo con las mismas palabras que Bousoño— el acopio de la tradición repetido por la boca de un hombre» [2].

Ahora bien, cuando el individuo pone en acto este caudal y al hacerlo *crea o modifica,* nos hallamos en presencia de un caso de habla. Naturalmente esto se hace extensivo a cualquier modificación o innovación del sistema, no solamente a las del signo. Hasta cierto punto puede admitirse la igualdad entre habla y estilo, pero éste no se circunscribe exclusivamente a la nota de creación.

El punto de referencia para nuestro concepto de lengua y habla, como fácilmente se puede ver, está formado por los conceptos de Humboldt y Vossler, ergon, energeia, estilo, creación. Gracias a la concepción activa del idioma Bally compuso su famoso *Traité de stylistique française.* A todos debemos, pues, de modo especial, nuestro concepto acerca de la lengua y del habla, a cuya luz se interpretará el análisis del diminutivo.

Como hemos dicho, el individuo, cuando exterioriza su facultad de hablar, crea, o mejor, recrea, si no todo, sí la parte del sistema que entra en juego y, por tanto, cabría tomarlo como perteneciente al campo del habla si subrayamos en ésta la nota de «individual» que le dio Saussure. Pero, repetimos, mientras esta locución se adapte a las normas generales que suponen en el hablante el hábito de ejercer esa facultad y, al hacerlo, no ponga nada nuevo, estamos ante

---

[2] Carlos Bousoño, *Teoría de la expresión poética,* Biblioteca Románica Hispánica, Editorial Gredos, Madrid, 1952, pág. 40.

un caso de lengua. Lo característico en nuestro concepto del habla es la innovación, la modificación, la creación, en cualquiera de sus manifestaciones, formas o modos.

De esta manera hemos logrado, en primer lugar, separar la lengua de esa vía muerta que supone toda abstracción, y se le da la misma realidad concreta que al habla. En segundo lugar han quedado claramente delimitadas las fronteras de lo poético del signo en cuanto elementos activos del lenguaje.

NUESTRO CONCEPTO DE SIGNO LINGÜÍSTICO

Es necesaria la revisión del concepto de *signo lingüístico*, concepto al que hemos llegado por doble camino: por el estudio del diminutivo y también por la lectura del capítulo correspondiente del «Curso» de Saussure y los estudios de Émile Benveniste [3] y Dámaso Alonso [4], principalmente.

Oigamos a Saussure:

> «Lo que el signo lingüístico une no es una cosa y un nombre, sino un concepto y una imagen acústica. La imagen acústica no es el sonido material, cosa puramente física, sino su huella psíquica, la representación que de él nos da el testimonio de nuestros sentidos; esa imagen es sensorial, y si llegamos a llamarla «material» es solamente en este sentido y por oposición al otro término de la asociación, el concepto, generalmente más abstracto» (pág. 128). «Llamamos signo a la combinación del concepto y de la imagen acústica: pero en el uso corriente este término designa generalmente la imagen acústica sola, por ejemplo una palabra (arbor, etc.)».

---

[3] Émile Benveniste, «Nature du signe linguistique», *Acta Linguistica*, I, 1939, págs. 23–29.

[4] Dámaso Alonso, *Poesía Española. Ensayo de métodos y límites estilísticos*, Biblioteca Románica Hispánica, Editorial Gredos, Madrid, 1950. Vid. también S. Ullmann, *Introducción a la semántica francesa*, traducción y anotación por Eugenio de Bustos Tovar, C. S. I. C., Madrid, 1965, 23-30.

Con el fin de evitar toda ambigüedad, prosigue:

> «Y proponemos conservar la palabra signo para designar el
> conjunto, y reemplazar concepto e imagen acústica respectiva-
> mente con significado y significante; estos dos últimos términos
> tienen la ventaja de señalar la oposición que los separa, sea
> entre ellos dos, sea del total de que forman parte» (pág. 129).

Es decir, la combinación, repetimos, del significado y significante constituye el signo, o bien, expresado matemática-
mente, como Dámaso Alonso (pág. 21):

$$\text{Signo} = \text{significante} + \text{significado.}$$

Fundamenta Saussure toda su teoría en la afirmación siguiente

> «el signo lingüístico es arbitrario.
> Así, la idea de *sur* no está ligada por relación alguna interior
> con la secuencia de sonidos s - u - r que le sirve de significante;
> podría estar representada tan perfectamente por cualquiera
> otra secuencia de sonidos» (pág. 130). «La palabra arbitrario
> necesita también una observación. No debe dar idea de que el
> significante depende de la libre elección del hablante (ya vere-
> mos luego que no está en manos del individuo el cambiar nada
> en un signo una vez establecido por un grupo lingüístico);
> queremos decir que es inmotivado, es decir, arbitrario con rela-
> ción al significado, con el cual no guarda en la realidad ningún
> lazo natural» (pág. 131).

Es decir, la razón por la que un significante exprese un
significado es de orden social, fundada en el asentimiento
común.

Conviene tener muy presente, para comprender toda la
doctrina saussuriana y el posible desorbitamiento del problema, las palabras siguientes, que son como un fundamento
siempre presente en toda su obra: «hay que colocarse desde

el primer momento en el terreno de la lengua y tomarla como norma de todas las otras manifestaciones del lenguaje» (pág. 51).

Tanto para nosotros como para Dámaso Alonso el significante es «lo mismo *a)* el sonido (físico), que *b)* su imagen acústica (psíquica)» (pág. 21). Dámaso Alonso llega a esta conclusión partiendo del análisis de una palabra oída en un idioma extraño y en el propio. En este último caso, tanto al pronunciarla como al oírla, en realidad lo que se percibe o pronuncia sensorialmente es la imagen acústica; en cambio, tratándose de una lengua extraña no se pasa del primer estadio.

Para Saussure decir significado es decir concepto, de manera que los significantes transmiten conceptos. Un significante expresa un concepto: he ahí un signo.

Con Dámaso Alonso creemos que el significado no es uno dentro de cada signo, y menos un mero concepto.

«Los 'significantes' no transmiten 'conceptos', sino delicados complejos funcionales. Un 'significante' (una imagen acústica) emana en el hablante de una carga psíquica de tipo complejo, formada generalmente por un concepto (en algunos casos, por varios conceptos; en determinadas condiciones, por ninguno), por súbitas querencias, por oscuras, profundas sinestesias (visuales, táctiles, auditivas, etc., etc.): correspondientemente, ese solo 'significante' moviliza innumerables vetas del entramado psíquico del oyente: a través de ellas percibe éste la carga contenida en la imagen acústica. 'Significado' es esa carga compleja» (págs. 22-23).

«Un análisis parecido del 'significante' —seguimos citando a Dámaso Alonso—, nos llevaría a considerarlo también como un complejo formado por una serie de 'significantes parciales'» (págs. 23-24).

En este punto surge inmediatamente una pregunta: anteriormente, teníamos un concepto del signo lingüístico según el cual a un significante único correspondía un significado conceptual, pero, ahora, el significante es un complejo formado por significantes parciales, cuyo significado es a su vez otro complejo formado por significados parciales. A primera vista, pues, lo único que parece cierto ha sido la complicación del problema, quizá innecesariamente y sin ningún resultado práctico; de aquí la pregunta de Dámaso Alonso: «¿Qué es lo esencialmente significante?: el tono, la intensidad, la velocidad, el matiz vocálico, la tensión articulatoria, etcétera» (pág. 24). La pregunta queda en el aire y no la contesta en sentido categórico, ya que el significante que marca la pauta puede ser distinto en cada signo y en cada ocasión. Analiza ciertos significantes —un verso de Góngora, por ejemplo— que le llevan a afirmar que «la noción de 'significante' no está ligada a la unidad 'palabra'» (pág. 25), ni son forzosamente unidades del mismo orden. Es en la frase, por tener sentido completo, donde radica la unidad natural del significante y del significado. Por último, y en términos generales, « 'significante' es, para nosotros, repetimos, todo lo que en el habla modifica leve o grandemente nuestro sistema psíquico» (pág. 27), como dice Dámaso Alonso.

Creemos distinguir dos grandes grupos de significantes: *a)* ocasionales (tono, intensidad, velocidad, matiz vocálico, tensión articulatoria, etc.), y *b)* fijos (palabras independientes, y palabras en construcción según el orden en que van en la frase). Hay ciertos elementos, como los sufijos respecto de las palabras (y más concretamente los diminutivos), y éstas respecto de la frase, que pueden actuar como significantes ocasionales, aunque de ordinario son fijos.

Son los significados correspondientes a los significantes ocasionales los que influyen sobre los significados corres-

pondientes a los significantes fijos, haciéndolos variar, por
lo que los significantes ocasionales son, en definitiva, los que
prestan la coloración al signo.

Dámaso Alonso aclara más adelante (págs. 640 y 641) su
noción del significado, en donde distingue, dentro de la comunicación idiomática, dos significados: uno inicial (el del
hablante) y otro final (el del oyente). La comunicación idiomática consiste en lo que de común haya en los dos significados. Ese complejo funcional que es todo significado, según
se ha dicho más arriba, no es un simple concepto, sino
«representación de la realidad», entendiendo por representación «el modo de registrar una realidad, que comprende:
a) las diferencias individualizadoras de esa realidad (reci-
bidas sensorialmente); *b)* la adscripción a un género (operada
intelectualmente); *c)* la actitud del hablante ante esa realidad
(descargada afectivamente)» (pág. 641).

Otro aspecto del signo lingüístico que tenemos en cuenta
y que comenta y estudia Dámaso Alonso en Saussure es el
de la arbitrariedad y motivación o inmotivación del signo
lingüístico. Resultan fácilmente comprensibles ambas posturas si se tiene en cuenta que Saussure parte siempre de
una base de lengua, es decir, de un carácter social en sus
apreciaciones lingüísticas, y Dámaso Alonso de la base de la
creación poética, por lo tanto, individual, lo que le lleva a
afirmar la existencia en poesía y, en general, en el lenguaje,
de la vinculación motivada entre significado y significante.
Para Dámaso Alonso, como para Saussure,

> «el signo es 'arbitrario' (no hay nada que ligue el significante
> a la cosa significada; el significante puede morir y ser susti-
> tuido); pero creemos en la motivación, en el sentimiento de la
> motivación por el hablante: ese sentimiento será una 'ilusión'
> (así han objetado insignes lingüistas); pero las 'ilusiones' son
> también hechos, es decir, realidades» (pág. 639).

A pesar de todo, siguen confusas las lindes de ambos conceptos. Para los dos lingüistas, como hemos visto, el signo es arbitrario, para Saussure es inmotivado, mientras que Dámaso Alonso afirma su motivación, lo cual no contradice su primer aserto, ciertamente.

Sería conveniente, no obstante, aclarar el sentido del adjetivo «inmotivado» aplicado por Saussure, a su vez, para aclarar el concepto arbitrario: «queremos decir que es inmotivado, es decir, arbitrario con relación al significado, con el cual no guarda en la realidad ningún *lazo natural*», como existe en el símbolo (copiamos de nuevo).

Una vez más, para aclarar estas palabras de Saussure tenemos que volver a señalar el papel predominante que atribuye a la lengua en los hechos lingüísticos, dando, por tanto, primacía al grupo lingüístico frente al individuo. Por consiguiente, hay que considerar que su valor depende de una convención, al igual que los signos de cortesía: fijados por una norma; «esa regla es la que obliga a emplearlos, no su valor intrínseco» (pág. 131). Ahora bien, como la palabra símbolo ha sido empleada frecuentemente para designar el signo, o por mejor decir, con lo que Saussure entiende por significante, es rechazada esta denominación de símbolo para el signo lingüístico a causa de la arbitrariedad de éste, ya que el símbolo «nunca es completamente arbitrario; no está vacío: hay un rudimento de vínculo natural entre el significante y el significado. El símbolo de la justicia, la balanza, no podría reemplazarse por otro objeto cualquiera, un carro, por ejemplo» (pág. 131). A continuación, las palabras escritas más arriba, en las que se señala que el significante no depende de la libre elección; después, la afirmación de que es «inmotivado —repetimos de nuevo—, es decir, arbitrario con relación al significado, con el cual no guarde en la realidad ningún lazo natural», como en cierto grado lo posee el símbolo.

La oscuridad en torno a este problema desaparece notablemente con el magnífico acierto de Dámaso Alonso al distinguir, de un lado, la arbitrariedad del vínculo entre significado y significante, y, de otro, la motivación del vínculo, rompiendo así aquella casi sinonimia de arbitrario e inmotivado en Saussure —o mejor quizás consecuencia de este término respecto del primero—, que ha de tenerse presente siempre que se quieran comprender ambas posiciones. No obstante, no se ha de olvidar el sentido que Saussure da a la palabra «inmotivado» al referirse al signo, a saber: que no existe *lazo natural*, relación interior entre la idea y los sonidos que la expresan.

Por otra parte, se mantiene cierta oscuridad en torno a este asunto porque se barajan términos como vinculación, vínculo, signo, que, en algunos aspectos, son considerados como sinónimos, por lo que no es extraño originen cierta confusión. Esta confusión nace sobre todo, en primer lugar, porque se ha desplazado el origen y fuente de nuestra investigación, que debe ser el hecho concreto del lenguaje, y, en segundo lugar, porque se ha eliminado en la lingüística saussuriana lo más esencial en el lenguaje, el espíritu —de donde proviene su pecado de origen—, y se opera excesivamente sobre resultados sin ver que estos resultados son debidos a aquél.

Efectivamente, el primer paso para llegar a un resultado cierto en cualquier problema lingüístico, lo daremos siempre que partamos del hecho concreto de su producción. En el lenguaje, pues, un individuo es el que habla a otro individuo, y a otro, y a otro..., y el lenguaje de esta comunidad existe en tanto en cuanto existen los de todos y cada uno de ellos, y si queremos hablar del lenguaje de este grupo lingüístico, no podemos por menos de efectuar una abstracción, de manera que sólo podremos hablar del lenguaje de tal comunidad si partimos de esta premisa [5]. Tengamos, pues, bien presente el momento de la producción del hecho lingüístico.

Existe en el fenómeno lingüístico lo que podría llamarse la determinación del signo. Si por necesidad o capricho el hablante ha de dar origen a un nuevo signo, se encuentra determinado en primer lugar, por el sistema de lengua del grupo lingüístico a que pertenece, y, después, por toda una serie de limitaciones sociales y locales. Así, en cuanto se trata de elegir un término que designe un nuevo objeto, el fútbol de mesa, por ejemplo, teniendo en cuenta las limitaciones que hemos dicho, se creó este vocablo: *futbolín.* Antes de su creación pudo muy bien haber sido denominado por otra palabra, pero, una vez creado, el sujeto hablante se ve como impelido a emplearlo.

Esto dio ocasión a que, por un espejismo, se creyese que existiera cierta relación natural entre el sonido y lo expresado por él, pues «para el entendimiento popular los nombres tienen un sentido necesario» [6], y así el hablante popular cree que el burro se llama de esta manera por su torpeza, y el zorro se denomina con este sustantivo por su astucia, y, en consecuencia, que los nombres están bien puestos desde un punto de vista lógico, pues explican lo que el objeto es.

Esto no quiere decir, naturalmente, que esta determinación sea tan rígida que no se pueda variar o cambiar el nuevo signo, ya que vemos que se da con una normalidad completa, en la cual hemos visto el rasgo principal del habla,

---

[5] Comp. Otto Jespersen, *Humanidad, Nación, Individuo, desde el punto de vista lingüístico,* Revista de Occidente Argentina, Buenos Aires, 1947, pág. 11.

[6] Cristophe Nyrop, *Linguistique et Histoire des Moeurs,* Paris, 1934, IV, 400.

y que nosotros, en un cierto sentido, podríamos denominar estilo.

Con esto hemos pretendido aclarar los conceptos de arbitrariedad e inmotivación de Saussure, quien llevó dicha determinación hasta el punto de afirmar que el individuo no puede cambiar nada en un signo, una vez establecido por un grupo lingüístico.

Anteriormente hemos hablado de dos grandes grupos de significantes: ocasionales y fijos, los cuales se integran bajo una denominación común: significantes lingüísticos, ya que puede haber (y muy importantes, por cierto) otros significantes extralingüísticos, como la situación, el ademán, etc.

Los significados, a su vez, se constituyen en dos grandes grupos: conceptuales y axiológicos.

INTENCIONALIDAD Y SENTIDO INTENCIONAL

Al introducir este elemento —alma del signo— en el signo lingüístico, es preciso repetir ciertas nociones y fijar otras.

Estamos de acuerdo en que tanto el significado como el significante son dos complejos formados por una serie de significados y significantes parciales, respectivamente. En cambio no estamos conformes en relación al signo, ya que éste, contra el parecer de Saussure, no une nada, pues para ello habría que conceder al signo una facultad activa que no tiene, y que solamente se halla en el sujeto lingüístico. Si fuese así —recuérdese la expresión matemática, tan gráfica, de Dámaso Alonso: signo = significante + significado—, el signo no sería ni más ni menos que ese nexo entre significante y significado, aquí representado por el signo matemático más, cuando, por el contrario, lo vemos al otro lado del signo igual. El signo lingüístico tampoco es el resultado de

esa adición entre significante y significado. Al expresarnos
así, queremos afirmar que el signo lingüístico es indivisible,
en el sentido de que no está formado por una acumulación
de notas; ello no obsta para que en nuestro análisis las
consideremos. Significante y significado son dos facetas de un
todo, y este todo es la única realidad que el hablante maneja.
Empleamos el signo como unidad global, y no el significante
ni el significado por separado, ya que el primero no puede
desprenderse del segundo ni el segundo del primero mientras
sirvan para nuestra comunicación. Partimos, pues, siempre
del signo, en el cual, repetimos, vemos, por un lado, el
significante; por otro, el significado. En cuanto nos hallemos
frente a un significante vacío de significado, ya no estamos
ante un signo; y viceversa. Por otra parte, suponer esto
implicaría un contrasentido. Unos sonidos, pongo por caso,
son un significante en cuanto *significan* algo; estamos, entonces, en presencia de un signo, y en él se dan ambos aspectos,
a los que encontramos al analizar el signo lingüístico; antes
no. En este sentido sí podemos decir que es divisible el
signo lingüístico, pero al precio de convertirlo en un objeto
de laboratorio, lejos del momento de su producción, de sus
funciones, y, por lo tanto, lejos de su carácter. Afirmemos,
por consiguiente, que en el signo se dan conjunta e indivisi-
blemente significantes y significados, puesto que en cuanto
tengamos por un lado significantes y por otro significados ya
no tendremos un signo, sino cuerpos muertos, productos de
una abstracción.

Fijémonos, para aclarar esta dificultad, en el siguiente
hecho: oigo hablar en un idioma desconocido; para mí no
hay en esa locución signos lingüísticos. Si yo poseyera significados a los que no correspondiese significante alguno, tampoco sería un signo. Lo mismo nos ocurre cuando al oír
nuestro propio idioma hemos captado sólo el sonido, enton-

ces igualmente no estamos ante un signo, o más claro, no
es un signo para el oyente —aunque sí lo sea para el hablante—, sino un mero sonido. No hay signo porque no hay
comunicación, y existe aquél en tanto que existe ésta, poca
o mucha. Al oír ese sonido desprovisto de significado hemos
actuado como una máquina que impresiona pasivamente los
sonidos a ella llegados, y lo mismo nos comportaríamos en
caso análogo con los significados, si fuera posible captarlos
directamente. Por consiguiente, significante y significado son
inseparables en el signo lingüístico, el cual dejaría de serlo
en cuanto los separásemos [6 bis].

Figurémonos que existiese un signo en el que a un único
significante correspondiese un significado único; podríamos
decir de él que es univalente. Pero hemos quedado en que
no hay significante único ni significado único tampoco; ambos
son complejos de significados y significantes parciales, por
lo que este signo tendrá varias valencias. Si en el signo A
hallamos los significantes a_1, a_2, a_3, a_4..., que corresponden a
los significados b_1, b_2, b_3, b_4..., es indudable que no todos
ellos poseen el mismo aprecio para el hablante, sino que uno
o varios se hallarán en un plano principal y los demás estarán
en un plano secundario en cuanto al interés. Es el significado
b_4 lo que el hablante desea resaltar, y lo hace mediante el
significante a_4, pongo por caso; el hablante ha tomado, según
su ordenación y estructuración lingüística, el significante
más idóneo para resaltar lo que a él le interesa; en este
caso el signo A, como en un globo de cristal, limpia una
parte de su esfera, a_4, y deja ver con más nitidez que en el
resto el significado b_4. Ahora, por el contrario, es el significado

---

[6 bis] Las ideas precedentes expresadas por nosotros en 1954 son
expuestas en 1960 por el profesor polaco Adam Schaff, *Introduction
à la sémantique*. Traduit du polonais par G. Lisowski. Éditions anthro-
pos, Paris, 1968, pág. 196.

b$_3$ el que deseamos poner en el primer plano del interés
y lo hacemos mediante el significante a$_3$; o es el b$_1$, y usamos
para ello el a$_1$, a$_2$ y a$_3$, por ejemplo, es decir varios significantes para resaltar un significado. En todos estos casos
hay una pluralidad de significantes secundarios y otros principales, de forma que, sin poder decir que sea distinto el
signo, tampoco es idéntico en todos los aspectos, ya que
posee en uno y otro caso un distinto *sentido intencional*
rector debido a la *intencionalidad* del hablante, entendiendo
por tal la facultad del sujeto hablante para hacer sobresalir
y traer al primer plano de la atención éste o el otro significado mediante tal o cual significante o grupo de significantes.

Intencionalidad y motivación tienen su fundamento en
el sujeto operante del hecho lingüístico. El sujeto es el que
ata, por decirlo así, este significante a este significado, sin
que exista entre ambos una predisposición natural en sí, en
ellos, para que sea precisamente este significante y este significado, y no puedan emplearse cambiados, sino que es así
porque el sujeto quiere. Es decir, yo puedo expresar —en el
momento de creación de un signo, sin que la tradición me
lo imponga, por tanto—, un significado por tal significante
o tal otro: nos hallamos en presencia de la afirmación de la
arbitrariedad del signo; pero la realidad nos muestra que,
llegado el momento de la creación, nos movemos dentro de
unos límites, y disponemos de unos medios, los cuales cons-
triñen y restringen esa omnímoda facultad: tal hecho es lo
que constituye la *determinación* del signo; en cuanto yo me
encuentro movido a emplear uno u otro significante nos
hallamos ante la *motivación* del signo; en cuanto expreso
este significado por este significante nos encontramos frente
a la *intencionalidad*; como consecuencia, pasa a estar en
primer plano éste y el otro significado: el signo ha adquirido

un determinado *sentido intencional* o intención; podría decirse que es el signo modificado según la intencionalidad del
hablante. No cabe la posibilidad de confundir intencionalidad
y sentido intencional, ya que aquélla se da en el hablante
y éste en el signo.

En la arbitrariedad del signo se basa precisamente la
motivación e intencionalidad. Al ser el signo arbitrario, se
precisa que exista algo superior y externo a él a la vez, capaz
de ejercer la elección que implica todo signo entre los posibles significantes para el significado en el momento de crear
o recrear el signo, y de ofrecer su resultado en forma de
síntesis; tal elección solamente puede ser llevada a efecto
por el espíritu del hablante, que es, además, el sustentáculo
de la facultad locutiva.

Veamos si con un ejemplo se aclaran más los contornos:
una flecha por sí sola, pintada sobre una tabla, no significa
nada; pero en cuanto esté *dirigida* puede ser un signo; ahora
bien, si he logrado *apuntarla* concretamente a este objeto lo
he realizado mediante la intencionalidad, y este signo lo es
en cuanto se mantenga dicha intencionalidad. Se nos manifiesta ésta igualmente al estudiar las causas del desajuste
lingüístico entre dos individuos. Frecuentemente se da el
caso de que el hablante pronuncia una palabra que el oyente
—porque estaba distraído, o por otras mil razones— toma en
un sentido completamente opuesto. Ello quiere decir que el
oyente ha ejercido en su lenguaje interior, mientras oía
hablar a su interlocutor, una intencionalidad distinta. Se ha
basado en el mismo significante, pero mientras el hablante
lo refería a un significado, el oyente lo ha relacionado con
otro, rompiéndose así la comunicación lingüística entre
ambos. Advertido de su distracción, se hace repetir la palabra, y ahora, con el mismo significante, toma el significado
del hablante: estamos en presencia de un signo distinto del

anterior, y en este caso sí hay comunicación porque ambos poseen la misma intencionalidad, y por ello el signo es común a los dos, en cuanto es posible que lo sea.

Es la intencionalidad el alma del signo, y hasta tal punto que según sea ella así es el signo; de tal manera que si escuchando cinco personas a otra cada una de ellas tuviese distinta intencionalidad, habría seis signos distintos: una entendería algo meramente conceptual, otra un insulto, etc. Refiere Karl Bühler [7] en su libro *Teoría del lenguaje*, que «un estudiante de Bonn, según cuenta la fama, hizo callar y llorar una vez en una porfía a la verdulera más insultante, sólo con los nombres de los alfabetos griego y hebreo («¡So alfa!», «¡So beta!»...). Una historia psicológicamente creíble, porque en el insulto, como en la música, casi todo depende del 'tono'». He aquí unas palabras neutras en insulto o alabanza convertidas mediante cierta intencionalidad del hablante en insultos, por lo que adquirieron otro sentido intencional del que habitualmente poseen. Hasta qué punto la intencionalidad de la oyente convirtió esas palabras en terribles insultos lo demuestra el hecho de romper a llorar. El significante principal será el tono, la velocidad de la pronunciación, o lo que sea, lo cierto es que el deseo del estudiante era molestar e insultar y lo consiguió porque —aparte de lo que pudo influir en el ánimo de la verdulera el desconocimiento de las palabras empleadas, que en realidad es un significante más—, su oyente captó plenamente que el significado expresado por aquellos significantes era peyorativo.

En verdad, éste es un caso extremo y excepcional, que si por una parte confirma la regla o normalidad: conveniencia o acuerdo entre intención y significado habitual, por otra

---

[7] Karl Bühler, *Teoría del lenguaje*, traducido por Julián Marías, Biblioteca Conocimiento del Hombre, Revista de Occidente, Madrid, 1950, pág. 45.

parte pone al descubierto la intencionalidad habitual y la que ha surgido nuevamente. En un signo dado ha sido preciso romper la intencionalidad habitual, el nexo que une al significante con el significado, y formar una nueva ligadura entre el mismo significante y otro significado: es una creación a medias. Si ambos elementos fuesen enteramente nuevos se trataría de una creación propiamente dicha. En la actualidad la más frecuente es la primera, porque existe un sistema tradicional de signos.

Todos hemos oído o pronunciado palabras de distinto sentido intencional al sentido con que normalmente son pronunciadas, y nos hemos sentido por ello halagados u ofendidos. Las madres dirigen a sus hijos palabras que con otra intencionalidad serían injuriosas, pero, con la que ellas ponen, resaltan de tal forma algún significante que invalidan el anterior sentido y descubren otro significado positivo axiológicamente. Como dice Hofmann, «el uso acariciativo de palabras de sentido normalmente peyorativo [es] fenómeno muy extendido en las lenguas actuales» [8]. En los bajos fondos de la sociedad suenan como halagos palabras que el diccionario señala como ofensas. Por el contrario, palabras laudatorias son invalidadas por algún significante, y se toman como insulto deslizado más o menos subrepticiamente. Por ello, la persona a quien va dirigida la «flor», al no ser muy clara, dice a quien se la dirige que lo haga sin *retintín*.

Si un animal es capaz de pronunciar varias palabras no quiere ello decir que posea la facultad de hablar; ya que a esos sonidos es incapaz de referir un significado, porque carece de intencionalidad.

La intencionalidad aparece claramente en todas las manifestaciones de la locución, y de manera ejemplar en la ironía.

---

[8] J. B. Hofmann, *El latín familiar*, trad. y notas de J. Corominas, Madrid, 1958, pág. 132.

Mediante este recurso expresamos lo contrario de lo que se dice y, generalmente, en un grado superior. «Decir irónicamente 'X es buenísimo' no puede equivaler a 'X es malísimo', sino a un superlativo que desborda gravemente a este último. Tal es lo que nuestra sensibilidad está proclamando a gritos. Lo que no sabemos todavía es la causa de que ocurra así»[9].

Hemos de notar que en la expresión irónica no se dan los mismos elementos significantes que entran en la expresión, llamémosla, normal, o por lo menos en las mismas condiciones, ya que de hacerlo así tendríamos una segunda versión de esta última. Pero hay uno, fundamental, «X es buenísimo», que permanece inalterable, y que, sólo por él, si no interviniesen otros, haría, como en el caso normal, referencia al mismo significado; pero, al intervenir, actúan sobre este significado de tal forma que lo varían completamente, no obstante permanecer el mismo significante fundamental. A veces el significante que actúa sobre el significante fundamental es el tonema, el *retintín*, pero no es indispensable, ya que el nuevo significado puede venir expresado por un significante extralingüístico. Por ello la ironía era para la antigua retórica «figura de pensamiento».

El sujeto hablante es quien realiza estas sustituciones y estos engarces entre significantes y significados quedando así de manifiesto, una vez más, la existencia de la intencionalidad en el hablante como elemento rector del lenguaje, ya que mediante ella adquieren los sonidos el sentido definitivo para cada caso particular.

Por consiguiente, decir que la ironía consiste en un cambio de sentido no es más que constatar un hecho; pero decir que es debido a la intencionalidad, es ya explicarlo.

La intencionalidad se da siempre en el lenguaje, pero resulta más visible en los casos de creación o innovación

---

[9] Bousoño, *op. cit.*, pág. 207.

a causa del sentido intencional que adquiere el signo por tener un punto de referencia: el sentido corriente de su empleo.

La intencionalidad, como fácilmente puede colegirse, se referirá: *a)* a esencias o conceptos, y entonces la llamaremos conceptual, y *b)* a valores, y entonces se llamará axiológica.

Efectivamente, cuando con un mismo término ejercemos sobre éste un cambio de significado [10] de manera que el nuevo sea otro concepto, tendremos el caso *a)*, y cuando hemos sustituido un valor por un concepto también tendremos este caso. Pero cuando en la sustitución el nuevo significado, partiendo de cualquiera de sus orígenes, sea un valor, tendremos el caso *b)*.

Quédanos, por último, afirmar una vez más esta unidad del signo como un complejo psico-físico, elemento sustituidor de otros seres [11] mediante el cual el hombre ejerce la facultad de hablar.

---

[10] Vicente García de Diego, *Lingüística General y Española*, C. S. I. C., Instituto Miguel de Cervantes, Madrid, 1951, pág. 93: «Un símbolo antiguo nos sirve, sin inventar otros, para designar nuevas ideas, enriqueciendo con admirable economía verbal el pensamiento».

[11] V. García de Diego, *op. cit.*, pág. 68: «La relación que la conciencia ha establecido entre el ser y la palabra hace que en cierto modo, para la mente, la palabra y el ser se identifiquen en cierto valor evocativo».

Capítulo II

EL DIMINUTIVO COMO SIGNO LINGÜÍSTICO

ELEMENTOS DEL DIMINUTIVO

El diminutivo es una palabra formada por derivación, de la que es un caso particular. En principio, entran en su formación dos partes: tema y sufijo. Constituido el diminutivo, tenemos en estas dos partes dos significantes fundamentales, que hacen relación a dos contenidos, aunque de distinta índole: de pleno contenido semántico el tema, por lo menos inicialmente; y el sufijo, un morfema semantizado. En este sentido, pues, podría decirse que son dos semantemas. El sufijo diminutivo no es un morfema según el sentido que da a esta palabra Lázaro Carreter: «*Sufijo*. Morfema que, unido a una base en su parte final, forma un derivado: *-ico, -ote, -dor*, etc.». «*Morfema*. Elemento lingüístico desprovisto de significación, que sirve para relacionar a los semantemas en la oración y delimitar su función y significación»[1]. Más propios que las denominaciones de tema y sufijo serían los nombres de plerema central para el tema,

---

[1] Fernando Lázaro Carreter, *Diccionario de términos filológicos*, Biblioteca Románica Hispánica, Editorial Gredos, Madrid, 1953; 3.ª ed. corregida. Reimpresión, 1971.

y plerema marginal para el sufijo; así pues, el diminutivo —salvo en los casos de acumulación del elemento derivativo— estará formado por dos elementos: uno central o nuclear al que se le añade otro derivativo, que rige los elementos morfemáticos[2] propiamente dichos.

Si nosotros empleamos las denominaciones de tema y sufijo es teniendo en cuenta las palabras precedentes.

De una manera general se puede decir que los diminutivos pueden formarse en todas las partes de la oración, en especial derivándolos del sustantivo y adjetivo; no tan abundantes son los diminutivos del adverbio, pronombre (¡pobrecita *ellita*!, frase oída en el ambiente familiar, en Madrid), gerundio, participio y aun formas personales del verbo, como en Galicia: ¡queriñote muito!, dicho por una madre a su hijo; éste es un caso, creemos, de auténtica derivación diminutiva sobre la forma personal, distinto de cuado el diminutivo da lugar a un verbo, como besicar (Nebrija, fol. 76), caso equivalente a cualquier otro de formación de una palabra sobre un diminutivo, como pobretería, de pobrete. Es en la literatura y diccionarios regionales en donde pueden verse las formas más originales de este derivado. A continuación algunos casos de diminutivos tomados de Dámaso Alonso[3]:

---

[2] Emilio Alarcos Llorach, *Gramática estructural*, Biblioteca Románica Hispánica, Editorial Gredos, Madrid, 1951. Especialmente, páginas 76, 77, 79 y 95.

[3] Wartburg, *Problemas y métodos de la lingüística*, traducción de Dámaso Alonso y Emilio Lorenzo. Anotado para lectores hispánicos por Dámaso Alonso, C. S. I. C., Instituto Miguel de Cervantes, Madrid, 1951, pág. XIX. Lamentamos que el profesor W. von W. y su colaborador de la segunda edición, S. Ullmann (Tübingen, 1962), no hayan tenido en cuenta las positivas aportaciones del anotador español. Con ello salen perjudicados el libro y el posible lector de esta segunda edición, así como el de sus traducciones, por ejemplo, la de PUF, 1963.

He aquí unos cuantos usos que hemos oído en Colombia (la indicación de localidad necesita comprobación minuciosa). Petición de un mendigo: «Por vida suyita, deme una limosna» (Bogotá). «En estico vengo» (Bogotá, lo mismo que «ahoritica»). «Si masito me caigo» (Bogotá, como si dijera «estuve a punto de caerme»). «Su mersesita linda», dice en Boyaca y Cundinamarca el galanteador. «¿Qué talito que hubiera sucedido?» (Valle de Cauca). En una tienda, diálogo entre vendedora y compradora: «—¿Quiere estico?» (señalando una cosa). —«No, esito» (Valle de Cauca). En casos como este último se diría que el diminutivo ha perdido toda función especial, es decir, «estico» = «esto».

El sufijo puede referirse a un significado que pertenezca a uno de estos dos grandes grupos: conceptual o axiológico. La preferencia para un examen estilístico se dará a los sufijos axiológicos, descartando los conceptuales por su especificación de sentido. Es normal —eliminados los sufijos conceptuales— encontrar un mismo sufijo en actitud oscilante, es decir, empleado ya conceptual, ya valorativamente, por lo que será forzoso atender al oficio concreto del diminutivo para su análisis y clasificación. En extensas zonas de América la fijación semántica de sufijos ha sido tal que se puede decir que sólo se conserva con función axiológica viva el sufijo -ito: y en casos en que el derivado de este sufijo se ha especializado semánticamente o está en trance de perder el matiz diferencial propio del diminutivo o se recurre a una acumulación (ahorita y ahoritita, en Méjico), para subrayar el matiz característico de dicho derivado, sobre todo axiológicamente.

EL DIMINUTIVO, SIGNO LINGÜÍS-
TICO: SOLO Y EN LA FRASE

De la tensión entre estos dos significantes, tema y sufijo, nace el gran valor expresivo del diminutivo y su importancia como signo lingüístico. De dos maneras fundamentales se manifiesta esta tensión: como un refuerzo o apoyo del sufijo al tema y como un contraste; en este último caso el diminutivo adquiere generalmente el matiz del sufijo (guapa-guapita, fea-feíta). En este sentido se expresa M. Seco cuando afirma que «diversos sufijos desvirtúan en ocasiones la carga negativa del término»[4], y no sólo lo desvirtúan sino que el derivado adquiere la carga emocional que habitualmente tiene el sufijo, como tendremos ocasión de comprobar ampliamente a lo largo de la tercera parte del presente trabajo.

Así como la tensión entre el tema y el sufijo dan la expresividad al diminutivo, la tensión entre éste y el resto de la frase señalan en ésta su valor desde el punto de vista del diminutivo. La tensión entre el diminutivo y la frase puede dar lugar al mismo desarrollo que entre el tema y el sufijo.

Hay que tener en cuenta el lugar que ocupa el diminutivo en la frase, que puede ser al principio, hacia la mitad o al final. En el primer caso, cuando el diminutivo lleva el mismo signo que el resto de la frase, ésta suele ser como una explicación y ampliación de la síntesis dada en el diminutivo al principio; cuando va al final, las palabras precedentes suelen ser una preparación gradual para el diminutivo, que reúne y centra la energía expresiva de la frase; si va en el centro, el primer tramo suele ser de preparación a la cima señalada

---

4 Manuel Seco, *Arniches y el habla de Madrid*, Alfaguara, Madrid, 1970, pág. 240.

por el diminutivo, y el resto la otra vertiente de esta cumbre expresiva. O sea: clímax, cumbre expresiva señalada por el diminutivo, y anticlímax.

También se pueden dar los mismos casos con el diminutivo de signo opuesto al de la frase. Compruébese qué alturas no alcanza el humor, la sátira, la ironía, por ejemplo, cuando tras una preparación positiva se cierra la frase con un diminutivo negativo; se comienza con un diminutivo de un signo y se fijan sus justos alcances con una frase de signo opuesto; o tras una primera parte de un signo dado, se hace alto, se da un toque de atención con un diminutivo de signo opuesto, y se continúa la frase en el tono empezado.

Pierde, en cambio, mucha energía la frase que con un diminutivo en el centro, en vez de ser el diminutivo un reflejo de la última parte de la frase se eleva ésta todavía más, acentuando su expresión; en tales casos el diminutivo queda desdibujado y pasa a ser un simple elemento más de la cadena expresiva.

TEMAS VARIOS

En cuanto al origen, causas, época, región, desarrollo y evolución de la forma y sentido, alternancia y sustitución de sufijos átonos por tónicos del latín, fijación y especialización semántica, clases de terminaciones y modos de unión del sufijo al tema, etc., son asuntos que ahora no constituyen objeto de nuestra atención. Aparecen en varias gramáticas las reglas de adición del sufijo al tema y la forma de aquél según acabe éste; a nosotros nos cabe decir, por el contrario, que tales reglas son normas muy generales y de aplicación mucho más concreta —de acuerdo con la geografía y el medio social—, que lo que comúnmente se cree. Por otra parte, planteado así el problema, quedaría orientado a una solución cuantitativa. No se puede decir, por ejemplo, salvo en una gramática normativa, que la regla general para formar diminutivos en las palabras oxítonas, polisílabas, acabadas en *n* o *r*, y disílabas en *e* y *a*, u otra cualquiera, es -cito o -ito, pues encontramos —con la misma normalidad, según la región o el ambiente, formas como jardincito y jardinito—; peorcito y peorito; mamita, mamaíta y mamasita; carnecita y carnita; solecito y solito; arbolico y arbolecico; crucecita y crucita; etc.

Tan válidas y legítimas son unas formas como otras; esperamos que algún día podrán señalarse las causas rítmicas y melódicas que presiden su formación, y desentrañar esas oscuras, oscurísimas matizaciones conceptuales y axiológicas que en muchos casos son debidas a las condiciones en que el hablante las oyó por primera vez [5].

Algunas de las formas reduplicadas se producen por especialización de las simples. Pero estas acumulaciones son debidas más frecuentemente a un deseo de expresividad semántica, y también fonética, que muchas veces se traduce en un jugueteo idiomático basado en el eco sonoro del diminutivo. Algunas formas reduplicadas pueden verse en las partes segunda y tercera; como ejemplo pondremos aquí éstas señaladas por Dámaso Alonso [6]:

«La misma tendencia al uso y a la acumulación de sufijos (que el italiano) muestra el español. Véanse algunos de los derivados de *chico* (pero téngase en cuenta que, por ser esta voz a un mismo tiempo sustantivo y adjetivo, los vocablos que

5 José María Valverde, *Estudios sobre la palabra poética*, Ediciones Rialp, S. A., Madrid, 1952, pág. 76.
6 Vid. Wartburg, *Problemas y métodos de la lingüística*, etc., páginas 126-127.

aquí se citan, o conservan ese doble carácter, o son sólo sustantivos, o sólo adjetivos):

1) Sufijos simples:

   a) diminutivos: *chiquito, chiquillo, chiquete, chicuelo, chiquín.*

   b) despectivos: *chicuco, chicajo, chicujo.*

   c) aumentativos: *chicazo, chicote.*

2) Sufijos repetidos:

   chiquitito, chiquinín.

3) Combinación de dos sufijos:

   a) diminutivo + diminutivo: *chiquitillo, chiquitín, chiquitico, chiquillín.*

   b) diminutivo + despectivo: *chiquituco, chiquitajo, chiquitujo.*

   c) diminutivo + aumentativo: *chiquillazo, chiquillote, chiquillón.*

   d) despectivo + aumentativo: *chicarrón.*

4) Combinación de tres sufijos:

   chiquitinín, y los que se citan en el número 5.

5) Existen otras combinaciones de sufijos en que algunos de los elementos combinados son peculiares de los derivados de *chico: chiquilín* (que parece variante de *chiquinín*), *chiquirritito, chiquirritillo, chiquirritín, chiquirritico, chiquirritaco, chiquirrituco, chiquirritajo, chiquirritujo, chiquirrinín, chiquilindrín, chiquilicuatro.*

6) Todos los derivados anteriores de valor adjetivo pueden reforzarse con los prefijos *re-, rete-* o *requete-: rechiquitín, retechiquillo, requetechiquirritito.*

Se trata de una palabra empleada con gran intensidad afectiva por las madres cuando hablan a sus niños, y en boca de ellas sufre numerosas modificaciones. La lista anterior no representa más que una pequeña parte de las combinaciones posibles. El uso personal y regional aumenta aún más su número en enormes proporciones. Compárese lo que afirma de Andalucía

Santiago Montoto: «De *chico* decimos *chiquito*, y de éste *chique-tito*, y de éste *chiquirritito* o *chiquitillo*, y de éstos *chiquirrititito* o *chiquititillo*, y de éstos *chiquirrititillo* o *rechiquititillo*, y aún de éstos *rechiquirrititillo*» (*Andalucismos*, Sevilla, 1915, pág. 12); de Soria, dice García de Diego: «un cruce de dos sinónimos *chico* y *rebujo*, produjo *chiquirribujo, chiquirribujín* «peque-ñito» («Contribución al Diccionario Hispánico Etimológico», Madrid, 1923, núm. 509)».

Como dice el mismo Dámaso Alonso, el uso personal y regional aumenta considerablemente el número de derivados, alguno de éstos tan curioso como los señalados por Lenz[7], *chiquichicho* por *chiquitito*, y *chichicho* en vez del primero (semejantemente *poquichicho* por *poquitito, toichicho* por *toitito, naichicha* por *naitita*), por palatalización de ciertas consonantes, fenómeno frecuente en lengua mapuche y tam-bién en vasco[8]. En España esta palatalización de ciertas consonantes no deja de darse en el lenguaje infantil y en el de los enamorados que imita a aquél, como *chí* por *sí*. (Gal-dós, *Fortunata y Jacinta*).

En cuanto a los sufijos son considerados como propios del diminutivo aquellos que tradicionalmente son tenidos por tales siempre que no posean una especialización léxica que los invalide (flequillo, pañuelo, lobezno, lobato, etc.), y

---

[7] Rodolfo Lenz, *La oración y sus partes. Estudios de Gramática General y Castellana*, 2.ª ed., Madrid, 1925, § 136.

[8] Valle Lersundi, F., «Una forma del femenino y el valor de la letra *ch* como diminutivo en los nombres de los guipuzcoanos de los siglos XV y XVI», *Revista internacional de estudios vascos*, XXIV, 1933, 176-181. También del mismo autor: «El valor de la letra *ch* como di-minutivo en los nombres de los vascongados de los siglos XV y XVI», *RIEV*, XXV, 1934, 192-194. Spitzer, Leo, «Les diminutifs basques avec *ch*», en *RIEV*, XXV, 1934, 353-359. La búsqueda de expresividad, unida o no al diminutivo, por distintos procedimientos fonéticos es frecuente en diversas lenguas.

tienen un significado simplemente disminuidor que alterna
con el significado axiológico, o funciona conjuntamente.

En cualquier caso, el análisis concreto y particular decide
sobre el aspecto diminutivo o no de la forma, pues hay
que atender más al empleo distinto que a la generalización
del sufijo; en efecto, formas en -ito, -illo, -uelo, etc., son diminutivos hasta una época y dejan de serlo después, o bien lo
son en un lugar y no lo son en otro (agüita, 'agua caliente'
en Chile; en España, agua caliente o fría, apetecible, en una
palabra). El sufijo -ejo tan abundante como un simple apreciativo con valor despectivo, es también diminutivo, y en
alguna región española, como Guadalajara, muy usado
bajo cualquier signo valorativo, abundan las formas positivas o neutras [9]. El sufijo -on, generalmente aumentativo, da
lugar también a formas derivadas de función activa y sentido
burlesco y reiterativo (matón, mirón), y pasivo (capón, pelón,
rabón, 'el que ha sido capado, pelado, rapado') también
llamadas de sentido privativo, y a formas con sentido disminuidor (picón, 'extremo de un pico o esquina', Palencia;
montón, etc.), aunque en muy escaso número; las formas
como perdigón, tienen una especialización bien concreta.
Tampoco son diminutivos propiamente dichos —y de ningún
valor para un estudio estilístico— algunos que han sido
considerados como tales por ciertos gramáticos, por ejemplo,
en -ote (islote), -orro (cachorro), etc., etc. Algunas de las terminaciones admitidas por la Academia tampoco deben tomarse por propiamente diminutivas. En cambio posee significado

---

[9] No considerar el área geográfica donde se produce el diminutivo
con un sufijo determinado lleva a la apreciación errónea de su caracterización axiológica por exceso de generalización, como sucede para
-uco en la cita anterior de Dámaso Alonso, tan interesante sin embargo,
o en el artículo periodístico de Justino Cornejo, académico de la
Ecuatoriana de la Lengua, titulado *Vida y pasión del diminutivo*,
ABC, 2-5-73, pág. 19, con respecto al sufijo -ejo, por ejemplo.

diminutivo una forma como azuquítar, surgida del cruce del positivo con los en -ita; también se oye con la forma azuquita.

Otro tema interesante es el estudio de las relaciones del sufijo diminutivo con los restantes sufijos. El sufijo diminutivo se ha interferido con otros sufijos (así como la función diminutiva con las otras funciones de una misma terminación) a causa de dar lugar todos ellos a la formación de palabras por derivación, lo que ha originado contaminaciones expresivas entre ellos que indujeron, a veces, a los gramáticos, a incluirlos en un grupo que no les pertenecía bajo la denominación común del diminutivo (-istrajo, comistrajo; -ote, islote, etc.). Queda, pues, fuera de nuestra atención lo exclusivamente apreciativo o conceptual, lo cual supone en no pocos casos moverse en un terreno subjetivo, sumamente resbaladizo, sin más asidero que la propia conciencia lingüística.

El valor evocador del diminutivo nace preferentemente del medio social en que se produce y del lugar de asentamiento del grupo lingüístico.

La distribución de los sufijos diminutivos en el área de expansión del español se complica a medida que se desciende a estudiarla más minuciosamente. Cuando estén más adelantados los estudios particulares podrá hacerse uno general señalando las fronteras y áreas de penetración de los distintos sufijos, pues son insuficientes los datos de que hasta ahora disponemos para hacer un estudio detallado y completo. Cuando más, nos permitimos hacer afirmaciones generales en cuanto a la distribución de los sufijos en el español actual, como las siguientes: el sufijo -iño denuncia procedencia de Galicia; -in (-ino) de Asturias, León, Extremadura, Salamanca; -uco, de Santander; -illo (-iyo), de Andalucía, sobre todo de Sevilla; -ico, de Aragón, Navarra, Murcia, Granada, Colombia, Costa Rica, Las Antillas, y con la forma

-iquio en Almería y Murcia; -ete del Levante español, Aragón,
Cataluña, Valencia, Perú, Costa Rica; -ito es el más extendido hasta el punto de haber sustituido a otros, y ser el
auténtico y único sufijo de muchas regiones americanas;
-ejo, de Guadalajara; etc.

Un estudio de este tipo no solamente habrá de hacerse
sobre la base estilística, sino de una manera total; así alcan-
zaremos a ver que mientras el sufijo -ico se encuentra en
número muy escaso, rarísimo, como diminutivo en Salamanca, entra, en cambio, a formar parte en abundantes
topónimos y apodos. Este mismo sufijo no se emplea como
diminutivo, así como el -illo, en Chile, y es rechazado en
Méjico de donde dice García Icazbalceta cuando comenta
el diminutivo cieguito: «Conocida es nuestra afición a los
diminutivos en ito, y la enemiga que tenemos contra ico».
Los límites entre un sufijo y otro se adelgazan, y se distingue
el sufijo -ico en Santo Domingo y en el departamento orien-
tal de la isla de Cuba coexistiendo con -ito, en tanto que
en el departamento occidental se usa -illo; la forma -ín,
normal en el Bierzo, coexiste en Santander con las formas
-uco, -ico, en donde no se usa apenas -ino, etc. Basado en el
estudio minucioso podrá hacerse el mapa completo de la
distribución de los sufijos diminutivos en España y América;
lograrán explicarse muchos de los problemas planteados al
español en América, como el lugar de procedencia de ciertos
núcleos de población de los primitivos colonizadores, y las
causas de su casi generalización en -ito y progresiva desapa-
rición de los otros sufijos.

En cuanto al sistema de valores y funciones del diminutivo no dudamos en adoptar, en líneas generales, el propuesto
por Amado Alonso, por ser el más completo y mejor estruc-
turado.

Antes de acabar, y a modo de resumen, afirmaremos una vez más que tanto el *Habla* como la *Lengua* no han de ser consideradas como meras abstracciones, sino como realidades concretas del fenómeno locutivo. El elemento propio de ambas es el signo lingüístico. En éste hemos apreciado el sentido intencional, el cual se da gracias a la intencionalidad del hablante. El sentido intencional es el que confiere, en última instancia, la significación definitiva al signo, por lo cual la intencionalidad aparece como la nota capital del lenguaje, y pasa a ser el gozne sobre el que gira la facultad rectora del mismo, y es el individuo, el espíritu del individuo, la base sobre la que se apoya la locución. Para confirmar y comprobar tal aserto creemos lo más adecuado seguir paso a paso el proceso de la creación del signo desde su misma raíz, estudiando la comunicación lingüística y los complejos funcionales de las dos facetas del signo (significante y significado), al cual hemos considerado en todo momento como una unidad indivisible.

A esta luz hemos visto el diminutivo como un signo lingüístico de características especiales a causa de los dos elementos pleremáticos que, cuando menos, entran en su formación, y de las relaciones surgidas entre estos elementos constitutivos, sustentáculos de los complejos significantes y de significados. La tensión entre dichas dos partes prestan al diminutivo la nota característica que posee como signo lingüístico, y es la base en que descansa todo su valor expresivo.

Una vez constituido el diminutivo como tal signo lingüístico, entra a formar parte del sistema locutivo formado por unidades similares —signos lingüísticos—, con las cuales tiene las relaciones propias de dicho sistema. La importancia que adquiere, llegado este momento, es debida al papel primordial que desempeña en las distintas funciones del lenguaje (expresión, apelación y representación), y a que es un signo lingüístico exponente no sólo de la apreciación axiológica, sino también de la postura adoptada por el hablante respecto al objeto y respecto al oyente.

Por todo esto, la importancia del diminutivo en un análisis estilístico es grande, tanto por él mismo como por los numerosos indicios que nos suministra de una manera más externa para el conocimiento de una obra literaria y de su autor, época, región, grupo lingüístico, medio, etc.

De intento hemos evitado ejemplificar lo hasta aquí expuesto, incluso lo referente al enunciado segundo de este capítulo, pues quien siga leyendo podrá encontrar en la tercera parte abundantes ejemplos que averan nuestros asertos.

SEGUNDA PARTE

EL DIMINUTIVO EN LA GRAMÁTICA

El diminutivo aparece por primera vez como objeto de estudio en la Gramática, lo cual es perfectamente natural. Por ello realizamos una exposición y breve comentario de la aparición y alcances del problema en algunas de las principales gramáticas y estudios similares.

Pretendemos así proporcionar, en primer lugar, un instrumento de contraste en un posible planteamiento y análisis de textos desde un punto de vista sincrónico, al tomar una referencia más o menos oficial (normativa, de uso, etc., según el carácter del texto gramatical que se compulse) de la lengua. En segundo lugar, permite señalar perfectamente los límites cronológicos, justificándose al mismo tiempo la dimensión temporal en que nos movemos.

Capítulo Único

Es digno de tenerse en cuenta que ya la primera gramática de nuestro idioma (1492) señala y estudia el diminutivo de manera notable, indicando con ello la importancia que tuvo para Nebrija, dado el interés que mostró en su estudio.

Nebrija encuadra el diminutivo dentro de los derivados, a los que clasifica así: «Nueve diferencias i formas ai de nombres derivados: patronimicos, possessivos, diminutivos, aumentativos, comparativos, denominativos, verbales, participiales, adverbiales» [2].

El primer paso que damos para llegar al concepto que Nebrija tenía del diminutivo es el que nos lleva a la definición de este derivado. Para nuestro gramático,

> Diminutivo nombre es aquel que significa diminución del principal de donde se deriva, como de ombre ombrezillo que quiere dezir pequeño ombre, de muger mugerzilla pequeña muger; en este género de nombres nuestra lengua sobra ala griega i latina por que haze diminutivos de diminutivos, lo cual raras vezes acontece en aquellas lenguas, como de ombre ombrezillo

---

[1] Antonio de Nebrija, *Gramática castellana*, edición crítica de Pascual Galindo Romero y Luis Ortiz Muñoz, Madrid, 1946.

[2] Nebrija, *op. cit.*, lib. III, cap. III, pág. 61.

ombrezico ombrezito, de muger mugerzilla mugerzica muger-
zita [3].

Permítasenos insistir en la idea de Nebrija acerca del
diminutivo, «disminución del principal de donde se deriva»,
puesto que ésta ha sido, si no la única, sí la más extendida
que del diminutivo se ha tenido casi hasta nuestros días.
El pensamiento de Nebrija mantiene una directriz fundamental según la cual el diminutivo indica simplemente una
distinción conceptual cuantitativa referente a la magnitud
del objeto. La anteposición del adjetivo marca decididamente
el concepto general de pequeñez, sin tener, ni mucho menos,
el matiz que encontraremos, por ejemplo, en la novela pastoril, o en expresiones como «hombre grande» y «gran hombre»,
por lo que no sería adecuado suponer que existe en este
caso, fiados de la colocación del adjetivo, un valor que está
lejos de poseer. Igualmente, en los diminutivos formados
de diminutivos la idea principal que se expresa con ellos,
según Nebrija, es la conceptual de pequeñez.

Este concepto de pequeñez que se reconoce al diminutivo
en los estudios gramaticales se enraíza tan profundamente,
y se mantiene en primer plano durante tanto tiempo, por
razones nada fútiles. En primer lugar hay un fundamento
real, ya que, efectivamente, *designa y ha designado la pequeñez*; y en segundo lugar, existe la predisposición del gramático a tomar al pie de la letra la denominación del derivado
como una explicación de su función empequeñecedora, here-
dada —aparte de otras funciones que permanecen todavía
ocultas a los gramáticos— juntamente con el nombre de la
gramática latina, a la que siguen y toman por modelo, inca-
pacitándose para ver más hondo, ya que la importancia

---

[3] Nebrija, *ibid.*, pág. 61-62.

axiológica no llega a exponerse, aunque sí esté presentida.

Digna de tenerse en cuenta es la ventaja que señala Nebrija a la lengua española para formar diminutivos frente al griego y al latín, aunque no ejemplifica bien.

Los contornos del concepto que poseía Nebrija acerca del diminutivo se limitan un tanto al compararlo con el término que él creó, el aumentativo, puesto que lo considera como una «forma de nombres contraria» a la de los diminutivos [4]. Por ello, la primera observación que hace es la de que indica tamaño superior al del primitivo, para pasar de aquí, sirviendo de base su propia grandeza, a designar «loor o vituperio», por ser su excesivo tamaño algo que está fuera de las proporciones normales y naturales de la hermosura —armonía— del objeto, según las normas clásicas.

Del examen objetivo del aumentativo, basándose en la cantidad, ha llegado Nebrija a la apreciación axiológica. No cabe duda de que quizá entrevió iguales posibilidades para el diminutivo, pero en éste no se decidió a aceptarlas por encontrarse ligado a una tradición, tradición que le faltaba respecto al aumentativo, y por ello fue más lejos, porque al no encontrar formas análogas en el hebreo, griego y latín

---

[4] Nebrija, después de hablar de los diminutivos, dice: «Tiene esso mesmo nuestra lengua otra forma de nombres contraria destos, la cual no siente el griego ni el latín ni el ebraico; el aravigo en alguna manera la tiene. I, por que este género de nombres aun no tiene nombre, osemosle nombrar aumentativo, por que por el acrecentamos alguna cosa sobre el nombre principal de donde se deriva, como de ombre *ombrazo,* de muger *mugeraza;* destos alas vezes usamos en señal de loor como diziendo *es una mugeraza* por que abulta mucho, alas veces en señal de vituperio como diziendo *es un caballazo* por que tiene alguna cosa allende la hermosura natural i tamaño del cavallo. Por que, como dize Aristoteles, cada cosa en su especie tiene ciertos terminos de cantidad delos cuales si sale ia no esta en aquella especie o alo menos no tiene hermosura en ella». *Op. cit.,* lib. III, cap. III, pág. 62.

tuvo que plantearse el problema en toda su integridad, no dudando resolverlo con arreglo a su juicio. Incluso con toda claridad manifiesta el carácter incoloro que en sí mismo tiene el sufijo, y al que la intencionalidad del hablante le presta la carga axiológica positiva o negativa (loor o vituperio).

Los grupos de sufijos diminutivos de que tuvo conciencia Nebrija fueron los siguientes, según algunos de ellos empleados por él, tales como

ombrezillo	ombrezico	ombrecito	hoiuelo [5]
mugerzilla	mugerzica	mugerzita	
partezilla		rasguito.	

Indudablemente para Nebrija sólo cuenta la terminación, y tanto le da que sea -illo o que sea -cillo, no siendo para él tampoco objeto de estudio averiguar las normas de formación de los diminutivos, saber si los grupos -cillo, -cito, -cico se dan tras *e* o *r* trabando sílaba, y en sustantivos que procedan de esta declinación latina, o de esta otra. El problema de la soldadura del tema y el sufijo ni siquiera es sospechado, por lo que los diminutivos deben considerarse agrupados según estos sufijos: -illo, -ico, -ito, -uelo.

De los diminutivos anteriormente señalados nos hemos servido para afirmar resueltamente el carácter disminuidor que para Nebrija tuvo este derivado; nos hemos apoyado para tal afirmación especialmente en el uso de los diminutivos «rasguito y partecilla» [6].

---

5 Nebrija, *op. cit.*, lib. V, cap. I, pág. 106.

6 «...poniendo encima dela silaba que a de tener el acento agudo un rasguito que el (Quintiliano) llama apice...» Lib. II, cap. II, pág. 39.

«Nuestra lengua no tiene tales prenombres (como en el latin G = Gaio, A = Aulo), mas en lugar dellos pone esta partezilla don cortada deste nombre latino 'dominus'...» Lib. III, cap. II, pág. 59.

«...e assi esta *partezilla* el la lo es para demostrar alguna cosa delas que arriba diximos...» Lib. III, cap. IX, pág. 74.

De la Gramática de Lovaina del año 1555 [7] son las siguientes palabras:

> Los españoles exceden a los latinos y griegos en componer *diminutivos*, porque los latinos y griegos tienen dos, ó á lo más tres terminaciones: los españoles de ciento y seis ó más maneras forman *diminutivos* en cualquier género.
>
> Las terminaciones suelen ser las siguientes: *ico, illo, ito, uelo, itico, ejo* y alguna vez *irrito*, como *santico... illo...* Aruelo ejo, *muchachirrito, tamañirrito*.

Con manifiesta exageración habla el autor sobre la facilidad de formar diminutivos; no obstante, puede ser una prueba indudable de la abundancia de este derivado a mediados del siglo XVI. En cambio Herrera, poco después, se pronunciará en sentido contrario.

En Menéndez Pidal encontramos las siguientes palabras: «La Gramática de Lovaina 1555 da *tamañ-irr-ito, muchach-i-rr-ito*, incremento hoy desusado, salvo en *chiqu-irr-it-ito*, extremo refuerzo de *chiqu-it-ito*» [8].

Por el contrario, nosotros creemos hallar mayor vigencia del infijo *-irr-* en la actualidad de la que afirma Menéndez Pidal. Prácticamente puede comprobarse introduciendo formas con tal afijo en nuestra conversación: se verá que el

---

«...esta *partezilla* i aiunta estos dos pronombres io tu...» Lib. III, cap. XVII, pág. 86.

[7] *Util, y breve institution, para aprender los principios y fundamentos de la lengua Hespañola...*, Lovaina, Bartolomé Gravio, 1555; en el conde de la Viñaza, *Biblioteca Histórica de la Filología Castellana*, Madrid, 1893, pág. 237.

[8] R. Menéndez Pidal, *Manual de Gramática Histórica Española*, 7.ª ed., Espasa-Calpe, S. A., Madrid, 1944, § 79, 4.

oyente no extraña dichas palabras, ya sea por la presencia activa de la forma señalada por el mismo Menéndez Pidal como única, *chiquirritito,* ya sea porque, en realidad, existen otras varias. Como ejemplo citaremos la forma *poquitirrito* en García Lorca: «Yo voy a comer ahora un poquito pan, un *poquitirrito* pan que me han dejado los pájaros...» (*Retablillo de Don Cristóbal,* Prólogo hablado). Otras formas con el infijo *-irr-* denuncian más claramente que no se trata exclusivamente de un signo superlativo conceptualmente, sino ponderativo axiológicamente y, en general, expresivo, por ejemplo *ojirris,* en una acotación en la escena del teniente coronel de la Guardia Civil de Lorca, y las formas recogidas al hablar de Lenz en esta parte, en las que se aprecia cierto sentido de juego.

JUAN DE MIRANDA

La gramática de Juan de Miranda[9] tiene la gran importancia de señalar la especialización afectiva del diminutivo. Escrita con esmero didáctico para su público italiano, muestra, en primer lugar, la significación disminuidora con arreglo al concepto tradicional, y las dos terminaciones, -ico, -illo, correspondiendo ésta a la italiana ello[10]. En cambio, el sufijo -ico no lo encuentra ni halla su correspondencia en italiano, tan abundante, por el contrario, en castellano, en donde casi todos los nombres propios lo toman (Juanico, Anica, Perico, Ynesica). De esta forma introduce Miranda el dimi-

---

9 Giovanni Miranda, *Osservationi della lingua castigliana di M. Giovanni Miranda divise in quatro libri: ne' quali s'insegna con gran facilità la perfetta lingua Spagnuola. Con due tavole: l'una de' capi essentiali, &. l'altra delle cose notabili.* Con privilegio. In vinegia appresso Gabriel Giolito de' Ferrari, MDLXVI.

10 *Op. cit.,* pág. 76.

nutivo del nombre propio en la gramática, con la particula-
ridad, además, de haber tomado como ejemplos unos en los
que el sufijo primitivo se une directamente al tema. El sufijo
-ito está también consignado por entrar igualmente en la
formación de nombres propios, Diaguito, y en nombres comunes y adjetivos, perrita, chiquito.

Finalmente, cierra el capítulo con la apreciación valorativa que poseen los distintos sufijos, diferenciándolos, por lo
tanto, implícitamente en su empleo. Si todos pueden expresar la disminución, no todos se asemejan en lo axiológico.
He aquí sus palabras:

> Ma la differenza che è tra questi finiti, in ico, et ito; e tra
> quelli in illo, è che questi in, ico et ito, sempre si dicono per
> modo di carezze, e quelli altri in illo si dicono per via di dimi-
> nuire quella cosa, senza altra consideratione, ne d'amore, ne di
> carezze, come in quei altri come si vede chiaramente per gli
> essempi, che habbiamo dato [11].

Del matiz conceptual expresado en las primeras palabras
ha sabido elevarse a una apreciación afectiva. Lo que ya no
podemos decir es si esta valoración subjetiva se forma precisamente a causa de la pequeñez del objeto, problema que
toca de lleno la primacía de valores en el origen del diminutivo.

Tres son, como hemos visto, los sufijos señalados por
Juan de Miranda: -illo, -ico, -ito. Como Nebrija, no tiene conciencia del problema de la formación del derivado, ya que
es de aparición moderna, cabiendo en esta época, cuando
más, la mención de formas dobles latinas, de donde proven-
drán sus correspondientes españolas, como puede verse en
Aldrete [12], «cestillus, vel cesticillus»...

---

[11] *Op. cit.*, pág. 78.
[12] Bernardo de Aldrete, *Del origen, i principio dela lengua cas-*

FERNANDO DE HERRERA

En las *Anotaciones a las obras de Garcilaso*[13], como anotación a la palabra «florezillas» (Égloga Segunda, v. 205), hemos hallado las siguientes palabras:

> (florezillas) la lengua Toscana està llena de deminutos, con que se efemína, i haze laciva, i pierde la gravedad; pero tiene con ellos regalo i dulçura i suavidad. la nuestra no los recibe si no con mucha dificultad, i mui pocas vezes.

Estas palabras expresan el juicio que del diminutivo poseía Herrera, un purista de la lengua; en calidad de tal, son más bien el reflejo de un deseo que manifestación de una realidad.

El juicio que merecen a Herrera los diminutivos será repetido posteriormente por todos los puristas del idioma, como puede verse en Capmany, por ejemplo.

Por traducir estas opiniones críticas el estilo de un determinado género literario no cabe duda de que Herrera tiene razón, pero sólo parcialmente, es decir, en cuanto refleja el modo de escribir de Garcilaso, o mejor, de todos los Garcilasos.

Obligado por las exigencias inherentes a toda traducción y supeditaciones métricas, influido por la autoridad de Herrera y fiel sobre todo al mesurado estilo pastoril castellano,

---

tellana, ò Romance, que oi se usa en España, Roma, 1606, l. II, c. IX, página 200. Puede verse en edición facsímil y estudio de Lidio Nieto Jiménez, publicada en la colección Clásicos Hispánicos del C. S. I. C., Madrid, 1972.

13 Fernando de Herrera, *Obras de Garci Lasso de la Vega con anotaciones de Fernando de Herrera...* En Sevilla, por Alonso de la Barrera, año de 1580, pág. 554. Hay edición facsimilar de Antonio Gallego Morell en la col. Clásicos Hispánicos del C. S. I. C., Madrid, 1973.

Juan de Jáuregui [14] traduce (en 1607 y 1618) el *Aminta* de Torquato Tasso eliminando veinte formas diminutivas de un total de treinta y tres italianas, y dando, al parecer, la razón a Herrera. Las trece restantes formas diminutivas traducidas son diminutivos tópicos literarios, no ya típicos dentro de la tradición literaria de una lengua, sino dentro de un determinado género por encima de las fronteras lingüísticas. Con ello Jáuregui da una muestra de bien traducir al mantener su obra dentro de la contención característica de este género en español; para ello tuvo que huir de la facilidad que le ofrecía el *Vocabulario* de Las Casas, que a veces le proponía un equivalente diminutivo, a pesar de lo cual «sus formas son poéticamente más aceptables», como dice acertadamente Joaquín Arce. Al eliminar hojarasca formal diminutiva Jáuregui mantenía su traducción dentro de los límites de formas diminutivas de obras de estilo semejante de escritores españoles. Una cosa es traducir a nivel lingüístico y otra a nivel poético.

Por lo que respecta a la última afirmación de Herrera, no cabe duda de que la abundancia de diminutivos en español puede ser similar, o superior, al italiano —según el carácter de la obra—, como fácilmente se puede comprobar con sólo echar un vistazo a los cuadros de frecuencia.

AMBROSIO DE SALAZAR

En la gramática de Salazar [15] vuelve a aparecer como característica peculiar del diminutivo la disminución del pri-

---

[14] Joaquín Arce, *El diminutivo italiano y su adaptación española por un traductor clásico*, Bollettino dell'Istituto di Lingue Estere, VIII, Genova, 1969.

[15] Ambrosio de Salazar, *Espexo General de la Gramática en diálogos, para saber la natural y perfecta pronunciación de la lengua Castellana. Servirá también de Vocabulario...*, Rouen, 1614.

mitivo [16]. A continuación inserta una extensa lista de estos derivados agrupados por materias: vestidos, partes del cuerpo, frutas, nombres propios... Primero escribe el nombre «entero», es decir, el positivo, y a continuación el diminutivo o los diminutivos que tiene, según él, y cuando no hay ninguno, una cruz indica la carencia.

Los sufijos más generales en el grupo de los diminutivos de nombres propios son el -illo y el -ico; por el contrario, en -ito sólo se da un caso (María, Mariquilla, ta). Parece señalar con ello que los dos sufijos mencionados en primer lugar son los más generales, ya que siendo ésta una gramática escrita ante todo para un público francés, es natural que pusiera las formas que se diesen más abundantemente. Por ello los numerosos -illo e -ico, como Simón, Simonillo, co; Martín, Martinillo, co; Gerónimo, Geromillo, co; Marcos, Marquillos; Lucas, Luquillas; Ana, Anilla... También es posible que estas preferencias se deban a otras causas, a andalucismo, como parece corroborarlo, quizás, algún diminutivo, tenedorsillos, aparadorsillo, y, según se desprende, sobre todo, de las propias palabras de Salazar:

> «solo me atengo a la lengua que llaman de Castilla, porque ella florece tanto en pleytos como en otras cosas de importancia, por que siempre se habla Castellano en cada Provincia y Reyno, aunque yo le prometo a V.M. que a mi me agrada mucho mas la lengua Andaluz que ninguna otra, ni aún la Castellana no le llega con muchos quilates pues que no ha mucho tiempo que se hablava muy grosseramente en Castilla.
>
> G. —Según me dize la lengua Andaluz se llama aca en nuestra Francia Castellana?
>
> A. —Si, señor, que aunque sea la mesma que la Castellana, con todo esso yo la hallo mejor, y mas delicada.

---

[16] «Pues sepa señor Guillermo que Disminutivo, quiere dezir la Disminución de la palabra...» *Op. cit.*, pág. 198.

G. —De essa manera sera menester leer los libros impressos
en el Andaluzia para Aprender el Español, antes que los que
son impresos en otro Reyno.

A. —También puede tomar los que estan impresos en Castilla la vieja y nueva, como en Alcala, Madrid, Valladolid,
Burgos y otras semejantes, porque miran lo que hazen quâdo
imprimen, mas en el Andaluzia se han de tomar los que estan
impresos en Sevilla, Granada, Cordova y otras, porque como
ya he dicho la lengua y la Impresiô es mas facil, dulce y de
mejor pronunciacion...» (págs. 51-53).

Serían, pues, motivos geográficos y culturales los que in-
fluirían en Salazar en la confección de la lista que da de diminutivos, de los que dice que «ay hartos» (pág. 216). Entre
estos últimos motivos habría que señalar la influencia que
sobre él se manifiesta de Nebrija, como hemos visto, por
ejemplo, más arriba acerca de la caracterización del diminutivo.

También aparecen las terminaciones -uelo y -ejo en distintos grupos de nombres junto a los otros sufijos; así, en
los referentes a las partes del cuerpo: cabeza, cabecilla, ta,
ca, cabeçuela; cabellos, cabellexos, cabellitos, cos; el cuello,
el cuellezuelo; manos, manezuelas, cas, tas; dedos, dedezue-
los, llos; piernas, pernezuelas; espinilla, espinillexa; pies, pe-
dezuelos, pedezitos; pellexo, pellexuelo, pellejito, co; dientes, dentezuelos, riñones, riñoncillos; capa, capilla, capezue-
la; ferreruelo, ferreruelexo; espexo, espexuelo; rueca, roque-
zuela; lienço, lencezuelo; cuerda, cuerdezuela; tenazas, tenazuelas, tenazillas; puerco, porquezuelo; perdiz, perdizuelas;
codornizes, codornizuelas; ciervo, cervezuelo; lievre, levre-
zuela; nuezes, nuezezillas; coles, berças, colezillas; nabos,
nabillos; chicheres, chicherillos; yedra, yedrezilla; ramas,
ramillas; cerezo, cerezillo; naranjo, naranjuelo; viña, viñe-
zuela; cereças, cereçicas, ô, cerezitas; yegua, yegüezuela;
lobo, lobillo; leon, leoncillo; huron, huroncillo; burra, burri-

quilla; tigre, tigrezuelo; toro, torillo, torijoncillo; lagartija, lagartixuela; alacran, alacrancillo; raton, ratoncillo; peque-ño, pequeñito, pequeñuelo; tierno, ternezuelo, ternezito; des-mayado, desmayadillo; corredor, corredorcillo; tajador, ta-jadorcillo; tenedores, tenedorsillos, etc.

Nada dice acerca de la alternancia de formas con los su-fijos -uelo, -zuelo y -ezuelo; -illo, -cillo y -ecillo, como tampo-co dice nada sobre la formación de los diminutivos en gene-ral. Parece observarse, no obstante, preferencia por formar diminutivos en *-exo* o *-exa*, cuando el simple termina en -illo o -illa, por ejemplo: colodrillo, Colocrillexo; Carrillos, Ca-rrillejos; Pantorrillas, Pantorrillexas; Espinilla, Espinilleja; Costillas, Costillexas; Almilla, Almillexa; Toquilla, Toquille-xa; Sillas, Sillexas; Escudillas, Escudillexas; Cuchillos, Cu-chillexos; vaxilla, vaxillexa; canastillo, canastillexo; parri-llas, parrillexas; Morcillas, Morcillexas; Membrillos, mem-brillexos; etc. En -cillo cuando acaba en *r* y *n* siendo aguda la palabra, por ejemplo: paladar, paladarcillo; Pulmon, Pul-moncillo; Riñones, Riñoncillos; corredor, corredorcillo; Cal-çon, Calçoncillo; Tajadores, Tajadorcillos; aparador, apara-dorsillo; colchon, colchoncillo; estregador, estregadorcillo; Salchichon, salchichoncillo; limones, limoncillo; Alacran, Ala-crancillo; etc.

En cuanto a los terminados en -uelo y sus variantes, es más difícil precisar las normas que presiden sus formacio-nes, como se puede ver por los ejemplos de más arriba. Por otra parte, Salazar admite sin explicación como positivas formas diminutivas etimológicas de las que parte para for-mar los diminutivos, lo que supone aceptar una diferencia-ción conceptual, aunque a veces venga contrastada por una regresión.

Nada sabemos por Salazar —por lo que lo dicho anterior-mente tiene un valor muy relativo— de las causas rítmicas y leyes de la formación de los derivados, para averiguar cómo se producen. Por ahora bástenos decir que Salazar llega a descubrir una especialización de la forma, y así escribe: «las tiseras, de despavillar, tixerillas», lo que no impide para que se dé la misma en las de cortar; de cuello (parte del cuerpo) hemos citado ya cuellezuelo, y de cuello (vestido), collezuelo. De rebato, rebatillo, co, to dice: «Yo oy muchas vezes en la ciudad de Cartagena, quando tocavan à rebato y siendo falso, dezian es un rebatillo». Y de carta, cartilla: «Tambien cartilla, es el primer librillo que dan a los niños, para yr al escuela, donde està el A.B.C.». Hasta tal punto están separadas formas como escoba y escobilla para Salazar que en el primer positivo no señala ningún diminutivo, no obstante tener escobilla como positivo en el grupo de objetos usados al levantarse de la cama, y su diminutivo escobillexa. En «passas, passillas, passas del Sol» parece apreciarse igualmente una especialización de la palabra por el sufijo.

Así, pues, claramente se ve que al derivar varios diminutivos de un positivo, en la doble corriente de la lengua de síntesis y análisis, se llega a una especialización del sufijo, primero en un sentido general y, por último, a la pérdida para el hablante de ese sentido, lo que conduce irremisiblemente a la asignación del derivado a un objeto; a veces es una simple variación fonética la diferenciadora, como en el caso de cuello.

Salazar, según hemos visto al principio, asigna al diminutivo un carácter disminuidor; posiblemente es de aquí, de la pequeñez, de donde parte la nota de menosprecio que distingue en el diminutivo, como cuando se expresa: «arros, arrozillo, este disminutivo de arroz se dize por desgayre, porque suena mal»; o cuando después de poner para viejo los diminutivos vejezuelo, vejezito, deja vejez sin ninguno, «y à la verdad es assy, por que se les deve toda honrra por su edad, y esto a qualquiera viejo que sea pobre ô rico, el disminutivo es menosprecio». Si fuera esta la razón para que vejez carezca de diminutivos estaría en contradicción manifiesta con los diminutivos de viejo. La razón está en el significado concreto o abstracto de las dos palabras, pues mientras en el primero es fácil la formación, es difícil en el segundo, ya que todo diminutivo individualiza o concretiza de alguna manera.

Por último, vamos a repetir los sufijos que Salazar considera como diminutivos (excepto las formas reforzadas), según su extenso vocabulario, a saber: -illo, -ico, -ito, -uelo y -ejo, en los que coincide con Juan de Luna [17], excepto en el último, que no lo señala.

GONZALO CORREAS

Sin duda alguna es Gonzalo Correas [18] quien escribe las mejores páginas que hasta entonces se habían dedicado al diminutivo. Aun siendo larga la cita, ponemos a continuación sus propias palabras acerca del tema:

---

[17] Juan de Luna, *Arte breve, y conpendiossa para aprender a leer, escrevir, pronunciar, y hablar la Lengua Española. Compuesta por Juan de Luna, Español, Castellano, Interprete della en Londres*, Londres, 1623: «En la lengua Española ay de todas las cosas nombres diminutivos, los masculinos se acaban en ito, ico, illo, uelo: como perro, perrito, perrico, perrillo, perruelo.
Los Femeninos mudan el o, ultimo en a: como perra, perrita, perrica, perrilla, perruela».
[18] Gonzalo Correas, *Arte grande de la Lengua Castellana, compuesto en 1626 por el Maestro Gonzalo Correas, catedrático de Salamanca. Publícalo por primera vez El Conde de la Viñaza, de la Real Academia Española*, Madrid, 1903, págs. 116-118.

«*De los Diminutivos*.

No menos que en Aumentativos es fecunda y abundante la Lengua Castellana en Diminutivos o Disminuidos; antes tiene gran copia y varias formas dellos, y con diferentes modos en el significar. Las más ordinarias son estas: ito, ico, illo, zillo, ejo, ete, uelo, ino, ajo, arro. Los femeninos mudan en a la última vocal del masculino.

Los en ito significan con amor y bien querer.
Los en izo (*sic* por ico) no con tanta afizión.
Los en uelo con desprecio.
Los demás casi todos con desdén.
Los en ino disminuyen mucho: y los que duplican una forma sobre otra, que también en duplicarlos hay mucha libertad.

Fórmanse tanto de Sustantivos, como de Adjetivos; como se verá en los ejemplos que siguen: Bueno, bonito, bonico, bonillo, bonitillo; Chico, chiquito, chiquillo, chiquitito, chiquitillo, chicuelo; Rocin, rocinito, rocinillo, rocinico, rocinete, rocinejo; Capon, caponcillo; Monte, montezillo; Escoba, escobita, escobilla, escobajo; Ramo, ramillo, ramajo, ramito; Tanto, tantito, tantico, tantillo, tantitito, tantinito, tantinico, tantirrito, tantirriquito, tantirrinito, tantirrizquito; Ratón, ratonito, ratoncito, ratoncillo, ratonillo, ratonitillo; Tamaño, tamañito, tamañico, tamañuelo, tamañino, tamañillo; Tamarro, tamarrito, tamarrizquito, tamarrico, tamarrino, tamarriñino, tamarrinico, tamarritito, tamarritico, tamarritino, tamarritillo, tamarrituelo.

Este será buen ejemplo de la mucha variedad que hay en formar Diminutivos y la dificultad de limitar su regla.

Barco, barquito, barquita, barquillo, barquino; Jarro, jarrito, jarrico, jarrillo, jarrino.

No pongo en todos todas las variedades que pueden tener, sino algunas de las más usadas, para muestra: Mesa, mesilla, mesica, mesuela; María, Marica, Mariquita, Mariquilla, Maricuela, Marigüela; Chica, chiquita, chiquilla, chicuela, chiquinina, chiquinita.

Destos ejemplos y formas se podran colegir otras que se pueden ofrecer o inventar conforme al uso y gusto de diferentes tierras y personas: como de Arca, arcaz, arquilla (muy chica), y es masculino el *arcaz*. *Riacho* = rio pequeño; de donde sale riachuelo. *Regajo, regato*, pradillo chico regado, y aun regato es reguero o rastro de agua o cosa líquida, o de grano que se fue derramando.

De *hebreo* vi formar hebregüelo, por menoscabo de la su persona poca, por un Preceptor de Hebreo muy pequeño.

También hay nombres hechos en forma diminutiva; y otros que en la énfasis del pronunciar se muestran: como bonete, *azulejo*, *rapacejo* (en paños y ligas), copete, birrete, salmorejo, pellejo, penacho, plumaje, realejo (órgano pequeño); plumaje significa también copia de plumas».

Hasta aquí Correas. No obstante la claridad de las palabras precedentes, con el fin de delimitar todo lo posible el concepto de Correas sobre el diminutivo, nos servimos del aumentativo para compararlo con aquél; tienen puntos de contacto y se asemejan en no pocos aspectos. Considerados ambos como recursos expresivos, es muy empleado el aumentativo «en el lenguaje común y familiar y el *cómico*» [19], e igualmente está extendido el diminutivo por todas las regiones españolas y entre diferentes personas, lo que equivale a afirmar la diversidad regional, y distinto sentido del diminutivo según el estrato social de las personas que lo usen. Aumentativo y diminutivo constituyen el anverso y reverso del mismo problema lingüístico; indican la cantidad de la cosa en más o en menos.

La diferencia en el modo de significar entre los dos, aumentativo y diminutivo, es la siguiente: el término creado por Nebrija se usa para expresar predominantemente el desamor y desprecio, y el diminutivo, por el contrario, para expresar de modo muy principal los valores positivos.

A los sufijos a los que explícitamente atribuye un valor dado cabe dividir en dos grupos: los que expresan amor, afición, desprecio y desdén, por una parte, -ito, -ico, -uelo, y

---

[19] *Op. cit.*, págs. 113 y sigs.

casi todos los demás, y por otra parte, los en -ino «y los que duplican una forma sobre otra», que disminuyen el positivo.

No sólo el diminutivo, sino también el aumentativo participa de esta acumulación de afijos, buscando con ello mayor fuerza expresiva y encarecedora, bien por desgaste de los simples, bien por necesidad del hablante. Recuérdense los ejemplos de diminutivos, citados más arriba, y los aumentativos siguientes: Mozo, mozón, mozote, mozonazo, mozonote, mozarrón, mozetón, mozetonazo, mozato, mozatón, mozatonazo, mozachón, mozachote, mozanco, mozancón, mozancho, mozarancón; etc.

En la recogida de estas superposiciones hay que notar qué agudamente supo discernir Correas como distintas formas tales como tantirriquito y tantirrizquito, en los diminutivos, entre las que no cabe más diferencia que el sonido interdental de la segunda. Es indudable que este sonido, cualquiera que sea la causa de su origen fonético inmediato, desempeña un papel expresivo semejante al citado por Benveniste [20], para un cambio de no aspirada a aspirada que puede marcar un matiz expresivo, como la aparición de la interdental en este caso.

Con la simple lectura de estos aumentativos y diminutivos se puede apreciar la gran libertad y variedad de formaciones de nuevos derivados, constituyendo por sí mismos uno de los capítulos más interesantes del idioma; pone de manifiesto una de las partes más vivas del mismo, tomando la inspiración para las nuevas formas de los motivos más

---

[20] E. Benveniste, *Origines de la formation des noms en indo-européen*, Paris, 1935, pág. 48: «Entre ὄκτ-(αλλος) et ὀφθ-(αλμός), il n'y a qu'une différence de nonaspirée à aspirée: le-φθ- représente le groupe indo-européen qu'on transcrit *kþh et qui a le traitement φθ dans φθίνω en face de skr. kṣiṇắti. Dans les formes de ce mot, l'expressivité a été cherchée et obtenue par différents procédés; l'aspiration de ὀφθ est un des ces moyens».

heterogéneos y originales, como por ejemplo el aumentativo *bobaleisón*, que sin duda debe su forma a causa de un jugueteo del idioma sobre motivos de la lengua religiosa, semejante, por ejemplo, al nombre Don Quirieleisón en el *Tirant lo Blanch*. También aparece este jugueteo humorístico del idioma a costa del latín en los cuentos populares protagonizados por animales [21].

En Correas hemos notado los siguientes sufijos: -ito, -ico, -illo, -zillo, -ejo, -ete, -uelo, -ino, -ajo, -arro, en los que hay que señalar la distinción que marca entre -illo y -cillo, lo que no hay que atribuir a una especificación de empleo explicada por la forma.

Merecen atención especial los diminutivos en -ino, por su regionalismo, ya que este sufijo es muy abundante y típico en Asturias, Salamanca y Extremadura.

Otras formas como escobajo y ramajo son más bien despectivas que diminutivas. En el caso de regajo cabe apreciar mayor fusión entre el tema y el sufijo y, por lo tanto, un mayor acercamiento al significado positivo.

Al leer los diminutivos y aumentativos que sirven a Correas de ejemplos, cabe pensar si son formas vivas del idioma, en especial de la región que representa, Salamanca, o, por el contrario, si son formas de laboratorio que el gramático crea tentando las posibilidades derivativas de la lengua. De todas maneras, es evidente que existe un hábito regional en la formación de diminutivos con sufijos acumulados, como se desprende de los mismos ejemplos presentados por Correas, terminados en -ino, -ico, -ito, -illo y -uelo preferentemente, y no en -ete, por ejemplo, que es más propio de la región catalana y levantina. En la actualidad, la formación de diminutivos por acumulación de sufijos es frecuente,

---

[21] Aurelio M. Espinosa, *Cuentos populares* (tres tomos), C. S. I. C., Instituto «Antonio de Nebrija», de Filología, Madrid, 1946, t. III.

como lo demuestran los estudios hechos sobre el vocabulario de la región. Así se expresa, por ejemplo, Llorente Maldonado de Guevara [22] al hablar del sufijo -ino: «Algunos diminutivos: corderinu, garrapinu, guapino, tontino, terneri-
no, etc. Además son corrientísimos los sufijos diminutivos
acumulados: delgaininu, chiquirrininu-chiquinino, guapaini-
nu, majinino, etc.».

BENITO MARTÍNEZ GÓMEZ GAYOSO

Poco antes de mediados del siglo XVIII aparece la gramática de Martínez Gómez Gayoso [23], en la que sigue definién-
dose el diminutivo por su significación disminuidora. Y añade: «La Lengua Castellana es muy abundante de Diminutivos. Los Masculinos acaban en ito, ico, illo, cillo, ejo, ete,
uelo, ino, ajo». Tras las terminaciones femeninas y su formación, hay unas interesantes líneas dedicadas a la significación afectiva de los distintos sufijos, denotando así el lento
pero seguro cambio en la orientación del estudio de estos
derivados. Así los «acabados en ito significan cariño: los en
ico no son tan cariñosos. Los terminados en uelo, ajo, y ejo
denotan burla y desprecio: lo mismo los en illo, menos
quando son nombre propio, que entonces significan amor, y
gracia».

Como se ve, de los sufijos mencionados más arriba quedan sin significación valorativa -cillo, -ete, -ino. De -cillo fácilmente puede juzgarse que Martínez Gómez Gayoso lo in-

---

[22] A. Llorente Maldonado de Guevara, *Estudio sobre el habla de la
Ribera (comarca salmantina ribereña del Duero)*. Tesis y estudios sal-
mantinos, V, C. S. I. C., Colegio Trilingüe de la Universidad, Salamanca, 1947, pág. 125.

[23] B. Martínez Gómez Gayoso, *Gramática de la Lengua Castellana,
Reducida a breves Reglas, y fácil methodo para instrucción de la Juventud*, por..., Madrid, MDCCXLIII, págs. 52-59.

cluyó en el mismo grupo que los en -illo, tomándolo como
una mera variación de forma derivativa; de los otros dos
nos inclinamos a creer que no les concedió ningún rasgo
axiológico.

En cuanto a su formación afirma que se derivan, en los
dos géneros, «assi de nombres substantivos propios, ò Ape-
lativos, como de nombres Adjetivos»; a continuación inserta
algunos ejemplos.

Curiosa es la referencia a los diminutivos de diminutivos
o segundos diminutivos, en los que, «aumentado el número
de las sylabas de los primeros Diminutivos, disminuyen su
significación», ya que de ellos quizá tuviese el autor la idea
de que existiese una relación entre las reduplicaciones de los
sufijos y la disminución en el tamaño. Pero para opinar
sobre ello haría falta saber a qué se refería concretamente
con la palabra «significación» en este caso: si a la conceptual o a la valorativa, ya que con los diminutivos no fue tan
explícito como al tratar de los aumentativos, de los que,
después de señalar el gran uso que de ellos se hace en la
conversación y el adorno que prestan a la oración familiar
por su viveza y donaire, afirma que con dichas terminaciones «acostumbramos añadir una, dos y tres sylabas, para
abultar con más gracia el nombre, y la cosa que explicamos».
Con ello vemos la afirmación tajante de que el aumento de
sufijos lleva consigo un aumento de expresividad en esta
interdependencia entre la palabra y la cosa, y su tamaño,
según el sentir popular.

Siguen unas observaciones acerca de la formación de
estos diminutivos de diminutivos: se forman los

acabados en ico, ica, mudandoles la ultima sylaba en estas ter-
minaciones: quillo, quilla, quito, quita, cuelo, cuela, v. g. de
Perico, Periquillo, Periquito, Pericuelo: de Marica, Mariquilla,
Mariquita, Maricuela. Otros se forman de los Diminutivos en

ito, ita, mudando la vocal última de estos en las terminaciones: ico, ica: illo, illa, v. g. de bonito, bonitico, bonitillo: de bonita, bonitica, bonitilla. Algunos nacen de los Diminutivos acabados en illo, mudando la *o* en *ete*, como de Ramillo, ramillete. Del Diminutivo Tamarro, muy usado en Castilla —dice—, se derivan Tamarrizquino, tamarrizquito, y tamarrinino.

Con estas palabras pone fin a las que dedica al diminutivo. Aquí hay que observar que de los tres últimos diminutivos, de cuyo positivo Correas inserta un gran número de derivados, el primero y el último no fueron señalados por él, con lo que queda con éstos aumentado su número, de forma que se pone de manifiesto qué corriente fue, efectivamente, este diminutivo, en cualquiera de sus derivados, en Castilla, según dice el mismo Martínez Gómez Gayoso, a no ser que se trate, en algunos de sus ejemplos, de creaciones de laboratorio.

ANTONIO DE CAPMANY Y DE MONTPALAU

Transcribimos a continuación el juicio que merecieron los diminutivos a Capmany [24], tomado de su libro *Filosofía de la elocuencia*. Al hablar en el Artículo IV de la elección de las palabras que forman la elocución, refiriéndose a los epítetos, se expresa así:

> Los diminutivos afeminan y hacen lascivo el lenguage, y le hacen perder toda gravedad. Nuestro idioma sólo los admite, y muy pocas veces, en estilo familiar y jocoso; y en casos afectuosos y tiernos puede la elocuencia admitirlos alguna vez, para suavizar la dicción. Los aumentativos tienen la desgracia de

---

[24] Antonio de Capmany y de Montpalau, *Filosofía de la elocuencia. Nueva edición conforme a la de Londres impresa en 1812*, Gerona, 1836, pág. 125. Y en la edición argentina prologada por Pedro B. Franco. Enciclopedia Didáctica Cúspide, Librería El Ateneo, Buenos Aires, 1942, pág. 131.

ser vulgáres, y así solo los admite el estilo satírico y burlesco, y los desecha el grave y culto.

Como se ve, es un juicio desfavorable al empleo del diminutivo, dada la resistencia del idioma, dice él, a recibirlos, lo cual supone el desconocimiento de la realidad lingüística. Para comprender lo limitado de esta afirmación de Capmany hay que tener en cuenta el carácter de su obra, por lo que no se puede tomar en sentido general de una gramática. No obstante, es afirmada categóricamente su influencia en el estilo, hasta el punto que su empleo imprime carácter, lo que hace que sean evitados en un estilo grave.

Diosdado Ibáñez, en un estudio titulado «Los diminutivos en la elocuencia»[25], defiende, contra el parecer de Capmany, el empleo de este derivado en la elocuencia y literatura españolas.

ANTONIO PUIGBLANCH

En sus interesantes *Opúsculos gramático-satíricos*[26] parece señalar cierto poder evocador del sufijo -ete por su semejanza fonética con otras palabras venidas de Arabia y gratas al oyente, estableciéndose una relación entre los sonidos y las sensaciones despertadas, lo que viene a ser un primer paso de lo afirmado por García de Diego en sus *Lecciones de Lingüística Española*[27]. La segunda razón que da el Dó-

[25] Diosdado Ibáñez, «Los diminutivos en la elocuencia», *Ciudad de Dios*, 1924, CXXXVII, 443-453; CXXXVIII, 109-121.

[26] Antonio Puigblanch, *Opúsculos gramático-satíricos, del Dr. D....* contra el Dr. D. Joaquín Villanueva, dos tomos, Londres, 1832.

[27] Vicente García de Diego, *Lecciones de Lingüística Española* (Conferencias leídas en el Ateneo de Madrid), Biblioteca Románica Hispánica, Editorial Gredos, Madrid, 1951, pág. 29: «Es verdad que la palabra es forma e idea, pero es también sensualidad y sentimiento. La palabra, por de pronto, es una categoría sonora y musical que recrea nuestro oído y conmueve nuestra afectividad. Ya la expresión como

mine Lucas a su interlocutor para que le sean gratos los diminutivos en -ete es por «ser el diminutivo en ete de oríjen
provenzal, o sea lemosino; i como V. tambien se precia de
venir de Limojes»... [28]; como se ve aquí, el diminutivo en
-ete tiene un carácter francamente evocador para un catalán
como Puigblanch.

En esta misma página se afirma la riqueza del castellano
en «formas diminutivas del nombre, mayormente si entran
en lista las que estan hoi casi arrimadas, entre ellas la en
on», «que es tambien de orijen lemosino», en donde la terminación ó corresponde al castellano on, y cita como
ejemplos

> *pichon* el pollo de la paloma, *perdigon* el de la perdiz, *raton*
> animal más pequeño que la rata; i lo son igualmente *arteson*
> de *artesa*; cajon de caja; *tapon* de *tapa* i otros varios, en es-
> pecial cuando significan parte de un todo, señaladamente el
> centro de él, o una de sus extremidades. Asi el nombre *escalon*
> no es aumentativo sinó diminutivo de *escala*, i como tal signi-
> fica no una escala o escalera grande, sinó uno de los palos tra-
> viesos o gradas de una escala o escalera cualquiera. Asi *alon*
> es diminutivo de ala por ser base y como centro de ella; *piñon*
> lo es de piña por la simiente que en ella se contiene; i *talon*
> derivado del latino *talus* es tambien diminutivo, porque signi-
> fica la parte prominente del pié por detrás [29].

Tiene el párrafo anterior la importancia de ser la primera cita que del sufijo -on hacemos en nuestro recorrido gramatical, y dar, además, la explicación de su significado;
igualmente sucede en los casos de *rabón* y *pelón*, que no
cabe explicar por antífrasis, según Puigblanch. Ambos ejemplos son diminutivos, y *pelón*

---

mera sonoridad tiene la armonía acústica de la música y frecuentemente, como la alta música, tiene una armonía interior».
[28] Antonio Puigblanch, *op. cit.*, t. I, pág. 135.
[29] *Op. cit.*, t. I, pág. 136.

se aplica al hombre de pelo corto o de ninguno, por habérselo cortado o rapado; i que lo es *rabón*, que se dice del animal de poco rabo o ninguno, según aquello de *parum pro nihilo reputatur;* los cuales dos nombres, aunque substantivos, se usan a modo de adjetivos, i se aplican al hombre o al animal que está sin pelo o sin rabo, o le tiene corto, por la misma anomalía por la que a un cerdo de leche le llamamos *lechon*, el cual nombre es tambien substantivo diminutivo [30].

Puigblanch aduce las expresiones francesas un «cheval courte queue, une jument courte queue» en las «Correcciones i adiciones», como equivalentes a un caballo rabón, una yegua rabona, en donde «courte queue» equivale a un simple adjetivo; rabón y el sintagma «courte queue» son dos maneras de expresión correspondientes a una sola forma mental de acuerdo con las peculiaridades de cada lengua.

Surge en el dialogar entre estos dos simpáticos y doctos interlocutores, el dómine Gafas y el dómine Lucas, un escollo a este último para la comprensión de los derivados en on, a saber: «¿cómo puede una misma terminación en un nombre ser nota de aumento i disminución?» (pág. 137). Salvada la dificultad al afirmar «que no lo es en un mismo nombre, o si en uno mismo, no lo es a un mismo tiempo» (pág. 137), se levanta de nuevo, puesto que «bien sea en un mismo nombre i época, o bien en distintos nombres i en distintas épocas, tiene la doble i contraria fuerza de aumentar i disminuir» (págs. 137 y 138). Salta así sobre el tapete un grave problema lingüístico que aún no ha sido resuelto, ya que lo que se ha hecho hasta ahora ha sido dar nombres a ciertos fenómenos (por ejemplo que un sufijo, e incluso una palabra, significa conceptos opuestos), pero no explicarlo debidamente. Para aclarar este problema creemos convenien-

---

[30] *Op. cit.*, t. I, pág. 137.

te tener en cuenta nuestras palabras acerca de la intencionalidad.

Trata Puigblanch de solucionar esta dificultad de manera
ingeniosa, ciertamente, pero en realidad lo que hace es ori-
llar el problema: parte del concepto eterno de aumento y
disminución, y como todo, según con lo que se compare,
puede ser grande o pequeño, el sufijo «on en cuanto significa una parte que alarga a un cuerpo, será aumentativo;
i al contrario si se considera como que le adelgaza será diminutivo» (pág. 138). Los fallos de este enjuiciamiento, como
puede verse, son fácilmente reconocibles.

En este punto se llega a una conclusión: la terminación
on, aumentativa, a veces no lo es, aunque lo parezca. Ahora
bien, ¿será esta una regla general aplicable a todos los sufijos, y concretamente al sufijo -aco? Porque si así fuera, la
voz pajarraco, lanzada contra el dómine Gafas —y aquí entra
el problema axiológico y de equivalencia de sufijos—, podría
interpretarse pajarico, porque, en efecto, «no es lo mismo lo
uno que lo otro» (pág. 138), o en el caso de que no pudiera
ser pajarico que fuese pajaruco, con lo cual el escozor producido en el ánimo del dómine Gafas o se habría tornado
en un halago, o disminuido la ofensa considerablemente. Es
decir, se vislumbra la intencionalidad en el lenguaje, pero
no logra ser aprehendida; o en otras palabras, ¿es el sufijo,
y hasta qué punto, el que presta el valor expresivo a la palabra, o es algo distinto del tema y del sufijo lo que le da
al diminutivo el sentido apropiado? En este último caso tema
y sufijo serían el apoyo natural de la expresividad. Indudablemente, en la intencionalidad originaria del sufijo es donde radica la causa de la diversidad de valores que puede
adoptar un sufijo cualquiera según su distribución geográ-

fica, y así -aco puede ser peyorativo y en Asturias ser diminutivo, e igualmente -uco [31].

El diminutivo en -on es heredado del latín *io, ionis*, por ejemplo, pipio, ionis, castellano pichón, del positivo *pipus;* de pumilus, a, um, *pumilio*, enano, entendiéndose *homo, animal, o arbor*, etc.

Otro origen del -on diminutivo es el *o, onis* del latín, que a su vez lo tomó del etrusco y sabino, ya que en aquella lengua tuvo las dos significaciones, aumentativa y diminutiva, que se continuaron en las romances. De este sufijo procede el lemosino ó, como se dijo.

El diminutivo significa centro o extremidad, según hemos visto anteriormente, manteniendo el mismo sentido de aquellos que en latín tuvieron idéntica significación. Los demás sufijos no son estudiados por Puigblanch; aparecen diminutivos como castañeta, dedillo (saberse una cosa al dedillo) y *acerico*, por ejemplo, de *hacero* por facero, derivado de faz: facero, almohada, porque «ponemos la cara encima de él cuando estamos acostados» (pág. 160), semejante al it. guanciale, guancia, carrillo, y fr. oreiller; la misma forma en uelo, faceruelo, tenemos en el Poema de Alejandro.

En resumen, son estudiados los en -ete y -on, y aparecen ocasionalmente los en -illo, -ico y -uelo.

Importante estudio sobre el sufijo -on es el de Spitzer [32], según el cual dicho sufijo es principalmente aumentativo en español e italiano (pág. 190).

---

[31] Vid. Hanssen, *Gramática histórica de la lengua castellana*, Buenos Aires, El Ateneo, 1945, § 375.

[32] Leo Spitzer, «Das Suffix *-one* in Romanischen» *(Beiträge zur Romanischen Wortbildungslehre*, Ginebra, 1921).

VICENTE SALVÁ

De la Gramática de Vicente Salvá[33] son las siguientes palabras:

> «*Aumentativo* el que añadiendo ciertas terminaciones al nombre simple de que se deriva, aumenta, generalmente hablando, su significado, como *caballon*, respecto de *caballo*, y *perrazo* respecto de *perro*. — El *diminutivo* lo disminuye de ordinario, con la ayuda también de algunas terminaciones, según se nota en *caballuelo, perrito*» (pág. 11).

De los aumentativos y diminutivos

> «El aumento ó la diminucion que pueden recibir así los objetos significados por los sustantivos, como las calidades enunciadas por los adjetivos, se espresan en castellano por medio de ciertas terminaciones, con las que á vezes damos tambien á entender el afecto ó desestimación que nos merecen las cosas. Al decir Joaquinito, Teresita, no atendemos á su corta ó alta talla, ni á su mucha ó poca edad, puesto que llamamos así á personas grandes y adultas, sino al cariño que les profesamos. Cuando uso los nombres de *mozuela* y *vejancon*, me refiero á la conducta estragada de la primera, y á la figura ridícula y rara del segundo, no á sus años ni á su estatura. Propiamente hablando, debieran llamarse *estimativos* los nombres que manifiestan estimación, y *despreciativos* los que desprecio. Pero como unos y otros toman las mismas terminaciones y se forman del mismo modo que los denominados *aumentativos* y *diminutivos*, los reduciré á estas dos clases con arreglo á su significado general de aumento ó diminucion, desentendiéndome del particular que llevan unas pocas vozes, por denotar compasión, ternura ó cariño, enojo ú odio, burla ó vilipendio, ó bien cierta ponderación. Todas estas modificaciones necesitan un circunloquio en otras lenguas, mientras nosotros las espre-

---

[33] Vicente Salvá, *Gramática de la lengua castellana, según ahora se habla, ordenada por* ..., 6.ª ed., Valencia, 1844.

samos por medio de alguna letra, ó de una ó mas sílabas
puestas al fin de la palabra; lo que da mucho realze, gracia
y riqueza á la lengua castellana».

«(...) A los nombres derivados de otros los llamamos *diminutivos*, cuando toman las terminaciones *ejo, ete, eto, ico, illo, in,
ito* y *uelo* (aquí lleva una nota que transcribo al final), las que
se añaden á los primitivos, si acaban por consonante, ó bien
sustituyen á la vocal última de los mismos. Los nombres femeninos mudan en *a* la *e* y *o* finales de las antedichas terminaciones. De *cordel* sale *cordelejo*, de *ánade anadeja*, de *pobre
pobrete*, de *mulo muleto*, de *aria arieta*, de *santo santico*, de
pícaro picarillo, de *espada espadin*, de *mozo mozito*, de *arroyo
arroyuelo* y de *rodaja rodajuela*.

Algunos nombres convierten las terminaciones *ico, illo, ito*
y *uelo*, en *ecico, ecillo, ecito, ezuelo*, y otros omiten la *e* y
añaden solo *cico, cillo, cito* y *zuelo*. Establezcamos las reglas
mas frecuentes de estas variaciones.

Todos los monosílabos que terminan en consonante, tienen
su diminutivo en *ecico, ecillo, ecito* ó *ezuelo*, como *florecilla,
luzecita, pezecito, pezezuelo, reyezuelo*, que se forman de *flor,
luz, pez* y *rei*. No me ocurre mas que un disílabo, esto es, de
dos sílabas, que haga lo mismo, y es *arbolecico*, no mui usado.
Son bastantes los acabados en *a* ú *o* que las mudan en dichas
terminaciones: tales son *buenecillo* (de poco uso), *cofiezuela,
huevecillo, manecita, obrecilla, pradecillo, truenecillo* y otros.

Los nombres en *e* y los polisílabos, es decir, los que tienen
mas de una sílaba, que acaban por las líquidas *n* ó *r*, reciben
las terminaciones *cico, cillo, cito* ó *zuelo*, según se ve en *avecilla, cofrecillo, nubecilla, sastrecillo, simplecillo, vientrezuelo;
autorzuelo, cantarcico, capitancillo, dolorcillo, ladronzuelo, mujercilla, pastorcillo*. No recuerdo mas escepciones que *Juan*, el
cual dice *Juanito, volcanejo* que viene de *volcan*, todos los acabados en *in*, v. g. *jardin, rocin, serafin*, cuyos diminutivos son
jardinito, rocinito, y *serafinito*, siguiendo la regla general, y
señorito que se deriva de *señor*. Con todo *ruincico, ruincillo,
ruincito* viene de *ruin*, y de *jardin* se forman tambien *jardin-
cico, jardincillo* y *jardincito*.

Varios diminutivos pierden, como en los aumentativos, la
i del diptongo *ie*, si este forma la penúltima sílaba, v. g. *ce-*

guecillo, ceguezuelo, dentecillo, netezuelo, pedrezuela, serpezue-
la, serrezuela, ternezuelo, ventrezuelo, si bien son usados los diminutivos regulares *cieguecillo, cieguezuelo, dientecillo, piedre-*
zuela, y *sierpezuela,* al modo que de *bestia* sale no *bestiezuela,*
sino tambien *bestezuela,* irregular. — Indio pierde la *i* de su
última sílaba, cuando pasa á diminutivo, diciendo *indezuelo.* —
Otros mudan el diptongo *ue* en *o,* v. g. *boyezuelo* de *buei, co-*
banillo de *cuébano, cornezuelo* de *cuerno, costecilla* de *cuesta,*
esportilla de *espuerta, fortezuelo* de *fuerte, longuezuelo* de *luen-*
go, osecillo de *hueso, porquecilla* de *puerca* y *portezuela* de
puerta; pero tambien decimos *bueyecillo, huesecillo, puerque-*
cilla, puertezuela. — *Corregüela* ó *correhuela* es diminutivo de
correa, como lo es *aldehuela* de *aldea, callejuela* de *calle, ca-*
ñuela de *caña, fehuela* de *fea, lamprehuela* de *lamprea; Anto-*
ñuelo de *Antonio, demoñuelo* de *demonio, judihuelo* de *judio,*
navichuelo de *navío, riachuelo* de *río; calezico* de *cáliz* y *costa-*
nilla de *cuesta.* — *Piezecico, piezecillo, piezecito* y *piezezuelo,*
son los diminutivos de *pié,* bien que el P. Granada (en la primera parte de la *Introducción del Símbolo de la fe,* cap. 20)
usó el regular *piececillo.* — *Tamarrizquito* y *tamarrusquito* son
diminutivos familiares de *tamaño* (pequeño).

De los nombres propios son mui pocos los que, como *Fran-*
cisquito, se conforman con la regla general. — Hai algunos en
a o *as* que toman las terminaciones *ela* ó *élas,* v. g. *Lucihuela,*
Maricuela y *Marihuela, Mencigüela* y *Matihuélas* de *Lucía, Ma-*
ría, Mencía y Matías. Los en *os* tienen el diminutivo en *ítos,*
v. g. *Carlitos, Marquitos,* de *Cárlos, Márcos.* Los demás suelen
formarse de un modo irregular, v. g. *Antoñito* de *Antonio,*
Manolo de *Manuel, Marica* y *Mariquita* de *María,* y *Perico* de
Pedro; y en algunos desaparecen todos los vestigios de su raiz,
siendo mui difícil que nadie adivine, por ejemplo, que *Pepe*
es diminutivo de *José; Paco, Pacho,* y *Farruco* de *Francisco,*
Belisa de *Isabel, Catana* ó *Catanla* de *Catalina, Concha* de *Con-*
cepción, Cota y *Maruja* de *María,* etc. Aunque pudiera disputarse, si estos nombres son diminutivos ó bien los mismos *José,*
Francisco, Isabel, Catalina, Concepcion, María, segun prefiere
usarlos la conversación familiar y confidencial. — Los diminutivos femeninos acaban por *a* en el singular y por *as* en el plural, aun cuando se derivan de un nombre que termine por otra

letra que la *a*. De *Irene* formamos *Irenita*, y de *Dolores* y *Mer-cédes*, *Dolorcítas* y *Merceditas*. Ménos si el primitivo femenino es en *o* ú *os*, porque entónces conservan estas terminaciones: *Rosarito* y *Socorrito* vienen de *Rosario* y *Socorro*, así como *Desamparaditos* de *Desamparádos*.

De los diminutivos pueden sacarse otros mas diminutivos, v. g. de *Perico*, *Periquillo*, *Periquillito*, y de *chiquillo* o *chiqui-to*, *chiquitillo*, *chiquitito*, *chiquituelo*, *chiquitilluelo*, *chiquillito*, *chiquirritin*, *chiquirritito*, *chiquirritillo* y *chiquirrituelo*. A vezes se forman de los mismos aumentativos, así de *arqueton*, *arque-toncillo*, de *cortezon*, *cortezoncito*, de *picaron*, *picaroncillo* y *picaronzuelo*.

Es digno de notarse que muchos diminutivos y aumentati-vos, que se formarían en el principio bajo el concepto de tales, han servido despues para significaciones determinadas, segun aparece en *azucarillo*, *bovedilla*, *cegato*, *espadín*, *gusanillo*, *hu-sillo*, *islilla*, *ladillo*, *marmolejo*, *maton*, *moquillo*, *pastilla*, *pelu-quin* y otros muchos.

Parece superfluo observar, que no son aumentativos ó dimi-nutivos todos los nombres terminados como ellos pues nadie contará en dichas clases á *castillo*, *empellon*, *espejo*, *flechazo*, *garlito*, *jigote*, no obstante sus terminaciones.

No sería menor equivocacion creer, que todos los nombres pueden recibir las varias terminaciones que hemos especificado, para aumentar ó disminuir su significación; lo cual debe ha-cerse solo en los términos que lo permite la tiranía, por de-cirlo así, del uso, que consiente que digamos *piedrecilla*, *pedre-zuela*, y no *pedraza*; *leoncillo*, *leonazo*, y no *leonote*; *cuerpecillo*, *corpezuelo*, *corpazo*, *corpanchon*, y de ningun modo *corpote*; *gigantazo*, *giganton*, mejor que *gigantote*. El mismo uso hace que en algunos nombres prefiramos recurrir á un adjetivo para espresar la idea de aumento ó diminución, mas bien que va-lernos de las terminaciones antedichas, siendo tan corriente oir, *Es una ciudad mui grande ó mui pequeña*, como insólito lla-marla *ciudadaza* o *ciudadita*, vozes con que Núñez de Taboada ha abultado su *Diccionario de la lengua castellana*. Sin embar-go, miéntras los aumentativos y diminutivos estén formados con la debida analogía, no puede disputarse á un escritor la libertad de emplearlos oportunamente, sobre todo en las comedias y cartas familiares» (págs. 29-33).

A continuación la nota inserta en la página 30:

«Son pocos los acabados en acha, como de *cueva covacha*, de *hila hilacha*; ó en *aja*, como *rodaja*; ó en *ajo*, como *cascajo, hatajo, lagunajo, ranacuajo* ó *renacuajo*; o en *ato*, como *ballenato, cegato, cervato, chibato, jabato, lebrato, lobato, mulato* (ant.); ó en *aza*, como *hornaza*, que es un hornillo, y *pinaza*, embarcación (que tambien se llama *pino*) pequeña; ó en *azo*, como *picazo*, el pollo de la picaza; ó en *el* como *joyel*; ó en *eto*, como *cubeto, muleto*; ó en *ezno*, como *gamezno, judezno* (hállase en Gonzalo de Berceo), *lobezno, morezno* (nombre que en la Crónica del rei D. Pedro de Castilla se da á los niños de los moros), *osezno* (osesno segun la Academia), *pavezno* (como llama al pollo del pavo el arcipreste de Hita en las coplas 274 y 277) (en realidad son las coplas 284 y 287), *perrezno, rufezno* (que Gonzalo de Berceo usa por *rufiancillo)* y *viborezno*; ó en *iche*, como *boliche*; ó en *il*, como *tamboril*; ó en *ino*, como *anadino, ansarino, cebollino, cigoñino, colino, corzino, hizino, lechuguino, palomino, porcino, porrino*; ó en *isco*, v. g. *trozisco*; ó en *izo*, como *canalizo* y *callizo*, que es provincial; ó en *ucha*, como *casucha*; ó en *ucho*, como *aguilucho*; ó en *on*, como *anadon, ansaron, cajon, callejon, carreton, cascaron, carrejon, curvaton, escotillon* (escotilla pequeña), *liebraston* ó *liebraton, limpion, perdigon, planton, plumion* ó *plumon, ratón, torrejon, volanton*. Mas reducido es todavía el número de los terminados en *on* que significan no solo diminucion, sino carencia total, cuales son *pelon* y *rabon*, aunque el erudito etimologista D. Ramon Cabrera manifestó (en un artículo publicado en el Diario de Cádiz del 28 de diciembre de 1828) que ambos son derivados en *on* de significación pasiva, como *alquilon, capeon* (prov.), *capon, cebon, motilon*, y denota al que se le ha quitado el pelo y el rabo, ó el pelado y derrabado. Tenemos unos pocos diminutivos en *ote*, que son *anclote, balote, calabrote, camarote, islote, palote, perote* y *pipote*, y tambien en *ola, ula y ulo*, tomados casi todos del latin, como *anténola, aréola, arteriola, banderola, corola; árula, cápsula, cé-*

lula, cutícula, fécula (de fez o hez), *ménsula, molécula, mórula* (ant.), *partícula, película; corpúsculo, glóbulo, opúsculo, regulo*».

Las palabras de Salvá son lo suficientemente claras como para ahorrarse cualquier comentario. No obstante, subrayaremos y aclararemos algunas ideas: el aumentativo y el diminutivo expresan una idea general de aumento o disminución, y, a veces, una particular, accesoria, de significado axiológico; «de los diminutivos pueden sacarse otros mas diminutivos», en el sentido conceptual o ponderativo mediante acumulación de sufijos; es interesante el aserto de Salvá según el cual hay diminutivos que han dejado de serlo por especialización del sufijo, que, unido al tema, expresa significaciones determinadas, si bien muy pocos de los ejemplos son auténticamente válidos por estar dados con carácter general; a causa del concepto fundamental de disminución que atribuye al diminutivo, considera como diminutivos palabras formadas con otros sufijos, en las cuales lo principal no es la disminución, sino lo que para él sería la significación accesoria, como en algunos sufijos despectivos, y por último, dada la libertad para formar diminutivos, el uso es el que determina la validez de una forma, y entrevé la gran importancia de este derivado y su opuesto en el lenguaje activo y familiar.

MANUEL MARTÍNEZ DE MORENTÍN

Hacia mediados de siglo, también en Londres, como Antonio Puigblanch, Manuel Martínez de Morentín publica sus *Estudios filológicos* [34]. Es con mucho el mejor y más com-

---

[34] Manuel Martínez de Morentín, *Estudios filológicos... Y las (dificultades) que ofrece la formación de los aumentativos y diminutivos, con varias etimologías curiosas*, Londres, 1857.

pleto estudio del diminutivo llevado a cabo hasta entonces, aunque no se distinga precisamente por su rectitud científica, por no hacer mención del lugar de donde toma los datos y darlos como propios. Suyo es, no obstante, casi todo, especialmente la manera nueva que tiene de plantear el problema, pero se excede al atribuirse la primacía de su estudio y decir que es «asunto no tratado en ninguna Gramática». Excepto estas deficiencias, insistimos, es el más profundo estudio sobre esta clase de derivados, como podrá apreciarse a todo lo largo del presente comentario.

Se presentan conjuntamente aumentativos y diminutivos en este tratado, afirmando ser ambas especies de palabras las más numerosas dentro de las que deben su origen a la derivación; que por haberlas estudiado juntas se las ha confundido (!), y que con decir que aumentan y disminuyen no se investigó más por tomarse como cierta totalmente tal definición, como dice él mismo.

Para Martínez de Morentín el problema de la derivación aumentativa y diminutiva arranca de los sustantivos; casi todos ellos son susceptibles de sufrir estas modificaciones en su final, expresando la grandeza o pequeñez (en sentido recto o figurado) del objeto que representan:

> «que los adjetivos, en gran parte, y también algunos adverbios, la experimentan de igual suerte para expresar *ideas accesorias* que la analogía ha querido derivar de las del grandor y pequeñez de los objetos; y que la palabra así derivada, se conoce por el nombre de a u m e n t a t i v o o d i m i n u t i v o a medida que la idea accesoria añadida a la significación primitiva se desprende de la de grandor o pequeñez del objeto» (pág. 387).

Le faltó a Martínez de Morentín completar en todo su significado, frase tan pregnante como la anterior, lo cual habría logrado extrayendo sus últimas consecuencias, a saber:

la idea accesoria añadida a la primitiva significación a veces se levanta con la primacía del sentido de la palabra, pasando a primer plano lo que fue un añadido sobre la idea principal y primera, y quedando ésta relegada a un segundo término o eclipsada por completo. Estas palabras parecen indicar también su idea acerca de la afectividad como desprendida de la pequeñez del objeto. No obstante, dice, la variedad y riqueza que prestan al castellano estos derivados, y la gracia e interés que dan a la lengua, especialmente a la conversación familiar, apenas ha sido considerado en los estudios gramaticales tan importante punto, y cuanto ha sido tratado fue juzgado a veces de forma desfavorable, como, por ejemplo, por Capmany, «uno de los primeros *Puristas* de la escritura y habla castellana».

Entra en materia a continuación dividiendo su estudio en Cuestiones, así:

Cuestión 1.ª ¿Cuáles son las terminaciones de los Aumentativos y Diminutivos?

«Las terminaciones que parecen estar más en uso para los diminutivos son: ito, cito, ecito, ico, cico, ecico, illo, cillo, ecillo, uelo, zuelo, ezuelo: sin que dejen de encontrarse algunas en ejo, y otras aunque muy pocas en in» (pág. 388).

En realidad hay más sufijos que los que pone aquí, como veremos más adelante; los doce primeros podemos agruparlos así: ito, ico, illo, uelo; pues las otras terminaciones son secundarias, que junto a ejo e in dan, por ahora, un total de seis. Ejemplos, los siguientes: hombrecito, hombrecillo, hombrezuelo; mujercita, mujercica, mujerzuela; animalito, animalillo, animalejo; espadín, peluquín.

Cuestión 2.ª ¿Cuáles son las funciones de los Aumentativos y Diminutivos en el Discurso?

En el estudio acerca de nuestro derivado adquieren importancia singular aquellos autores que por vivir o enseñar

la lengua en países extraños vieron pronto que no coincidía
la definición del diminutivo como palabra que indicase disminución con la correspondiente de aquellas lenguas, pues
siempre quedaba algo intraducible en el vocablo español al
verterlo al otro idioma, lo que les hizo ahondar en el problema. Con echar una ojeada sobre los gramáticos vistos, se
percibirá la verdad de nuestro aserto.

Efectivamente, de esta dificultad para traducir nace la investigación, y, con ella, el hallazgo de que el diminutivo, que
según las definiciones al uso significa disminución de lo significado por la palabra de que se deriva —y los aumentativos, aumento—, en realidad, cuando se quiere expresar tales
atributos de «modo directo y aislado» (pág. 389) no suelen
emplearse los diminutivos, «porque cuando el que habla
tiene sólo ese fin, se vale como en francés e inglés de los
adjetivos grande, grand, large, y de pequeño, petit, small;
según el caso» (pág. 389). (Mantendremos la grafía dada por
el autor.)

Y sigue diciendo: «Esta clase de palabras sirven, por decirlo así, para pintar la idea de *pequeñez*, de *grandor*, de
ternura, de *lástima*, de *desprecio*, de *pasmo* o *admiración*,
con que se mira o al objeto mismo, o a la persona a quien
se dirige la palabra» (pág. 389). Es decir, el diminutivo es
una manifestación de la postura que adopta una persona
frente a otra o frente a un objeto que le ha impresionado
en cualquier sentido, y hacia la cual o el cual se vuelca en
señal de interés. Por eso quienes traducen del francés o del
inglés frases en español, como la que sigue, poniendo adjetivos por diminutivos o aumentativos, «sin que exista ninguna idea accesoria que determine el uso ni del diminutivo
ni del aumentativo» (pág. 390) es ridículo, como por ejemplo:

> Un petit homme et une grande femme forment un bizarre assemblage.
>
> A little man and a big woman make a strange union.
>
> Traducido: Un hombrecito y una mujerona forman un singular conjunto (págs. 389 y 390).

En este caso el uso rechaza la traducción con el diminutivo, pero hay que tener en cuenta que, aun en el caso de ser válida esa traducción, habría que ver cuál sería el sufijo que prescribiese el uso, ya que éste a cada terminación, por lo general, le ha señalado un papel propio, especial, pues no suele servir cualquier sufijo indistintamente.

Con arreglo al uso de la buena sociedad y de los buenos escritores, cuyos ejemplos aduce, Martínez de Morentín señala las siguientes funciones en el diminutivo:

> «1. Los diminutivos que terminan en ito, ita, cito, ecito, ecita, además de la idea general de pequeñez que abrazan, pintan de una manera accesoria el *cariño*, la *ternura*, la *estimación* de la persona que habla hacia el objeto que va expresado por el diminutivo, cualidades, que suponemos se atraen por la misma ternura, estimación o afecto que representan» (pág. 390).

A veces, la idea de pequeñez queda por entero olvidada y, por consiguiente, el diminutivo pasa a ser el exponente de una caricia, es un signo de amor, de tierno afecto; otras, envuelve una lisonja, sirve de disfraz para expresar una ironía, o representa un «mortificante».

Todas sus observaciones están seguidas de bastantes ejemplos, en general acertados.

> «2. Los diminutivos cuyas terminaciones son en ico, ica, cico, cica, ecico, ecica, se emplean en los mismos casos para expresar las mismas ideas accesorias» (pág. 391).

No obstante esta afirmación, advierte «que las personas que se pican de *finas* y *corteses* dan la preferencia a las

terminaciones en ito, ita», usándose, sobre todo, en la provincia de Toledo, en tanto que las en ico, ica son preferidas,
por ejemplo, en la Mancha (pág. 391).

Con ello introduce Martínez de Morentín una distinción
de empleo del diminutivo basado en el medio social y el
geográfico.

> «3. Se expresa la compasión del indiferente por los diminu-
> tivos acabados en illo, illa, cillo, cilla, ecillo, ecilla, ejo, eja,
> porque la del *enamorado* la expresan con más finura los que
> terminan por ito, ita. No es chocante decir ¡Pobre animalillo!
> o ¡Pobre animalejo! pero de un *perrito* que sufre, dirá su ama:
> ¡Pobre animalito!» (pág. 392).

Más explícitamente que en los párrafos anteriores, vemos
aquí hasta qué punto el diminutivo es el eco de la afectividad
del hablante, exponente y manifestación que implica una
postura frente a la persona u objeto que ha captado nuestra
atención emocional positiva o negativamente, en más o en
menos, e, incluso, es exponente de una afectividad indiferente,
a veces cortés, o sincera y acongojada, ya que el dolor del
ser querido se refleja en nosotros mismos, y con él nos
condolemos y compadecemos, o nos transmite su propia feli-
cidad, al compartirla con él.

Sigue exponiendo el autor que «las terminaciones illo, ejo,
sirven para expresar cosas que nos dan lástima, o son de
poco valor para *juguetear*, hablar a personas con quienes
no se tiene mucha consideración» (pág. 392), y nos sirve para
distinguir por el lenguaje al *noble* y al *educado*, del *plebeyo*
y *patán*, y así emplearemos Juanito, por ejemplo, para el
primero, y Juanillo para el último.

Con estas últimas palabras vuelve a insistir en la influencia del medio social en el lenguaje (como hizo un poco más
arriba), reconocible por medio del diminutivo. Introduce,

además, el concepto de *juego* en el lenguaje referido al diminutivo, que podrá ser exacto o no en este caso, o susceptible de ser ampliado a todos los sufijos, lo cual ahora no nos interesa, pero es digno de ser notado.

> «4. Los diminutivos acabados en uelo, uela, zuelo, zuela, ezuelo, ezuela, indican también el *poco valor* de las cosas, y el *poco caso* que se hace de las personas; y con frecuencia el *soberano desprecio* con que las miramos. *Mujerzuela*, por ejemplo..., siempre envuelve la idea de desprecio, a la excepción de que cuando jugueteando la dirigimos a una que teniendo pocos años hace de mujer, como si lo fuera» (pág. 393).

Estas palabras son de indudable aplicación en nuestro concepto de *intencionalidad* del signo lingüístico.

> «5. Los diminutivos terminados en in no son muchos, y con frecuencia expresan lo contrario de lo que indica la palabra *primitiva*. Espada y espadin representan objetos que el arte distingue bien; y lo mismo sucede con peluca, y peluquin» (páginas 393-394).

Toca Martínez de Morentín, al hablar de este sufijo, un problema por demás interesante, cual es el del derivado que deja de ser apreciado como tal, problema soslayado por otros gramáticos, según hemos visto, sobre todo por Salvá y, anteriormente, por Correas y Salazar; queda, por lo tanto, solamente iniciada la cuestión a causa de no servir por entero los ejemplos para el caso, y no ver, a pesar de distinguir como distintos los objetos que representan el simple y el derivado, que tales sufijos han pasado a constituir con el tema un todo, de manera que los derivados no guardan con el primitivo más relación que la de deber su origen a él, pero de ninguna forma pueden considerarse como una modificación de la palabra que designa el primer objeto, ya que los diminutivos han pasado a designar seres completamente distintos. De aquí parten las lexicalizaciones, petrificaciones del diminutivo, las cuales llegan a realizarse por completo cuando ya no se tiene conciencia de relación alguna entre el positivo y el derivado, y ha quedado el sufijo plenamente incurso en el tema formando un todo. Efectivamente, espadín no indica lo contrario ni propiamente una modificación del primitivo, sino un objeto distinto, como él mismo dice.

No quiere decir esto que no haya, en efecto, sufijos que denoten lo contrario de lo que exprese el tema en lo que se refiere a la afectividad; por el contrario, tendremos ocasión de ver ejemplos numerosos y señalar su importancia en la expresión de la ironía y el humor. Tales casos se manifiestan cuando un sufijo se ha especializado en la manifestación de un sentimiento, o está empleado preferentemente con un valor determinado y el tema de dicho diminutivo expresa lo contrario, entrando en colisión los dos sentidos; otras veces es todo el diminutivo el que se puede contraponer al resto de la frase.

En cuanto a la formación de diminutivos en la conversación familiar, existe variedad y diversidad de terminaciones, siendo casi indefinida la licencia para formarlos, sin ser ésta una regla general, ya que en todo caso se conforma con el uso.

A continuación Martínez de Morentín estudia los aumentativos, encontrando también en ellos ideas accesorias, según su denominación, que expresan significaciones semejantes a las de los diminutivos, y, como éstos, están regidos por tales ideas en su formación; expresa también el aumentativo ese jugueteo del idioma que encontrábamos en el diminutivo, añadiendo aquél expresividad por la terminación aumentativa de distinto género que el primitivo. Finalmente dice que ambos derivados «no se emplean en la lengua española, por sólo emplearlos, pues si lo hacemos es para expresar *ternura, compasión,* un *tono satírico, cólera* o *admiración*» (pág. 395).

Cuestión 3.ª ¿Qué reglas se han seguido para la formación de los Aumentativos y Diminutivos?

Hemos visto ya en la Cuestión 1.ª cómo aquel primer grupo de doce sufijos eran susceptibles de ser reducidos a cuatro primarios que originaban los doce mencionados al combinarse con el tema, lo que no se verifica sin cierto orden, sino que, por el contrario, está sujeto su origen a algunas normas generales, que para Martínez de Morentín son las que siguen:

«1. Los monosílabos que terminan por una consonante parecen exigir la terminación ecito, ecico, ecillo, ezuelo.

Pan, panecito, panecillo, panecico.

Pez, pececito, pececico, pececillo.

Flor, florecita, florecilla, florecica.

Cruz, crucecita, crucecica, crucecilla» (págs. 395-396).

«2. Sientan bien las terminaciones cito, cico, cillo, a los *polisílabos* que acaban por N o R; y a los *disílabos* que tienen su final en una E.

Pasión, pasioncita, pasioncica.

Honor, honorcillo, honorcito.

Mujer, mujercita, mujercilla.

Duende, duendecito, duendecillo.

Ave, avecita, avecilla» (pág. 396).

«3. Convienen a los disílabos las mismas terminaciones cito, cillo, ete, aunque tengan por final A u O siempre que sea la primera sílaba uno de los diptongos ie, ue; mas en estos casos las finales A, O, se resuelven por una E.

Niebla, nieblecita, nieblecilla.

Viento, vientecito, vientecillo.

Cuenta, cuentecita, cuentecilla.

Cuerpo, cuerpecito, cuerpecillo.

Fuego, flueguecito, flueguecillo.

Cuerda, cuerdecita, cuerdecilla.

Vieja, viejecita, viejecilla» (págs. 396-397).

«4. Las palabras cuya terminación es por L, Z, X, o por una S, precedida de una vocal larga se avienen bien a las ito, illo, etcétera.

Farol, farolito, farolillo.

Pastel, pastelito, pastelillo.

Arbol, arbolito, arbolillo.

Cipres, cipresito, cipresillo.

Tapiz, tapicito, tapicillo.

Raiz, raicita, raicilla.

Reloj, relojito, relojillo» (pág. 397).

«5. Aplícanse las mismas terminaciones ito, ico, etc., a cualquiera otra palabra que acabando por una vocal breve, no se encuentre en ninguno de los casos abrazados en las reglas precedentes; bien entendido que debe suprimirse la vocal para añadir la terminación.

Cama, camita, camilla.

Cocina, cocinita, cocinilla.

Romance, romancito, romancillo.

Tomate, tomatito, tomatillo» (pág. 397).

«6. No debe tenerse en cuenta la terminación femenina de los sustantivos verbales que acaban en *or* para formar el diminutivo femenino por ser la masculina a la que nos debemos atener. Así de, Pastor, Lector, de los cuales las terminaciones femeninas son pastora y lectora, no hacemos pastorita, lectorita, sino pastorcita, lectorcita» (pág. 398).

«7. Nombres con la forma del plural siguen la misma marcha; pero con arreglo a la terminación que les sería propia en el singular, si no careciesen de él. Por eso, hacemos de andas, cachas, puches; anditas, cachitas, puchecitos» (pág. 398).

Escuetamente hemos presentado las reglas que presiden la formación de los diminutivos según Martínez de Morentín, suprimiendo los ejemplos aducidos por él, y absteniéndonos, por tanto, de comentarlos. No obstante, hemos de señalar una vez más que él fue quien primeramente hizo un estudio

sobre el particular de forma tan completa, delimitando y
aclarando las ideas con las páginas siguientes:

*Cuestión 4.ª ¿Puede una terminación cualquiera convenir
a toda clase de palabras?*

Según Martínez de Morentín los determinantes íntimos
que rigen la formación de los diminutivos son la «*harmonía*»,
«*gracia* y *suavidad* de la pronunciación» (pág. 398), que llevan
a enunciar las siguientes reglas:

1. «Se evitan las terminaciones, ico, ica, con las voces
cuyo final es en co, o ca, a fin de evitar los dos sonidos *fuertes*
de c y q en las quico, quica, que no podrían menos de
entrechocarse» (pág. 398).

Como se ve la eufonía desempeña un papel rector tanto
en este caso como en otros muchos, según se verá más adelante, y por ello suenan mal mediquico, musiquico, abani-
quico, y no se emplean tales diminutivos sino otros con
distintos finales, ya que las anteriores resultan cacofónicas.

2. «Así, para evitar el sonsonete en las voces cuyo final
es llo, lla, que ofende a todo oído delicado, se han desterrado
las terminaciones illo, illa» (pág. 399), según aquello de «Par
pari refertur».

Las razones son, pues, las mismas que las del núm. 1,
aunque no ha de entenderse de forma tan tajante que no
existan excepciones, ya que se dan casos en contrario en
la actualidad, sobre todo cuando tienen un fundamento de
juego o un marcado cariz infantil, y así he podido observar
en la provincia de Palencia la forma pollillo, aducida por él
como ejemplo en contra.

3. El uso, resumimos, es también la causa de que las
voces terminadas en vocal acentuada carezcan de diminutivos, ya que el sufijo al hacer desaparecer el acento, dejaría

desconocido el vocablo primitivo. No obstante, términos como pie, son excepción a la regla, atribuyendo a la *coquetería* la existencia de los diminutivos formados sobre dicha voz.

4. Además de las consonantes finales anteriormente citadas con carácter de tales sólo queda la d, dice Martínez de Morentín; y como suelen ser *sustantivos abstractos*, ni por su significación y acepciones suelen representarse en forma de diminutivos o aumentativos, lo que sucede de igual forma con los terminados en ez.

La razón que da Martínez de Morentín la creo plenamente acertada; en efecto, tanto aumentativos como diminutivos son aspectos de la expresividad del lenguaje, y ésta se logra predominantemente sobre representaciones nominales de concretidades mejor que sobre generalizaciones y abstracciones.

5. Igualmente son escasas las muestras de diminutivos de los disílabos acabados en io, ia, y si alguna hay es *irregular*.

Hasta aquí, abreviadamente, las normas o reglas consideradas como regulares por Martínez de Morentín; a continuación las irregulares.

Sobre las irregularidades en la formación de los aumentativos y diminutivos (pág. 400).

«Muchos *monosílabos* con el diptongo ie suprimen la i», y los en ue la u, cambiándolos respectivamente en e y o, aunque también pueden hacerse aumentativos y diminutivos regulares (pág. 400).

No añade nada más el autor, pero fácilmente se ve la razón, a saber: el cambio de acento al tomar el sufijo hace que desaparezca el diptongo permaneciendo la vocal de que se deriva (piedra-pedrezuela, espuerta-esportilla...).

A continuación inserta una lista de nombres con sus derivados irregulares, algunos de los cuales también tienen los correspondientes regulares, cuyas particularidades han sido recogidas más arriba por Martínez de Morentín en distintas observaciones.

Observación

En esta primera observación, estudia la palabra señor, de la que afirma que, significando segneur, tiene los regulares señorcito y señorcillo.

La mayoría de los sustantivos en -in hacen sus diminutivos en ito, illo, etc., o en cito, cillo, etc. (violincito, violinito; botincillo, botinillo...).

Tanto aumentativos como diminutivos dan lugar, a su vez, a la formación de nuevos aumentativos y diminutivos, y nunca deben considerarse formados sobre los simples, sino sobre los primitivos derivados, por lo que no deben reputarse como irregulares (boboncillo, chiquirritito, picaroncillo....)

Tampoco deben contarse como irregularidades los cambios ortográficos para conservar la misma pronunciación, así en las sustituciones de co, ca, go, ga, en qui y gui en la última sílaba para que el diminutivo tenga el mismo sonido en esa sílaba (poquito, traguito).

Observación

En la parte referente a los sustantivos acabados en -on sigue a Puigblanch al pie de la letra, por ejemplo en lo referente a ansarón. En efecto:

«Entran, dice este último, en la nomenclatura de los diminutivos acabados en on, ansaron, que significa hoy lo mismo que ansar; lo que se prueba por aquel refrán.

Pato, ganso y ansaron,
Tres cosas suenan y una son.

Y si aun se necesita de otra prueba, ahí tenemos el no menos elegante que expresivo dicho de

Cornada de ansaron,
Uñarada de león».

(Pág. 403.)

Todo ello lo escribe citando a continuación el contrario parecer de Capmany, quien afirma que son tres cosas distintas, a lo menos en algún accidente, por lo que suenan distintamente también y hace que varíe su uso.

De la misma manera se expresa Puigblanch, coincidiendo Martínez de Morentín con él, al afirmar que la Academia sólo en sueños había conocido que existían diminutivos en on, «bien que fué un sueño el suyo que salió verdadero»; toma el mismo ejemplo de la Academia, ansarón, «con el cual único ejemplo, escribe Puigblanch, deja incierta la regla que acaba de sentar, por cuanto *ansaron* no tiene significación de nombre diminutivo», y sigue afirmando «que el nombre *ansaron* significa hoi lo mismo que ánsar, concluyó (el Dómine Lucas), se ve por el refran Pato, ganso i ansaron tres cosas suenan i una son; i aun por el otro Cornada de ansaron, uñarada de leon» [35].

Martínez de Morentín concluye estas observaciones afirmando, de manera general, que de

«sólo los sustantivos y adjetivos calificativos se pueden formar los diminutivos; sin embargo, como el oficio de estos no es frecuentemente otro que el de expresar ideas de la deferencia y consideraciones que se guardan en la sociedad, en los coloquios

[35] Antonio Puigblanch, *op. cit.*, t. I, pág. 158.

familiares o íntimos con las personas a quienes se dirigen, también el uso autoriza para formar diminutivos de los *adjetivos determinativos* y de los *adverbios*, pero no ilimitadamente con todos, ni con todas las terminaciones; siendo las más usuales las en ito, ico, que son las que expresan sentimientos de afecto, *deferencia o amistad*» (págs. 403-404).

Como se ve por las líneas precedentes, son *razones sociales* las que explican el uso del diminutivo en casos en que calla su significación conceptual (pues con ésta no cabría explicación posible), siendo incluidos en tales casos en otro orden: en el de los valores activos del lenguaje son los diminutivos instrumentos de captación del favor ajeno, y nos valemos para ello de la expresión de los sentimientos señalados por los sufijos, que, al propio tiempo, nos sirven como una cortina de humo mediante la cual hacemos menos visible y más agradables nuestras intenciones, lo que deseamos o mandamos, sin que por ello pierda energía nuestro ruego u orden.

Aun siendo larga la cita pongo a continuación, debido a su novedad, número y claridad, un extenso repertorio de adjetivos, adverbios y *gerundios*, y la explicación de algunos empleos:

«Por entre los adverbios que admiten diminutivos figuran los de *Lugar:* abajo, arriba, cerca, lejos, debajo, encima, enfrente;
Los de tiempo: ahora, presto, pronto, tarde, temprano;
Los de cantidad: nada, poco, tanto;
Los de manera: aprisa, despacio, paso,
Y aquellos adjetivos que se emplean como adverbios, claro, quedo, junto, etc.
Y también los gerundios: callando, corriendo, hirviendo, cuando figuran como modificativos de la acción que se halla expresada por el verbo.
También los adjetivos determinativos, primero, último, todo, mismo, solo, nos dan sus diminutivos.

Nada más frecuente que decir a un niño en lenguaje tierno
y cariñoso:

Anda despacito.   Ponte juntito a mí.
Marche doucement.   Mets-toi près de moi.
Walk slowly.   Sit down by me.

Y nada más amable que decir a un *viejecito* a quien respe-
tamos y a quien no se le quiere anunciar algún deber penoso
y duro en su avanzada edad o achacosa vejez:

Es menester que v. m. se levante tempranito.
Il faut que vous leviez de bonne heure.
It is requisite for you to rise early.

Moderando o rebozando la necesidad que existe de levantar-

se, pero que se haría más penosa explicada con la voz temprano que es más dura de por sí» (págs. 404-405).

Con la inclusión de estas partes de la oración dentro del
ámbito que comprende el diminutivo, su extensión se ha
agrandado notablemente, enriqueciéndose también en nuevos
aspectos bajo los cuales puede ser estudiado; y todavía se
enriquece con una nueva función, ya que

«se emplean con frecuencia estos diminutivos como superlativos,
y entonces equivalen a la palabra tout francesa, y a la inglesa
quite; y en estos casos preceden o a algún adjetivo o a algún
adverbio:

Le habló clarito.   He quedado solita.
Il lui a parlé tout clarement.   J'ai resté toute seule.
He has spoken to him quite plain.   I have been left quite alone.
                    Cerquita le andas.
                    Tu en est tout près.
                    You are not far from it».

                                              (Pág. 405.)

Asombra, ante todo, el criterio amplio que del diminutivo
tenía Martínez de Morentín frente al de otros gramáticos;
debido a ello no duda en afirmar la pluralidad de sentidos,

empleos y matices del diminutivo frente a la concepción miope del mismo derivado que en algunos sectores ha predominado hasta hace poco. Estos gramáticos sienten pavor ante casos como los arriba expuestos, y pasan por alto su estudio, evitando así, al desconocerlos, su aclaración. La causa de tal error proviene de aferrarse a una definición previa del fenómeno al tratar de ajustar éste a aquélla. Dejan de esta forma sensiblemente mutilado el campo léxico en que se da nuestro derivado, el cual podrá aparecer en cualquier parte de la oración, siendo, dice Martínez de Morentín, el USO, «verdadero *tirano*», y los buenos hablistas y escritores a quienes habremos de tener en cuenta para la formación tanto de los aumentativos como de los diminutivos, y así admite, por ejemplo, piedrecita, piedrecilla, pedrezuela, pero no pedraza; leoncito, leoncillo, leonazo y no leonote; cuerpecito, cuerpecillo, corpachón, «pero de ningún modo corpazo» (pág. 405); no obstante, varias veces hemos oído nosotros corpazo y cuerpazo; ello nos permite constatar cómo varían en el tiempo las libertades léxicas, al cambiar el gusto.

Termina Martínez de Morentín señalando que de los diminutivos originarios, cuando pasan a designar los objetos como nombres ordinarios, se forman también diminutivos con arreglo a las normas establecidas (bovedilla, bovedillita; pastilla, pastilleja; husillo, husillito), con lo que roza el tema de la petrificación del diminutivo, lexicalización, aunque ni siquiera soslaye el problema de sus causas ni el alcance de esta cuestión.

ANDRÉS BELLO Y RUFINO J. CUERVO [36]

La idea que de manera predominante expresa el diminutivo, según la gramática de Bello y Cuervo, es la de pequeñez, a la que suelen añadirse las de cariño o compasión; a veces ha desaparecido la idea de pequeñez y entonces el diminutivo sólo expresa estas últimas, más propiamente mediante el sufijo -ito (hijito, abuelito, viejecito); el desprecio y la burla con los diminutivos en -ejo, -ete, -uelo (librejo, vejete, autorzuelo). Aunque las ideas de compasión y cariño expresadas mediante el diminutivo no son extrañas en el estilo elevado y afectuoso, se dan mucho más a menudo en el familiar y en el festivo, de tal manera que para acomodar al estilo familiar palabras como nada y todo empleamos sus diminutivos todito y nadita, aunque no alteran en absoluto su significación «y sólo sirven para acomodarlos al estilo familiar» [37]; en este caso se trataría de auténticas lexicalizaciones, si bien a veces puede decirse que son diminutivos de frase, ya que la matizan de un modo especial.

En esas palabras anteriores creemos encontrar una afirmación de Bello: el diminutivo es un derivado que tiene su medio propio de expansión y origen en el ambiente familiar, de donde partirá extendiéndose a otros estilos más cuidados.

Que la idea principal del diminutivo en Bello es la de pequeñez la vemos expuesta en el párrafo 106, al citarse como derivados dignos de mención los aumentativos «y los diminutivos, que significan pequeñez o poquedad, como palomita,

---

[36] Andrés Bello y Rufino J. Cuervo, *Gramática de la Lengua Castellana*, edición de Niceto Alcalá Zamora y Torres, Editorial Sopena Argentina, S. R. L., Buenos Aires, 1.ª ed., abril 1945.
[37] A. Bello y R. J. Cuervo, *op. cit.*, § 212.

florecilla, riachuelo, partícula, sabidillo, bellacuelo». Y confirmada en los párrafos 213 y 214, a saber, § 213:

> Hay multitud de sustantivos que sirven para designar a los animales de tierna edad, a la manera que lo hacen niño, muchacho, párvulo, rapaz, respecto de la especie humana; y que podemos asociar por eso a los diminutivos, aun cuando no se formen a la manera de éstos. Así llamamos cordero, corderillo, la cría de la oveja; borrego, el cordero de uno a dos años; potro, potrillo, el caballo de poca edad; potranca, la yegua de poca edad; chivato, chivatillo, el cabrito que llega al año; jabato, el hijo pequeño de la jabalina; lechon, lechoncillo, el cerdo que todavía mama; ballenato, el hijo pequeño de la ballena; lebrato, lebratillo, el de la liebre; corcino, el de la corza; cachorro, cachorrillo, el hijuelo de un cuadrúpedo carnívoro; lobato, lobatillo, lobezno, el de la loba; pollo, el ave de poca edad; ...
>
> § 214. A los mismos debemos agregar los que significan la planta tierna, como cebollino, colino, lechuguino, porrino; la planta de cebolla, col, lechuga, puerro, en estado de trasplantarse.

En esta extensa lista encontramos palabras con sufijos diminutivos, pero no considerados como tales por nosotros por no entrar en el grupo de diminutivos que desempeñan funciones expresivas, ya que son asimilables a las palabras que de manera típica designan seres de corta edad e ideas similares, por lo que solamente pueden agruparse bajo conceptos como los expuestos por Bello.

Este concepto del diminutivo como expresión general de pequeñez se ve aclarado por el que atribuye al aumentativo, principalmente de aumento, lo que le lleva a tomar como terminaciones aumentativas ísimo, ísima, aun con la salvedad de que forman una «especie particular» (§ 206). Paralelamente al diminutivo pueden expresar los aumentativos ideas accesorias, e incluso deponer la significación de aumento y

tomar la contraria, como en anadón e islote (§ 209), citado
este último por otros gramáticos, como, por ejemplo, por
Úbeda y Gallardo, para quien, aferrado igualmente a ese
concepto de aumento o disminución, son diminutivos boliche
y laguna [38].

En este doble juego de aumento y disminución expresado
por aumentativos y diminutivos hay que citar de manera
especial, dice Bello, «La contraposición de las terminaciones
masculina y femenina para denotar aumento o disminución:
compárense saco saca, pozo poza, tambor tambora, jaca jaco,
guitarra guitarro. Acaso así se explican los diminutivos *serrucho* de sierra, casuco de casa, villorio de villa, y otros que
mudan el género del primítivo» (pág. 82). Pero tanto la mayoría de estos casos como los que cumplen el núm. 215, a saber:
«Varios nombres femeninos tienen diminutivos en in, como
espada, espadín; peluca, peluquín», denotan por su significación objetos distintos, perfectamente diferenciados, con
sus notas propias caracterizadoras, y así nadie confunde un
pozo y una poza, ya por sus dimensiones, profundidad y
extensión, ya por los servicios que presta cada uno; lo mismo
sucede, por ejemplo, con espada y espadín, de los que nos
servimos para actos diversos, porque cada uno desempeña
un papel diferente y, por tanto, cabe considerarlos como
separables, aunque uno de ellos haya dependido en su origen
del otro [39].

Hace Bello una clasificación de las terminaciones diminutivas atendiendo a la frecuencia con que se dan, dividién-
dolas así:

---

[38] P. Luis Úbeda y Gallardo, *Compendio de Gramática Española,
para uso de los niños de Instrucción primaria*, por..., 5.ª edición, Madrid, 1920, págs. 16 y 17. Hacemos esta cita como una expresión general de este concepto del diminutivo, tan extendido.

[39] Bello y Cuervo, *op. cit.*, vid. nota 45, pág. 416.

210. Las terminaciones diminutivas más frecuentes son ejo, eja; ete, eta; ico, ica; illo, illa; ito, ita; uelo, uela; pero no se forman siempre de un mismo modo (lo que apenas explica él más adelante), como se ve en los ejemplos siguientes: florecilla, florecita (de flor); manecita (de mano); pececillo, pececito (de pez); avecica, avecilla, avecita (de ave); autorcillo, autorcito, autorzuelo (de autor); dolorcillo, dolorcito (de dolor); librejo, librito (de libro); jardinito, jardinillo, jardincito, jardincillo (de jardín); viejecico, viejecillo, viejecito, viejezuelo, vejete, vejezuelo (de viejo); cieguecillo, cieguecito, cieguezuelo, ceguezuelo (de ciego); piedrecilla, piedrecita, piedrezuela, pedrezuela (de piedra); tiernecillo, tiernecito, ternezuelo (de tierno).

211. Hay otras menos frecuentes, a saber: las en ato, ata; el, ela; éculo, écula; ículo, ícula; il; ín; ola; uco, uca; ucho, ucha; ulo, ula; úsculo, úscula; v. gr. cervato (de ciervo), doncel (de don), damisela (de dama), molécula (de mole), retículo (de red), partícula (de parte), tamboril (de tambor), peluquín (de peluca), banderola (de bandera), casuca y casucha (de casa), serrucho (de sierra), glóbulo (de globo), célula (de celda), corpúsculo (de cuerpo), opúsculo (de obra). Los diminutivos esdrújulos son todos de formación latina.

Como fácilmente puede apreciarse de una simple lectura, las observaciones que podrían hacerse son numerosas, y ya Cuervo apunta algunas en la nota 44, sobre los en el, prefiriendo joyel y cordel como ejemplos al doncel de Bello, ya que aquí la terminación es cel, «distinta de el, como cito lo es de ito, cillo de illo». «La terminación latina, añade, es en general ulus, ula, ulum, para los nombres de las dos primeras declinaciones, y con una c antepuesta en nombres de las tres últimas: en molécula, opúsculo, partícula, la raíz es mole, opus, parti.»

Otra norma que hay que tener presente en la formación de aumentativos y diminutivos es la siguiente: cuando los diptongos ié, ué se dan en los simples procedentes de e y o, desaparecen en los derivados por no llevar estas letras el acento, lo cual se cumple con menos regularidad que en otro tipo de derivaciones, como en bondad, fortaleza, etc. (núm. 216).

En el número siguiente señala que nuestro interés para juzgar las derivaciones debe centrarse no en los caracteres ortográficos, sino en los sonidos, no tomando, por consiguiente, como irregularidades, los cambios de la grafía para mantener el mismo sonido.

Formas diminutivas irregulares y muy curiosas se dan en gran abundancia en los nombres propios, dice Bello (número 218), como «Pepe (de José), Paco, Pancho, Paquito, Panchito (de Francisco), Manolo (de Manuel), Concha, Conchita (de Concepción), Belisa (de Isabel), Perico, Perucho (de Pedro), Catana, Cata (de Catalina), etc.». Y a continuación, en nota:

> «En Chile, como en algunos otros países de América, se abusa de los diminutivos [40]. Se llama señorita, no sólo a toda señora soltera, de cualquier tamaño y edad, sino a toda señora casada o viuda; y casi nunca se las nombra sino con los diminutivos Pepita, Conchita, por más ancianas y corpulentas que sean. Esta práctica debiera desterrarse, no sólo porque tiene algo de chocante y ridículo, sino porque confunde diferencias esenciales en el trato social. En el abuso de las terminaciones diminutivas hay algo de empalagoso» (pág. 83).

El abuso del diminutivo que nos dice Bello no debe incluir, al menos tan a la ligera, la palabra señorita.

Quizá por este abuso del diminutivo, diría Bello, éste se ha extendido a adverbios y gerundios. Así en el núm. 417.

> Ademas de los adverbios que son superlativos o diminutivos porque se forman con adjetivos que tienen este o aquel carác-

---

[40] Compárese Joaquín García Icazbalceta, *Vocabulario de Mexicanismos*, México, 1899, pág. XIV.

ter como poquísimo, poquito, quedito, tantico, bellísimamente, bonitamente, los hay que toman de suyo las correspondientes inflexiones, como lejísimos, lejillos, cerquita, arribita, despacito; que apenas se usan fuera del estilo familiar.

447. Los gerundios toman a veces la inflexión y significado de diminutivos: corriendito, callandito. Dejan entonces el carácter de derivados verbales, y se hacen simples adverbios, que no admiten las construcciones peculiares del verbo».

Coincide, pues, con lo expuesto por Martínez de Morentín.

RODOLFO LENZ

Lenz [41] incluye el estudio acerca de los aumentativos y diminutivos dentro del cap. V. E. «La Gradación absoluta (los apreciativos)», la cual puede considerarse bien objetivamente, bien en forma subjetiva, cuando se emplean diminutivos y aumentativos; y con sus propias palabras diremos que «se trata, sin embargo, en general, más bien de aumento o disminución en el aprecio subjetivo, que de una alteración objetiva del tamaño exterior de los objetos o cualidades» (§ 127), por lo que deben considerarse dentro de la denominación general de «apreciativos», ya que existen las particulares de «peyorativo», «despectivo», etc.

Con esta afirmación de Lenz, en que cambia el concepto de aumento y disminución de manera expresa de un polo objetivo a otro subjetivo, con ser notable, no es completa, porque el valor más genuino del diminutivo no lo adquiere sólo por esta «apreciación subjetiva», sino principalmente por la «postura» que como consecuencia de esa apreciación subjetiva el hablante adopta frente a las cosas que el diminutivo denota.

---

[41] Rodolfo Lenz, *La oración y sus partes. Estudios de Gramática General y Castellana*, 2.ª edición, Madrid, 1925.

Observación digna de tenerse en cuenta es la que hace en el § 128 al considerar los aumentativos y diminutivos más un asunto de «lexicología» que de morfología, ya que en el diccionario es donde deben reunirse las formas en uso con su significación especial y concreta, cosa que no es posible mediante la gramática, por limitarse a dar los modelos de la formación.

Estos derivados forman la parte más viva del idioma, con pérdidas y adquisiciones en todos los momentos y con especializaciones típicas según el lugar de empleo, y así en Chile, dice Lenz, § 129, solamente se emplean -ito y -cito para formar diminutivos apreciativos, especializándose -illo en designar una igualdad parcial con el primitivo, y habiendo desaparecido -ico por entero. Su estudio está unido en muchos de ellos a la significación primitiva, que, al no ser perfectamente conocida, dificulta el conocimiento de la significación concreta que se estudia, ya que el origen del diminutivo no tiene en todos la misma explicación, y así, por ejemplo, Lenz apunta con relación al tamaño varias en el § 130; hay que tener en cuenta también a qué parte de la oración pertenece, de las tres señaladas: sustantivos, adjetivos y adverbios.

En el § 131, bajo el epígrafe «La disminución del interés», centra el problema social del diminutivo empleado como término cortés, por lo que no es muy feliz la denominación dada por Lenz, ya que el «chequecito» no denota falta o disminución de interés por cobrarlo, sino una forma más suave de solicitar el pago, más cortés, ya que así, como él mismo dice, «es menos grave pedir un 'chequecito' que un cheque».

Este diminutivo, como tantos otros, desempeña un papel activo en el lenguaje, va dirigido directamente al interlocutor con la finalidad de lograr nuestro deseo captando su voluntad, por lo que no debe considerársele como un empleo exclusivo familiar del diminutivo, ni menos contraponer el estilo literario al familiar en este aspecto. Todo ello nace de la confusión que se ha tenido hasta ahora de lo literario y lo lingüístico, en general, y de poner bajo la denominación «estilo familiar» aspectos del lenguaje que si unas veces caen dentro de él, otras no, pudiéndose deslindar con relativa facilidad. Por consiguiente, no creo que sea éste un caso de empleo del diminutivo por modestia, sino fundamentalmente como fórmula de cortesía, para rebajar la importancia de la petición, como dice el mismo Lenz en el § 132, aunque no del interés, en un intento de captación de la voluntad del oyente.

En este mismo párrafo estudia Lenz los adjetivos que no admiten la formación diminutiva, y señala que los sufijos -ito y -cito se unen a veces a adjetivos denotando aumento de la cualidad en lugar de disminución, y añade como ejemplos que «ligerito es más fuerte que ligero, lueguito más pronto que luego», en donde para interpretarlo, efectivamente, como un aumentativo, pasando por ironía el diminutivo a tener tal significación (§ 133), habría que tener en cuenta, en primer lugar, toda la frase.

Señala Lenz en el § 137 los diminutivos de nombres de personas, de los que existe un subido número en el español de Chile, dadas las circunstancias que hacen de este país uno de los más extensos en su repertorio de nombres propios. A los propiamente diminutivos añade aquellas abreviaciones cariñosas del nombre propio que abundan en ciertas consonantes, *ch, ñ, ll* casi siempre como *y*, a las que se les atribuye cierto valor significativo desprendido directamente de su fonética, con lo que su número crece considerablemente.

En el párrafo 129 señala Lenz los aumentativos y diminutivos como los últimos reductos en que todavía se mantiene vivo el poder primitivo del lenguaje en formación, cuando había una relación directa entre el significado y el sonido. Esta relación puede radicarse en las vocales o en las consonantes. La primera señalada, por ejemplo, por Hanssen en su Gramática [42], en donde dice:

> Es curioso el hecho de que, en castellano y también en otras lenguas neolatinas, cierto matiz del significado puede estar ligado al uso de diferentes vocales en los sufijos. Díez, II, 612 dice: «i y e tienen evidentemente carácter diminutivo, o es generalmente aumentativa y tiene algo de tosco, u es a veces despreciativa, a es más indiferente». Delacroix [43] se expresa así: «Hay una afinidad natural entre ciertas categorías de sonidos y ciertos sentimientos. Los fonemas se prestan más o menos al valor expresivo de las palabras. La e y la i se prestan a la tenuidad, a la ligereza, y a la dulzura; la a y la o, a la gravedad; la u a la tristeza». Y Lenz, en el § 135, se expresa así: «Los sufijos con i designan lo chico y bonito; con a, lo grande, robusto; o se inclina a lo tosco, y u se presta sólo para lo que es feo, despreciable. Estos valores afectivos los siente el castellano lo mismo que el italiano; no habrá necesidad de ejemplos. La vocal e es más indiferente e indica más bien una variación del concepto, algo semejante al original.

En los párrafos 135 y 136 se tienen en cuenta ciertas consonantes, como la *ch*, «que de suyo, dice, es cariñosa y diminutiva», muy usada en el lenguaje infantil. Y en el lenguaje amoroso y tierno que imite a aquél, como, por ejemplo, en la novela *Fortunata y Jacinta* de Galdós, en las páginas dedicadas a la luna de miel de Jacinta y Juanito Santa Cruz, lo cual entra en el plano lúdico o de jugueteo idiomático,

---

[42] Hanssen, *op. cit.*, § 270. Carácter particular de algunas Desinencias.

[43] Delacroix, *Le Langage et la pensée*, París, 1930, 397.

Puestos en este camino impresionista, imaginativo y simbólico, nada más característico que el conocido soneto de las vocales, de Rimbaud. Vid. Etiemble, *Le sonnet des voyelles. De l'audition colorée à la vision érotique*, Les essais CXXXIX, Gallimard, 1968.

como hemos dicho más arriba. Así también con la *rr*, en lo
que Lenz dice ser «un versito popular chileno», tan parecido
a una canción popular, oída por mí en un pueblo de la
provincia de Ávila (Piedralaves). He aquí aquél primero, y
después ésta:

Tienes una boquirria
tan chiquitirria,
que me la comerirria
con tomatirria.

(Lenz)

Con tomatirris,
con tomatirris.
Tienes unos ojirris
tan chiquitirris
que me los comería
con tomatirris.
(Estribillo)
(Piedralaves, Ávila,
canción popular)

El ejemplo literario de este mismo caso con otra variante
puede venir dado por Espronceda en *El Diablo Mundo*,
aunque también es de origen popular:

Tienes una boquirris
Tan chiquitirris,
Yo me la comeriba
Con tomatirris [44].

Hay que tener en cuenta que Lenz habla desde un punto
de vista particularmente chileno y no pancastellano, aunque
en algunos problemas coincida el castellano de Chile con el
de otros puntos, sobre todo con el resto del español de
América, por lo que, en términos generales, podrían aplicarse
las palabras de García Icazbalceta [45]: «General es la dulzura
y suavidad del habla, particularmente en el sexo femenino;
y tanta, que si en unos sujetos es agradable, en otros llega

---

[44] Espronceda, *El Diablo Mundo*, Clásicos Castellanos, Madrid, 1923,
Canto V, Cuadro I, pág. 193.
[45] García Icazbalceta, *op. cit.*, pág. XIV.

a ser empalagosa». Se comprende el influjo tan enorme en este aspecto idiomático de quien tiene a su cargo todo el género humano, al menos en sus primeros tiempos, tan decisivos. Añade García Icazbalceta que «prodigamos, a veces hasta el fastidio, los diminutivos y términos de cariño».

Para terminar, consignemos el empleo que se puede dar al diminutivo, § 41, equivalente al de partículas enfáticas, usando diminutivos de adjetivos y sustantivos, indicando una disminución de la importancia más bien que de tamaño, así como aumento más o menos claro de cariño, por lo que se usa tan abundantemente el diminutivo «en el lenguaje familiar afectivo».

REAL ACADEMIA ESPAÑOLA

Imprescindible en este ciclo gramatical, en el que hemos considerado el diminutivo, la opinión de la Gramática de la Real Academia [46]. De esta manera poseemos también la norma oficial del idioma siempre que se trate de contrastar una forma y comprobar su originalidad expresiva.

Comencemos por señalar las varias especies de nombres en las que está incluido el diminutivo: «35. Divídense éstos (los nombres) en primitivos y derivados; simples, compuestos y parasintéticos; concretos y abstractos; colectivos, partitivos y múltiples; verbales; aumentativos, diminutivos y despectivos». Esta división, indudablemente, no satisface a nadie por lo arbitrario de su criterio, ya que no señala unos claros límites entre unos y otros grupos, pues cualquiera de

---

[46] Real Academia Española, *Gramática de la Lengua Española*, Espasa-Calpe, S. A., Madrid, 1931. El *Esbozo de una nueva Gramática de la Lengua Española*, Espasa-Calpe, S. A., Madrid, 1973, promete tratar el tema de la «Formación de palabras» en publicación aparte (pág. 6).

los otros grupos puede formar un diminutivo con mayor
o menor normalidad.

Más importante es el núm. 44, en donde se nos da la definición de aumentativos y diminutivos, para lo cual se atiene
exclusivamente al sentido conceptual, de acuerdo con la conocida costumbre de clasificarlos según designen aumento o
disminución. Las palabras exactas de la Academia son las
siguientes:

> 44. Aumentativos y diminutivos. — Los substantivos y adje-
> tivos, y algunos gerundios, participios y adverbios, acrecientan
> o menguan su propio significado variando la terminación de la
> palabra; como de hombre, hombrón y hombrecillo; de mujer,
> mujerona y mujercita; de franco, francote; de bueno, bueneci-
> llo; de callando, callandito; de muerte, muertecita; de mucho,
> muchazo; de cerca y de lejos, cerquita y lejitos. Los vocablos
> que así se forman se llaman aumentativos y diminutivos.

A continuación, las terminaciones características de
aumentativos y diminutivos con sus correspondencias femeninas: «para los diminutivos ito, illo, ico, y también, aunque
no tan comunes, uelo, in, ino, iño, ajo, ejo, ijo; todos con
sus respectivas correspondencias femeninas, y a veces con
alguna letra colocada entre el nombre positivo y la terminación». Esto suele llevarse a efecto con ciertas modificaciones,
y para ver las que sufre el primitivo al tomar el sufijo puede
verse el núm. 180, a.

El sufijo, como acabamos de expresar, suele reforzarse
con otros sonidos, dando lugar a los sufijos recogidos en
el número

> 51. He aquí, dice la Academia, el cuadro de los sufijos di-
> minutivos masculinos, con los aditamentos o incrementos que
> cada cual admite:
>
> *a)* -ito, -cito, -ecito, -ececito; -ete, -eto, -ote.
> *b)* -illo, -cillo, -ecillo, -ececillo.

c) -ico, -cico, -ecico, -ececico.
d) -uelo, -zuelo, -ezuelo, -ecezuelo, -achuelo, -ichuelo; -olo.
e) -in, -ino, -iño.
f) -ajo, -acuajo, -arajo, -istrajo; -ejo, -ijo.
g) Las formas femeninas terminan en a: -ita, -cita, etc.

Naturalmente, no todas las palabras terminadas lo mismo que estos derivados han de pertenecer a estos grupos, aunque algunas de ellas hayan estado incluidas en otra época bajo la misma denominación y se deriven de diminutivos latinos, pero que, ahora, no lo son, porque el uso les ha dado significación de positivos (núm. 46).

Partiendo de esta idea de aumento o disminución que el sufijo puede llevar a la significación del positivo, señala la Academia que no todas las palabras son capaces de significar ese aumento o disminución, así como tampoco todas son susceptibles de transformarse en aumentativos o diminutivos, por lo que los sufijos se sustituyen por adjetivos de cantidad (núm. 47).

En el núm. 48 se observa que una misma terminación, lejos de ser privativa de un solo grupo de estos derivados, puede servir para aumentativos y diminutivos.

Y en el siguiente número se dice que así como hay aumentativos de aumentativos, también hay diminutivos de diminutivos, y otras combinaciones entre estos dos tipos de derivados: diminutivos de aumentativos, aumentativos de diminutivos, e, incluso, diminutivos triples.

Es de importancia el núm. 50, por cuanto al hablar de la formación de los aumentativos, de la que no puede darse regla segura, señala la Academia una distinción importante entre aumentativos y diminutivos, a saber: «que la forma del aumentativo se determina por la idea que nos proponemos dar a entender variando la terminación del positivo; y que, al contrario, la terminación diminutiva se decide por la estructura material de la palabra positiva cuya significación modificamos». Finalmente, la observación de que los derivados pueden tener distinto género que el primitivo, lo que les presta mayor expresividad.

Quedan dentro de los núms. 52 a 57 las reglas referentes a la formación de los diminutivos. Helas aquí:

52. Ececito, ececillo, ececico, ecezuelo. — Reciben este sufijo los monosílabos acabados en vocal; como de pie, pi-ececito, pi-ecezuelo.

53. Ecito, ecillo, ecico, ezuelo, achuelo, ichuelo. — Exigen este sufijo:

a) Los monosílabos acabados en consonante incluso la y, v, gr.: red-ecilla, troj-ecica, sol-ecito, pan-ecillo, son-ecico, flor-ecita, dios-ecillo, rey-ezuelo, pez-ecito, voz-ecita. Exceptúanse ruin-cillo y los nombres propios de personas; como Blas-illo, Gil-ito, Juan-ito, Luis-ico.

b) Los bisílabos cuya primera sílaba es diptongo de ei, ie, ue; como rein-ecita, ciegu-ezuelo, hierb-ecilla, o yerb-ecilla, hue-v-ecico, forc-ezuela, diminutivo de fuerza, y port-ichuelo, de puerto.

c) Los bisílabos cuya segunda sílaba es diptongo de ia, io, ua; v. gr.: besti-ecita, geni-ecillo, lengü-ezuela, lengü-ecita. Exceptúanse rub-ita, agü-ita, pasc-uita.

d) Muchas voces de dos sílabas que terminan en ío; como bri-ecico, fri-ecillo, ri-achuelo, diminutivos de brío, frío, río.

e) Todos los vocablos de dos sílabas terminados en e; v. gr.: bail-ecito, cofr-ecillo, nav-ecilla, parch-ecito, pobr-ecito, trist-ezuelo, trot-ecito. No obstante, en el Romance de Perico y Dorotea, escrito en el siglo XVI, dice el muchacho a la chicuela:
> Tengo yo un cochito / Con sus cuatro ruedas
>   *(Parnaso español*, VII, 214.)

f) Prado, llano y mano hacen prad-ecillo, prad-ito y prad-illo; llan-ecillo y llan-ito; man-ecilla, man-ezuela y man-ita.

54. Cito, cillo, cico, zuelo. — Toman este sufijo:

a) Las voces agudas de dos o más sílabas terminadas en n o r; como galan-cillo, ladron-zuelo, corazon-cito, mujer-cita, amor-cillo, resplandor-cillo, Fermin-cico, Ramon-cillo, Pilar-cita.

Exceptúanse almacen-illo, alfiler-illo, vasar-illo y tal cual otro, y algunos nombres propios de personas: como Agustin-ico, Joaquin-illo, Gaspar-ito. Úsanse indistintamente altar-cillo y altar-illo, pilar-cillo y pilar-illo, jardin-cillo y jardin-illo, jazmin-cillo y jazmin-illo, sarten-cilla y sarten-illa.

b) Las dicciones llanas acabadas en n; v. gr.: Carmen-cita, dictamen-cillo, imagen-cica.

55. *a)* Ito, illo, ico, uelo. — Todas las palabras que sin las condiciones especificadas hasta aquí pueden tomar forma diminutiva, sólo admiten este sufijo; v. gr.: vain-ica, jaul-illa, estatu-ita, vinagr-illo, candil-illo, rapaz-uelo, hidalg-üelo, pajar-ito, camar-illa, titul-illo.

b) Una observación hay que hacer sobre el sufijo uelo, y es: que en las voces llanas terminadas en diptongo, se elide éste ante el diptongo del sufijo: como de iglesia, iglesuela. Pero si acaban en dos vocales que no forman diptongo y la penúltima es e o i acentuadas, esa vocal subsiste y el sufijo uelo recibe una h, que el vulgo suele, y han solido algunos escritores, convertir en g; como de aldea, Andrea, judío, Lucía, picardía, alde-huela y alde-güela, Andre-huela y Andre-güela, judi-huelo y judi-güelo, Luci-huela y Lucigüela, picardi-huela y picardi-güela.

c) El lenguaje de familia usa contracciones especiales de los nombres propios, generalmente tomadas del lenguaje infantil, y sobre ellas forma los diminutivos. Así, decimos: de Concepción, Concha y Conchita, sin que se use un diminutivo directamente sacado de Concepción; de Dolores, Dolorcitas y Lola o Lolita; de Gertrudis, Tula; de José, Pepe y Pepito (sólo en alguna región se usa también Joselito); de Francisco, Francis-quito, Frasquito, Paco, Paquito, Pancho, Curro, Quico, etc.

56. *a)* In, ino, iño, más bien que sufijos diminutivos propios de la lengua de Castilla, son terminaciones usadas en otras provincias españolas. Por esta razón se acomodan a pocas palabras y rechazan la adición de letras eufónicas.

b) In es el sufijo corriente en Asturias, donde en vez de Angelito, niñito, pajarillo, carita, etc., se dice Anxelín, ñeñin, paxarín, carina. En castellano abundan voces con este sufijo: como baldosín, calabacín, calcetín, espolín, etc., y lo tenemos junto con illo y ejo en pat-in-illo y pat-in-ejo, diminutivo de patio.

c) Ino, característico de Extremadura (ocasiona allí equívocos, tales como de pollo, pollino; de gorro, gorrino), úsase en pocas voces, como cigoñino, el pollo de la cigüeña; palomino, el de la paloma; ansarino, anadino, el del ánsar o el del ánade; o para designar plantas nuevas, en sazón para ser trasplantadas, como cebollino, colino, lechuguino, porrino.

d) Iño es peculiar de Galicia, apenas usado en castellano: corpiño, rebociño.

57. Ajo, ejo, ijo. — Considéranse, por su índole, terminaciones despectivas (véase núm. 58) y el punto de enlace con las palabras de esta naturaleza; v. gr.: latinajo, peral-ejo, altar-ejo, lagart-ija, ser-ija, part-ija.

Nos abstenemos ahora de todo comentario ya que en más de una ocasión hemos comentado y comentaremos algunas formas de las mencionadas por la Academia.

En el núm. 58, bajo el epígrafe «Nombres despectivos o menospreciativos» se agrupan una serie de sufijos, algunos de los cuales han sido considerados también como diminutivos, como por ejemplo, -ato. No obstante, las palabras más importantes de este párrafo son las siguientes: «Y no pocas veces, el cariño y la confianza se valen de palabras menospreciativas, ennobleciéndolas con la pureza del afecto que las dicta». Con ello vemos latente, una vez más, el problema que sin la intencionalidad quedaría sin resolver.

En el núm. 182 aparece estudiada una larga lista de sufijos con sus múltiples y posibles valores, que no deja de tener su interés.

Para terminar, hemos de decir que, según hemos visto en el número 44, y puede verse en el 165. c, 166. e y 453. c, admiten también el diminutivo el adverbio, el gerundio y el participio, y que, incluso algunos de ellos, aceptan también gradación.

Amado Alonso

Con los dos artículos de Amado Alonso sobre el diminutivo, «Para la lingüística de nuestro diminutivo» [47], y el titulado «Noción, emoción, acción y fantasía en los diminutivos» [48], el estudio de este derivado ha alcanzado el máximo grado de exposición; sobre todo este último es verdaderamente magistral en cuanto a claridad de visión del problema, claridad expositiva y acierto en la documentación bibliográfica.

En el párrafo 1 de este último artículo se trata de la primacía histórica entre el valor empequeñecedor y el afectivo:

> La vieja idea de que de la significación empequeñecedora se ha derivado la afectiva —ya que los objetos chicos despiertan en nosotros, por veces, sentimientos de protección y ternura o de desconsideración y menosprecio— va siendo rechazada cada vez con más seguridad. El diminutivo, más bien, era el signo de un afecto.

El camino bien podría haber sido el inverso, es decir: nace el diminutivo como un signo expresivo de afecto, y éste nos induce a un sentimiento de protección hacia seres y cosas, o de menosprecio por *tenerlos en poco*; en ambos casos, consideramos a los objetos de nuestra estima o menosprecio de algún modo como si fueran pequeños, y de aquí se pasó a la significación conceptual empequeñecedora.

En el párrafo 2 se habla de la *significación originaria* de estos sufijos: «o significaban la pertenencia, la semejanza,

---

[47] Amado Alonso, «Para la lingüística de nuestro diminutivo» (*Humanidades*, 1930, La Plata).

[48] Amado Alonso, «Noción, emoción, acción y fantasía en los diminutivos», *Estudios lingüísticos. Temas españoles*, Biblioteca Románica Hispánica, Editorial Gredos, Madrid, 1951.

'perteneciente a', 'a la manera de', 'descendiente de', etc.
(columbina, diamantinus), o no suponían modificación conceptual alguna respecto de la palabras bases».

En vez de la «significación neutral» de *Brugmann* y de los
«sufijos sin significación» de *Conrad* y *Murach*, el germanista
F. Wrede consigue hablar positivamente: «Los diminutivos ale-
manes no son por su naturaleza palabras empequeñecedoras,
sino que originariamente, lo mismo que los hipocorismos son
individualizaciones destacadas... El diminutivo parece más bien
contener un realce del concepto; un deslindamiento del concepto con relación a la ocasión particular, motivado en el afecto del hablante... Su papel es especializar, en fin: personificar».
Se pueden poner (sigue diciendo A. Alonso) serios reparos lógicos a la formulación de la idea de Wrede, en el sentido de
que las palabras se refieran las más veces al objeto, a las cosas
mismas en su situación particular, y otras —las menos— al
concepto que de las cosas tenemos. Pero su idea es la más sa-
tisfactoria: el diminutivo destaca su objeto en el plano primero
de la conciencia. Y esto se consigue, no con la mera referencia
lógica al objeto o a su valor, sino con la representación afecti-
vo-imaginativa del objeto. Hay preponderancia de las representaciones de la fantasía. Y como la fantasía sólo acude agudi-
zadamente conjurada por la emoción, por el afecto y por la valoración del objeto, aquí convergen la interpretación del diminutivo originario como una individualización interesada del objeto y la que ve en él el signo de un afecto.

He llegado a la convicción de que a través de todas sus especializaciones conocidas, nuestros sufijos han conservado siempre este papel destacador del objeto, su función de pensarlo
representacionalmente refiriéndose a su agudizada valoración.

Es curiosa la bifurcación de sentido que sufre un mismo
sufijo empleado primero como signo individualizador, según
puede verse en el conocido ejemplo de *Naso* [49]. En otras

---

[49] Leo Spitzer, «Das Suffix-*one* im Romanischen», etc., páginas
185-186.

lenguas un sufijo diminutivo pasó a expresar el singular frente al colectivo, a causa de la acentuación individualizadora expresada por el sufijo. La fuerza que mueve la evolución semántica en ambos casos es la misma, aunque no sea el punto, en que se han detenido, el mismo, como puede verse por comparación entre el ejemplo mencionado y las siguientes palabras de Wartburg:

> Especialmente raro es el modo de expresar la relación entre singular y plural en muchos sustantivos bretones, y algo por el estilo ocurre en címbrico. El singular se forma allí del plural, y no al revés, y para ello se añade el sufijo -enn (...). Este sufijo era primitivamente un diminutivo, y de ahí pasó a significación de singular. La relación entre el nombre y su diminutivo ha ido poco a poco convirtiéndose en la existente entre colectivo y singular; compárese, por ejemplo, como grado intermedio, *ed* 'trigo', *edenn* 'grano de trigo' [50].

En el párrafo 3 se trata del *contenido conceptual*. La significación tradicional es la de empequeñecimiento y su contraria de aumento. La significación disminuidora «es con mucho la función menos frecuente, tanto en la lengua escrita como en la oral; cualquier recuento convencerá al lector de que el uso más abundante del diminutivo es el de las funciones emocional, representacional y activa de que luego hablaremos».

El oficio aumentativo o superlativo, de los que dice Amado Alonso que no ha visto ni un solo ejemplo, es en realidad una ponderación, según afirma García de Diego.

«La idea de ponderación, dice A. Alonso, es a veces cierta, entendiendo por tal un énfasis del afecto y un realce de la representación. Pero no veo que contenga un 'muy' como

---

[50] Wartburg, *Problemas y métodos de la Lingüística*, etc., págs. 124-125.

variante conceptual en correspondencia con una modificación objetiva.»

Renglones más abajo hay una afirmación muy interesante: «Ante todo, es inútil estudiar el valor estilístico de un diminutivo aislado de toda situación real, como generalmente nos los presentan».

En el párrafo 4 se afirma la existencia del diminutivo como *signo de un afecto,* aunque el sufijo por sí mismo no expresa qué signo —positivo o negativo—, lleva ese afecto. «La situación, las actividades varias de los hablantes, las relaciones coloquiales, las condiciones rítmico-melódicas y el modo de ser llevado el tema orientan en cada caso sobre la cualidad del afecto.» Así, pues, las condiciones particulares de cada caso son las que determinan el signo del afecto expresado por el diminutivo como resultante de la tensión entre sujeto y objeto. Un mismo sufijo, por consiguiente, puede expresar, y de hecho así sucede, el amor y desamor alternativamente.

Los diminutivos de frase son tratados en el párrafo 5, «ya expresivos de un temple afectivo, ya presionantes sobre el interlocutor». En ambos casos, pero especialmente en el primero, existe un sentimiento de juego con las palabras por parte del hablante.

§ 6. «Todos los anteriores oficios del diminutivo, el conceptual, el afectivo y el de frase, marcan una especial actitud conceptual, valorativa o emocional entre el hablante y lo nombrado o lo dicho; pero junto a ésos hay innumerables diminutivos que llevan una *corriente intencional* de dirección diferente: *hacia el interlocutor*». «La lengua poética y la prosa son efusión y representación; la lengua oral, acción». «En la poesía y en la prosa, mientras no les añadamos elocuencia (...) la lengua trata de ajustarse a lo sentido y a lo pensado; en el coloquio las

formas idiomáticas son elegidas y dispuestas según un propósito transcendente.

La función activa del lenguaje sirve de base para el estudio de la función intelectual, la emocional y la poético-ima-
ginativa.

En el párrafo 7, A. Alonso afirma que los diminutivos
«más abiertamente activos son a la vez vocativos»; y «en
ellos coincide el objeto nombrado con el interlocutor, y a
nosotros nos interesa distinguir, no sólo entre oficio activo
y oficio expresivo, sino también entre dirección hacia el
interlocutor y dirección hacia el objeto nombrado...». Perteneciente a este caso es el diminutivo con el que queremos
captar la voluntad del interlocutor a fin de lograr nuestro
deseo.

Párrafo 8. En los diminutivos dirigidos hacia el prójimo
hay que diferenciar «los intencionalmente activos de los meramente efusivos. Esos 'términos de cariño', 'melosidad', 'cortesía', etc., parecen referirse al segundo tipo»; son frecuentes
entre enamorados.

En el párrafo 9 dice A. Alonso que «estos dos *aspectos*,
activo y efusivo, de los diminutivos orientados hacia el oyente,
no son opuestos ni concluyentes. Puede faltar la efusión
emocional (...); puede uno hablar rebosante de ternura, líri-
camente, ajeno del todo al efecto causado. Pero éstos son
casos extremos». Los ejemplos que citaba A. Alonso de diminutivos activos empleados por un pordiosero, y en los cuales
faltaba efusión emocional, pueden denominarse muy bien,
según dice A. Alonso, diminutivos profesionales (§ 7).

Ahora bien, si puede ir separado el oficio activo del efusivo, no es menos cierto que se ayudan el uno al otro.

Los diminutivos de *cortesía* son tratados en el § 10. También se orientan hacia el oyente, pero «en vez de presionar

con una manifestación de afecto, ahora se trata de un apocamiento cortés (o estratégico) en el hablante o en lo que dice». Pero no ha de ir forzosamente desprovisto de afecto el diminutivo de cortesía; ambas clases, el afectuoso-activo y el cortés, pueden interpenetrarse. También se han de incluir en este grupo los diminutivos empleados en los reproches, tan frecuentes en el lenguaje familiar.

En el párrafo 11 se afirma que «la abundancia del diminutivo es un *rasgo de lo regional*, del habla de las regiones en cuanto que se opone a la general. Y como esta oposición es mayor en los campos que en las ciudades, es el diminutivo, sobre todo, un rasgo del habla rural. Ahora bien, en el llamado abuso del diminutivo, los valores más frecuentes son los activos de afecto y cortesía (y el efusivo)». A continuación, en nota, cita una serie de diminutivos: *tantito, todito, toditito, lueguito, ahorita, alguito, mismito, en seguidita, adiosito, afuerita, cerquita, lejitos, nadita, nadica, yaíta, ahí nomasito, allicito, más acacito, allacito, aquicito, prontito, detrasito, recientito, nunquita, en cuantito pueda, apenitas*, etc., de los cuales afirma que «las más veces no hay una variante en la posición conceptual o afectiva del hablante respecto del objeto nombrado, sino cortesía y afecto hacia el oyente. Naturalmente hay especializaciones conceptuales: en Chile, *agüita* es 'agua caliente'; en la Argentina, *de mañanita*, 'por la mañana temprano'; en la República Dominicana, *ahorita*, 'hace poco' o 'pronto' (mientras *ahora* significa 'ahora'), etc.».

«Pero, aunque los medios rurales son los más propicios para la creación y propagación de estas formas, no es admisible invertir los términos y decir que la abundancia de diminutivos sea un signo de popularismo, regionalismo o ruralismo.»

En el párrafo 12 se dice: «Además de los diminutivos que llamaríamos activo-emocionales, estudiados atrás, hay en español otro tipo, también de acción, pero que presiona no ya con la emoción sino con la *fantasía*». En este diminutivo, pues, se impone la representación imaginativa del objeto, dando lugar a una función activa especial; aparecen cuando no basta el pensamiento conceptual.

§ 13. Así como los diminutivos afectuosos arriba estudiados muestran un doble carácter, activo y efusivo, así estos otros representacionales y destacadores pueden a su vez ser *elocuentes* (activos) o *estético-valorativos* (frecuentemente líricos). Con los diminutivos elocuentes nos paramos y detenemos al oyente en determinada representación para imponerle un aserto. Ponemos el dedo sobre la realidad del objeto, sobre su existir. Con los estético-valorativos nos paramos nosotros en la representación imaginativa del objeto, pero ahora poniendo el dedo sobre «su valor», o más exactamente, sobre lo valioso que nos es. El diminutivo elocuente responde a una representación del objeto como existente; el estético es una contemplación del objeto como valioso.

Entre estos diminutivos están aquellos que denotan una visión poético-infantil del objeto.

Sigue diciendo A. Alonso que

aunque la valoración y la emoción se hermanan, es de utilidad sistemática diferenciar ambos oficios representacionales en el diminutivo. La fantasía tiene una fuerza dinámica que es emoción, y una conformadora, deslindadora y ordenadora que colabora con el intelecto, aunque ella misma no es meramente intelectual. Cuando predomina lo afectivo y dinámico llamamos al diminutivo emocional; cuando predomina lo contemplativo y discernidor, lo llamamos estético y valorativo. Y con ésta se cruza otra diferencia: si bien ambos tipos son representacionales, entre los afectivos muy usuales (esos que prodigan las gentes melosas) suele ser débil el elemento imaginativo; en cambio hay diminutivos estéticos a los que no podríamos llamar afectivos en la acepción corriente de afectuoso, cariñoso, despectivo, etc. (...).

La mayor parte de los diminutivos a los que se ha supuesto un oficio aumentativo, superlativo o ponderativo son de esta clase.

En ellos se descubre la tensión entre el sujeto y el objeto, y la complacencia con que el sujeto mira el objeto mencionado mediante la representación imaginativa del mismo.

En el párrafo 14, siguiendo a Bally, menciona el papel *evocador* del diminutivo cuando están estos derivados fuera del ambiente originario en que se dan normalmente. «Según el conocimiento previo que se tenga de los modos regionales, *-iño* evoca Galicia; *-in*, Asturias; *-uco*, Santander; *-iyo*, Sevilla; *-ico*, Granada, Aragón y Navarra, Colombia, Costa Rica y Las Antillas.» Y en nota: «En Cuba, Santo Domingo, Puerto Rico y Colombia el sufijo es *-ito* como en el Río de la Plata: *papasito, hermanito, casita, manito* (en -o como en el Plata), *dientecito*, etc.; pero se usa *-ico* cuando precede *t* (o *tr*): *zapatico* (...), *potrico, teatrico, gatico, gotica, cultico.* A veces se oye también *Juanico, Anica*, alternando con *Juanito, Anita*».

En el párrafo 15 bosqueja A. Alonso un *esquema histórico*, ya que hasta ahora se ha referido a una ordenación psicológica y no a una prelación histórica.

«La referencia al tamaño (§ 3) ya está explicada por la filología partiendo de la idea de semejanza, dependencia, etc., como una de las tantas especializaciones lógicas frecuentes en la historia lingüística. La función originaria de destacar representacionalmente el objeto en el plano primero de la conciencia explica, sin contrasentido, los valores afecticos de más diverso signo (§ 4), ya que la fantasía acude conjurada por la emoción; y esa misma función originaria es la que aparece como básica hoy mismo en los diminutivos elocuentes *(de rodillitas)*, que insisten sobre la existencia de una realidad (§ 12), y en los estéticos y valorativos *(con un cuchillito, por escalerillas de agua)*, que lo hacen sobre lo valioso de esa realidad, o si se quiere, sobre cómo nos afecta y cómo encaramos la visión de esa realidad (§ 13). Y como la contemplación de lo valioso descarga emoción, los estéticos y los valorativos vienen a darse la mano con los emocionales *(las balaustraditas)*. Parece como si la constante en el diminutivo fuera ese destacar la representación del objeto, como si realmente fuera *signo* de ella: modos de pensar que suponen representación y no sólo concepto; fantasía y no mera razón o referencia lógica; pensar en la cosa y no sólo apoyarse en la palabra. Luego, la situación, los consabidos y el contexto dan los *indicios* de cuál es el motivo de esa atención privilegiada, si la ternura o el desamor por el objeto, si el acercamiento o el apartamiento de él, si la complacencia o la displicencia; si el saboreo o el disgusto, si la insistencia enfática en el objeto o la detención en el interés con que lo vemos.

Los diminutivos que no se refieren al objeto nombrado, sino que se disparan hacia el oyente, requieren explicación aparte. Ya los de frase (§ 5), aun en el lenguaje solitario, suponen un uso derivado; la profusión de diminutivos en una frase, y a veces uno solo, indica una extensión del temple, que originariamente correspondía al pensamiento del objeto nombrado, hasta alcanzar el complejo entero que lo incluye. Tanto más hay que reconocer derivación histórica en la función de los diminutivos activos y efusivos hacia el oyente (§§ 6-10). El punto de arranque está en los vocativos en diminutivo, donde el oyente es a la vez el objeto nombrado *(¡Mi Milphidisce!, ¡San Cristobalito!)*. Presionan con el cariño; de afectivos se hacen activos. Señalemos de paso que estos diminutivos invocadores, de donde arrancan los activos, efusivos y corteses, son claramente medios destacadores del objeto, lo mismo que los representacionales estudiados. Así la preponderancia de la fantasía viene a dar unidad a toda la evolución histórica de estas formas». «Por último quedan los diminutivos de cortesía *(yo quisiera hablarle a usted de un asuntillo)*, en los que no hay ni siquiera la pretensión de un afecto con el que se intente ganar el ánimo del interlocutor. Y, sin embargo, se enderezan también a la *captatio benevolentiae*. Por esto y por ser históricamente derivados de los afectivo-activos los he llamado de cortesía (§ 10); un gesto vivo de afecto convertido por el trato social en un ademán convencional. Se emplea la forma expresiva del cariño cuando no hay ni la pretensión de cariño. Justamente en lo que consiste la mera cortesía.

El problema del encadenamiento genético de estas funciones del diminutivo no tendrá solución mientras nos empeñemos en derivar unas de otras las distintas variantes intelectuales sin salirnos del campo de la razón, y las emocionales como eslabones de pura emotividad, y así las otras. Sino que tenemos que aprender con Dilthey que todas se refieren al alma como totalidad, que en una cadena racional hay anillos de afecto, de fantasía y de voluntad, y viceversa.

§ 16. He intentado indagar (dice A. Alonso) los valores estilísticos del diminutivo. Ya en la tarea, he creído ver esos valores constituidos en sistema. Según la dirección intencional del contenido psíquico, tenemos:

Hacia el objeto nombrado o lo dicho.	nocionales, § 3.
	emocionales, § 4.
	de frase (expresión del temple), § 5.
	estético-valorativos, § 13.

Hacia el interlocutor.	afectivo-activos, §§ 6-7.
	de cortesía, § 10.
	efusivos, § 8.

Hacia ambos a la vez: representacionales elocuentes, § 12.

Si en vez de la dirección intencional consideramos la fuerza espiritual dominante, la agrupación es otra: los de emoción, los de acción (voluntad), los de predominio de la fantasía, los nocionales. Y aun dentro de estos grupos hay nuevos cruces, pues de los imaginativos o representacionales unos son valorativos (categorizadores), otros emocionales, otros activos (elocuentes)».

No obstante, A. Alonso no da esta clasificación como un esquema rígido, ya que cada diminutivo es un conjunto de

matices en el que sobresale uno de ellos y determina la coloración del diminutivo.

Finalmente, en el *Postscriptum de 1950* recoge unas palabras de su conocido artículo de «Humanidades», 1930, en las
que señala el camino que debe seguirse en el futuro para
estudiar el diminutivo, sus sufijos y combinaciones, aislados
y formando sistema con otros sufijos de significación varia,
diminutivos etimológicos que ya no tienen tal sentido, como
viejo, etc. Se estudiarán también otros sufijos que en romance han adquirido valor diminutivo sin tenerlo originariamente, las especializaciones conceptuales o afectivas, las formas familiares y cariñosas, el poder fonético-expresivo de
algunas formas, las leyes rítmicas que presiden la formación
de los diminutivos y la distribución geográfica de los sufijos.

Con estas palabras, pues, damos fin a la exposición del
artículo de A. Alonso y a la segunda parte de nuestro estudio, no sin hacer constar antes que todavía podría ampliar-
se el número de los tratadistas de nuestro tema; pero con
ello no pondríamos ciertamente más claro este problema y
daríamos una extensión excesiva a esta parte.

RESUMEN

La Gramática ha tenido en sus comienzos una apreciación meramente conceptual del diminutivo. Desde Nebrija la nota fundamental que se ha visto en él ha sido la de designar la disminución del positivo de que se deriva, probablemente a causa de la presión ejercida por la gramática latina. De aquí la enemiga que se ha tenido contra la gramática de Nebrija, como lo denuncian estas palabras de Cristóbal de Villalón: «Antonio de Nebrixa traduxo a la lengua Castellana el arte que hizo de la lêgua Latina. Y por tratar alli muchas cosas muy impertinêtes dexa de ser arte para lengua Castellana y tienesse por traduçiô de la Latina: por lo cual queda nuestra lêgua según comun opiniô en su pristina barbaridad pues con el arte se côsiguiera la muestra de su perfeçion» [51].

En cambio, cuando esta tradición faltaba, como en el aumentativo, Nebrija llegó a la apreciación axiológica.

La facilidad del español para formar diminutivos es aumentada por la Gramática de Lovaina del año 1555, con manifiesta exageración, hasta ciento seis o más maneras de formación.

---

[51] *Gramática Castellana. Arte breve y compendiosa para saber hablar y escrevir en la lengua castellana congrua y deçentemente*, por el Licençiado Villalon. En Anvers [...] MDLVIII. Prohemio al lector.

Juan de Miranda coloca por primera vez la apreciación valorativa del diminutivo y la diferenciación de los sufijos junto a la conceptual de tamaño, iniciándose con ello el giro hacia el polo axiológico hasta llegar posteriormente a considerarse este carácter como el principal.

El juicio negativo de Herrera sobre el diminutivo denuncia al purista de la lengua, que expresa más lo que él cree que «debiera ser» que lo que en realidad «es».

En la gramática de Ambrosio de Salazar no hay nada acerca de la apreciación axiológica, pero se atisba en algunos ejemplos, a los que sigue una breve explicación. En estas exposiciones se ve también la especialización conceptual del diminutivo frente al positivo.

En Correas el diminutivo tiene ya un marcado significado axiológico con la especialización particular de los sufijos. En las largas listas de diminutivos derivados de un positivo se aprecia la variedad y libertad de formarlos, las superposiciones de sufijos y diversas formas de diminutivos, lo cual hace pensar en si Correas, cuando maneja así la derivación diminutiva, lo que hace es tentar las posibilidades derivativas; no obstante, creemos que son formas vivas, algunas de ellas muy interesantes y curiosas. También son muy dignos de consideración los sufijos aumentativos (entre los que cuenta al sufijo -ato) y los diminutivos formados con ellos.

También Martínez Gómez Gayoso, tras definir el diminutivo por su significación disminuidora, señala la significación axiológica y su diferenciación según los sufijos de que se trate. Menciona los diminutivos de diminutivos, de los que probablemente tuvo la idea de que existiese una relación entre el número de sufijos y el grado de disminución del diminutivo; lo que es indudable en él es que tuvo noción de la ponderación del sufijo repetido.

Capmany, siguiendo a Herrera, proscribe el uso del diminutivo, y, si lo admite, es únicamente en el lenguaje familiar y jocoso, y eso escasamente.

Antonio Puigblanch, catalán, atisba el carácter evocador del diminutivo en el sufijo -ete. Debido a esta circunstancia hace también un análisis del sufijo -on, al cual considera diminutivo en muchos casos, si bien en otros es aumentativo.

En la gramática de Salvá aparece de nuevo el valor afectivo o despectivo del diminutivo, aunque expresado muy superficialmente. Su estudio trata principalmente de las normas que rigen la formación de este derivado; por consiguiente, el problema de la soldadura del sufijo al tema es el central. En cambio, la significación accesoria, sobre la que él pone el significado axiológico, que a veces se une a la conceptual, es para Vicente Salvá problema secundario. De aquí que se incluyan en el grupo de diminutivos palabras derivadas por su mera significación disminuidora y especializada, como hizo también la Academia.

Martínez de Morentín, partiendo también de la significación disminuidora, llega al significado axiológico, que él llama accesorio, aunque en realidad es el principal que descubre en el diminutivo; si habla de la disminución expresada por el diminutivo es siguiendo una tradición gramatical. Es notable la afirmación de que las ideas accesorias se hayan desprendido de la de pequeñez. Su estudio acerca del diminutivo es muy interesante; abarca los principales problemas, a saber: los sufijos diminutivos, su especialización axiológica, las reglas que presiden su formación, irregularidades, etc. Estudia con cuidado las distintas palabras en las que se da el diminutivo, sobresaliendo las líneas dedicadas a los diminutivos de gerundios y adverbios, y las significaciones especiales que adoptan por razones sociales y de cortesía.

Bello, siguiendo el juicio de la gramática normativa, señala como la principal significación del diminutivo la de pequeñez, a la que se le suele añadir la idea de cariño. A causa de esto introduce entre los diminutivos otras palabras que significan objetos o seres pequeños.

Igualmente considera diminutivos formas de los nombres propios que en realidad son meros estimativos.

Lenz considera los diminutivos como un aumento o disminución en el aprecio subjetivo, por lo que deben estudiarse, dice, bajo la denominación general de apreciativos. Estudia el diminutivo basándose preferentemente en el español de Chile, y trata de la abundancia de este derivado, que algunas veces se usa denotando una disminución del interés. Hace mención también de las denominaciones que se emplean para designar a las personas y al uso abundante del diminutivo en el lenguaje familiar afectivo.

La gramática de la Academia define el diminutivo basándose en la disminución del significado del positivo. Se caracteriza por su criterio normativo, de aquí la serie de reglas para la formación de diminutivos de acuerdo con la estructura de la palabra a la que se le añade el sufijo. Tampoco es extraña a la gramática de la Academia la concepción según la cual incluye en la denominación de diminutivo hipocorismos afectivos.

El estudio principal llevado a cabo sobre el diminutivo es el de A. Alonso. En él se estudia este derivado en razón de sus funciones lingüísticas originadas por su consideración axiológica, que es la principal, pues la conceptual de empequeñecimiento es la menos importante. De esta manera se justifica la importancia estilística del diminutivo, cuyos valores los ve formando un sistema; según el contenido psíquico, está dirigido el diminutivo hacia el objeto nombrado, hacia el interlocutor, o bien hacia ambos a la vez.

Es el estudio de A. Alonso, según hemos dicho, la visión más clara acerca del diminutivo y su importancia estilística.

El estudio de Martínez de Morentín es tal vez el más digno precedente del de A. Alonso, al entrever algunos de los principales empleos de este derivado. Aunque no lo cita, A. Alonso debió de conocerlo sin duda alguna, dada la similitud de ciertas ideas.

Así, pues, podemos descubrir en el estudio del diminutivo un primer momento en el que es considerado como un derivado que significa conceptualmente una disminución, o un objeto menor del designado por el positivo y con el cual existe cierta relación; en este momento el espejismo producido por su denominación y la gramática latina, a la cual se toma por modelo, y la concepción lógica del lenguaje, impiden ver la significación valorativa de los sufijos. La apreciación de ésta, en un segundo momento de la historia del estudio del diminutivo, está a cargo de gramáticos que por vivir o enseñar la gramática española en países extranjeros pudieron apreciar la diferencia que existía al traducir un diminutivo español a otra lengua, con lo que descubrieron el carácter axiológico peculiar de nuestros diminutivos y la subsiguiente especialización valorativa de los sufijos. La reacción purista y la concepción lógica y normativa de la gramática sofocan el estudio del diminutivo como un medio vivo de expresión lingüística hasta que el análisis estilístico rehabilita su importancia axiológica y funcional; éste puede ser el tercer estadio del estudio del diminutivo, aunque no libre de reacciones. En efecto, don Salvador Fernández Ramírez [52] es el caso más representativo de reivindicación de la función disminuidora, nocional, del diminutivo en medio

---

[52] Salvador Fernández Ramírez, «A propósito de los diminutivos españoles», *Strenae*, t. XVI, Salamanca, 1962, págs. 185-192.

de un coro de seguidores de Amado Alonso que explota el
estudio de éste añadiendo particularidades[53]. Pocas son las
novedades de estos epígonos de A. A., pues casi todos con-
funden las funciones del lenguaje con las matizaciones de
empleo del diminutivo según dichas funciones, y suelen caer
en un mero particularismo y nominalismo estériles.

-----

[53] Félix Monge, «Los diminutivos en español», *Actes du Xᵉ Congrès
International de Linguistique et Philologie Romanes*, Strasbourg, 1962,
Klincksieck, París, t. I, 1965, 137-147 (con intervenciones de Marcel
Weber, F. González Ollé y E. Coseriu); A. Zuluaga, «La función del
diminutivo en español», *BICC*, t. XXV, 1970, 23-48; José Joaquín Montes
Giraldo, «Funciones del diminutivo en español», *BICC*, t. XXVII,
enero-abril 1972, 71-88.

TERCERA PARTE

EL DIMINUTIVO EN LOS TEXTOS

INTRODUCCIÓN

Hacemos un breve estudio de algunas de las principales obras anteriores al Siglo de Oro de nuestra literatura, a fin de dar un panorama del diminutivo lo más completo posible y preparar nuestro estudio propiamente dicho [1].

---

[1] Fernando González Ollé, *Los sufijos diminutivos en castellano medieval*, Anejo LXXV de la *RFE*, Madrid, 1962. Es el más importante estudio sobre el tema publicado hasta la fecha desde un punto de vista predominantemente formal e histórico. Suya es también la comunicación «Primeros testimonios de algunos sufijos diminutivos en castellano y nuevos datos para su historia», *Actes du Xe congrès international de linguistique et philologie romanes*, Strasbourg, 1962, Klincksieck, París, II, 1965, 547-552.

EL DIMINUTIVO HASTA EL SIGLO XVI

BERCEO

De Gonzalo de Berceo hemos estudiado los *Milagros de Nuestra Señora*[2], la *Vida de Sancto Domingo de Silos* y la *Vida de Sancta Oria, Virgen*[3].

Difícil resulta precisar en muchos casos la inclusión o exclusión de una forma en una lista de diminutivos, ya que existen razones del mismo o parecido peso para decidirse en un sentido o en el opuesto. En los *Milagros*, quizás la palabra *golliella*, entre las incluidas, pueda ser objeto de discusión. Nosotros la hemos considerado diminutivo con la significación de «cuellecillo», de acuerdo con la nota de Solalinde sobre el particular[4]. Entre las no incluidas está, por

---

[2] Berceo, *Milagros de Nuestra Señora*, Clásicos Castellanos, 3.ª edición de Solalinde, Espasa-Calpe, S. A., Madrid, 1944.

[3] Berceo, *Vida de Sancto Domingo de Silos* y *Vida de Sancta Oria, Virgen*, Col. Austral, 2.ª ed., Espasa-Calpe, Argentina, S. A., Buenos Aires, México, 1945. Debido a las circunstancias en que tuve que preparar este trabajo no me fue posible manejar siempre ediciones críticas, cosa que lamentamos.

[4] Vid. *Milagros*, pág. 41, nota 155 d; «golliella», 'cuello'; «cadena en goliella leváValo cativo», *Alexandre*, M., 907 c. También dice Lanche-

ejemplo, *toquiella* (pág. 201, 909 c), por creer que entonces estaba ya plenamente separada y diferenciada, en su significar, del positivo. Otra palabra no registrada es *neblina* (página 70, 278 c), por estimar que también está perfectamente diferenciado el objeto a que se refiere de la significación del positivo.

En la *Vida de Santo Domingo* hemos dejado de incluir, por causas análogas a las anteriores, palabras como *monaçiello* (36 a), diminutivo etimológico, por creer que en Berceo está empleado como positivo. No obstante, en esta época ciertos sufijos aún no se habían unido al tema tan íntimamente que no mantuviesen cierta independencia; todo lo contrario que sucedió en aquellas palabras en que pasaron ambos elementos a constituir una unidad. Por ejemplo, en *Elena y María*[5], de hacia 1280, frente a *molaciellos* (v. 109) tenemos *molacinos* (v. 369). En esta sustitución del sufijo podemos ver, además de la característica dialectal del autor, «leonés, de hacia las tierras de León, Zamora o Salamanca» (pág. 16), la inestabilidad de la terminación. Pero esta inestabilidad no la encontramos en Berceo, lo que nos puede llevar a afirmar que en él, posiblemente, se había llegado a formar y sentir a la palabra monaçiello como una unidad léxica, con idéntica fuerza en su unión a nuestro actual monaguillo, que aislada no es sentida como diminutivo, a no ser que se haga jugar, como oposición, la regresión monago. Por el contrario, sí era sentida como diminutivo por el autor de *Elena y María*, y, por eso, puede formar, mediante una regresión, el positivo *monaguesa*, femenino de monago, «que

tas que se trataba de otro adorno, pero el uso de la «golilla» no es de la Edad Media; véase *Dic. Autoridades*. Ed. facsímil. Gredos.

5 Ramón Menéndez Pidal, *Tres Poetas Primitivos*. «*Elena y María*». «*Roncesvalles*». «*Historia Troyana Polimétrica*», Col. Austral, Buenos Aires, 1948.

por su acento no puede venir de *monăcu*», como dice M. Pidal [6]. Por otra parte, la regresión *monago* indica que, a veces, se apreció *monaguillo* como un diminutivo, como parece
corroborarlo el aumentativo de monago, «monagón» *(Alexandre*, O., 1792 d), si es que no se trata de un auténtico diminutivo en -on, como tantos otros, en cuyo caso tendríamos una terminación diminutiva más, que luchaba por per-
vivir en el proceso de selección de la lengua. No obstante,
creemos que Berceo no consideró diminutivo *monaçiello*.
Tampoco he tomado en cuenta otras como *postillo* (125 d),
pellejo (92 b y 583 b), *calleja* (483 a), etc. En este último ejemplo puede apreciarse cierto matiz despectivo, con funda-
mentación objetiva indudable, como puede verse en *El Conde Lucanor* [7], en el exemplo XLVI, y en el Arcipreste de
Hita [8] (I, pág. 127, 338 d; I, pág. 142, 378 a; I, pág. 165, 438 b;
I, pág. 280, 827 b; II, pág. 10, 901 e; II, pág. 115, 1185 c; II,
página 201, 1418 a), en donde suele significar los malos pasos
de algunos de los protagonistas de la desgarrada vida que
pinta Juan Ruiz, por ejemplo el señalado en tercer lugar:
«toma d'unas viejas, — que andan las iglesias é saben las
callejas», pues así se denominan a veces las calles en donde
solían vivir las mujeres de mala vida.

Valor diminutivo tienen los dos primeros casos de *cartiella* de los *Milagros* (Mil. XXIV, pág. 183, 817 a; Mil. XXIV,
página 184, 824 b), más acusado que el otro de los *Milagros*
(Mil. XXV, pág. 201, 909 d) y el de la *Vida de Santo Domingo*
(S. D., 36 a). En estos dos últimos ejemplos el significado

---

[6] R. Menéndez Pidal, *Manual de Gramática histórica española*, 7.ª
ed., Madrid, 1944, § 82, 3.

[7] Don Juan Manuel, *El Conde Lucanor*, serie escogida de Autores
Españoles, X, V. Suárez, Madrid, 1933.

[8] Arcipreste de Hita, *Libro de Buen Amor*, Clásicos Castellanos, dos
tomos, 5.ª ed. de J. Cejador y Frauca, Espasa-Calpe, S. A., Madrid,
1946.

está más cerca de tener un sentido de positivo que de derivado. Es una linde imprecisa entre derivado y positivo difícil de señalar, como en otros muchos casos, tales como *parlillas, hablillas* o *fabliellas*, etc.; razones hay en pro y en contra de peso equivalente. No hay duda de que la reducción de -iello a -illo favoreció en muchos casos la diferenciación en la significación entre el nombre en grado cero y el derivado pasando a designar objetos distintos.

No hemos incluido tampoco los diminutivos topónimos, como *Olivete (S. O.,* 139 b), por el monte de los Olivos, *Olmiellos (S. D.,* 637 a), etc., pues son designaciones de nombres propios de lugar en los que no descubrimos ningún aspecto subjetivo especial.

Posee Berceo gran riqueza de diminutivos, tanto por el número de ellos como por la pluralidad de matices expresivos. Hay muestras de casi todas las partes de la oración, como fácilmente puede verse con la simple lectura de los señalados en estas tres obras, es decir, de las partes de la oración más aptas para recibir este sufijo, naturalmente. Tiene, pues, diminutivos de sustantivos, adjetivos, adverbios e, incluso, del gerundio, como *callandiello*, «la oración que reza el preste callandiello» *(Sac.,* 76), o sea, callandillo, callandito, en voz baja, diminutivo lleno de «expresividad pintoresca», como dice Lapesa en su *Historia de la Lengua Española*.

En todos ellos se pone de manifiesto la gracia inimitable de este primitivo de la lengua. Señalaremos algunos: «Semeias me *cossiella* simple como cordero» (Mil. VIII, pág. 49, 188 d), le dice el diablo al romero con graciosa ironía, como llamándole mosquita muerta, pues si ahora se encuentra de romería, en cambio antes, en vez de prepararse con la adecuada vigilia para comenzarla debidamente, «fizo una nemiga» poco recomendable, sobre todo en semejantes vísperas.

Este mismo diminutivo aparece graciosamente empleado en el Mil. XXI, el de la Abadesa Encinta (pág. 122, 508 d), a quien le salen pecas «ca ennas primerizas caen estas cosiellas»; mientras los labios esbozan una sonrisa irónica, los ojos denuncian al corazón del poeta, que rebosa amor y condescendencia.

El adjetivo malo adquiere un pintoresco sentido despectivo en la pluma de Berceo bajo la forma *maliello*, empleado refiriéndose al diablo o a alguien tratado despectivamente. Este sentido se agranda notablemente en casos como el que sigue, en que va acompañado por un adverbio también derivado: «Por padre lo cataban ese sancto conçejo, / Foras algún *maliello*, que valíe *poquillejo*» (S. D., 92 d).

Este matiz despectivo es el más corriente del sufijo -ejo, aunque, a veces, su uso se deba a la necesidad del consonante, como en el caso de logareio (Mil. XXI, pág. 125, 525 c), en donde la abadesa le pide a la Virgen morir antes de afrontar la vergüenza de su falta ante sus monjas, pues este logareio es su oratorio, «un apuesto logar» (514 b). El valor despectivo aparece plenamente en el ejemplo siguiente: «Diéronle do viviese un pobre *logarejo*» (S. D., 170 a), reforzado por el empleo del adjetivo. Téngase en cuenta, no obstante, que el sufijo en sí no supone forzosamente una especialización ni conceptual ni axiológica; es más bien una llamada de atención, un subrayado, susceptible de empleo en multitud de funciones, aunque inevitablemente con el uso tienden a la especialización.

La comparación resulta muy pintoresca con el empleo del diminutivo, que adquiere un valor despectivo mínimo: «Una dueña hermosa de edat mançebiella / Voxmea havía nombre, guardaba esta siella: / Daría por tal su reyno el rey de Castiella, / E sería tal mercado que sería por *fabiella*» (S. O., 79 d).

La ponderación de una cualidad puede venir expresada, en algunos casos, por el sufijo, por ejemplo: «Dixoli fuertes dichos, un *brabiello* sermon» (Mil. IX, pág. 58, 228 c), con el que la Virgen regaña fuertemente al obispo por castigar al ignorante clérigo que no sabía otra Misa que la de Santa María.

El sufijo -uelo es el exponente que marca la afectividad positiva en Berceo de forma más continuada, pues solamente uno de los dieciséis señalados tiene valor despectivo: «Los omnes del iudio, *compannuela* baldera» (Mil. XXIII, página 155, 674 b). Igualmente en otra obra cuyos diminutivos no hemos reseñado en su totalidad (en *Loor.*, 72): «La *compannuela* falsa que çerca li sedía», refiriéndose a la chusma que presenciaba la crucifixión de Jesucristo. Otro ejemplo análogo al anterior: «Issió mal confondido el *conçeiuelo* vano» *(S. M.*, 167), por legión de demonios. Así, pues, exceptuado ese primer ejemplo, todos los restantes denotan afectividad positiva. No obstante hay que tener presente la escasez de ejemplos diferentes, ya que casi todos se refieren a *ninnuelo* y *fijuelo*, formas que por sí solas expresan afectividad, como, por ejemplo: «Otra vez crucifigan al mi caro *Fijuelo*...» (Mil., XVIII, pág. 102, 420 a).

Estos son los tres grandes grupos de sufijos diminutivos en Berceo. «Faltan —dice Lanchetas en su *Vocabulario*, página 99— los diminutivos en ico, ito», aunque él mismo los consigne en otro lugar, por ejemplo *zatico, niñita*, si bien, como en este último caso, sea errónea la explicación, ya que Lanchetas lo refiere a niña, hija (pág. 511), cuando en realidad se trata de las niñas de los ojos: «Mas la virtut de Dios sancta e benedicta / Guardolo commo guarda omne a su *ninnita*» *(S. M.*, 52). Citemos también un caso de terminación en -ete: «Oirlo an los muertos cada uno en su *capseta*»

(Sig., 22), por sepulcro, caja. Quizá este último ejemplo no sea en realidad un diminutivo intencional y deba su forma a su origen provenzal o catalán, probablemente.

DON JUAN MANUEL

De don Juan Manuel hemos recogido los diminutivos de su obra más famosa: *El Conde Lucanor* (vid. nota 7).

En don Juan Manuel el sufijo -illo, por los diminutivos señalados, es signo que evidencia la poca consideración en que se tiene el objeto, al cual acompaña cierta idea de pequeñez, como, por ejemplo, en perrillo: «Siquier parat mientes, que si un *perriello* quel quiera matar un grand alano...» (E., XII, pág. 71).

Es mediante el sufijo -uelo con el que expresa el nieto de San Fernando la ternura y el afecto, por lo que dicho sufijo en don Juan Manuel está en la misma línea expresiva que en Berceo y en el Arcipreste. Empieza este sufijo por designar la pequeñez de seres y objetos hacia los que se siente arrastrada la afectividad, convirtiéndose así en su elemento expresivo, quizás por un sentimiento de protección hacia el objeto o el ser de que se trate. Así, por ejemplo, en el caso de *pequeñuelo* (E. I, pág. 11; E. XXI, pág. 107; E. XXV, pág. 133) para expresar el amparo o desamparo en que queda «un fijo muy pequeñuelo». En corderuelos vuelve a percibirse esta predilección del sufijo para significar el afecto hacia los seres recién nacidos o pequeños: «que tomasse el Bien los *corderuelos* assí como nasçían» (E. XLIII, página 241), diminutivo que como *herbizuelas* (E. XXIII, página 122) adquirirá posteriormente eco pastoril. El matiz peyorativo del sufijo puede verse en los diminutivos pañizuelos, aunque debe tenerse muy en cuenta los adjetivos que los

califican; el mismo sufijo expresa, en cambio, la compasión
en pobrezuelos: «E dexó a la puerta del baño unos *pañizuelos* muy viles e muy rotos commo destos *pobrezuelos* que
piden a las puertas» (E. LI, pág. 309), y «vio aquellos *pañizuellos* viles e rotos» (E. LI, pág. 310). Desde luego no tienen
sentido de positivo como adquirirá pañuelo después, e incluso casi lo tomará pañizuelos posteriormente en la novela
pastoril; ahora es todavía un derivado al que se le opone
de vez en cuando el positivo, como en renglones más abajo:
«Et vistiósse los paños...», sin que acompañe la menor suge-
rencia subjetiva. En el diminutivo begizuela expresa don
Juan Manuel la pobreza de espíritu de estas buenas mujeres que creen firmemente todos los misterios de la religión,
por lo que serán contados entre los bienaventurados: «Et
bien creed, que en aquella manera que lo tiene la *begizuela*
que está filando a ssu puerta al Sol, que assi es verdaderamente» (V parte, pág. 357). «Et ciertamente qualquier *veguzuela* cree esto, e esso mismo cree qualquier cristiano» (V
parte, pág. 359).

El sufijo -ejo es elemento diferenciador que marca el
desprecio, una cosa tenida en poco o pequeñez de la misma
o el no aprecio con que se la distingue: «mas es cuerdo el
que por una *señaleja* o por un movimiento qualquier...»
(E. VI, pág. 43).

En -ete teníamos librete: «Et metiósse luego en su estudio, e conpuso un *librete* pequeño e muy bueno e muy apro-
vechoso» (E. XLVI, pág. 266), que posee parecido sentido al
que tiene en Juan Ruiz: «Que pueda de cantares un librete
rimar» (I, pág. 14, 12 c), «e con tanto faré / Punto a mi librete...» (II, pág. 257, 1626 d), es decir, de cosa a la que se le
rebaja su verdadero interés aparentemente cuando en realidad
lo que se hace es ponderarlo, sobre todo en el primer caso
y en el último, y adquiere cierto tinte captativo en el segundo

al rogar a Dios que pueda componer un librete de cantares. Compárese con *obretas*, del Marqués de Santillana.

El sufijo -ito en el único ejemplo que tenemos manifiesta la pequeñez del objeto y el cuidado afectuoso de los criados al guardar los restos de su señor en la arquita: «E metieron los huesos en una *arquita*...» (E. XLIV, pág. 250). Éste es, quizá, uno de tantos diminutivos referidos a objetos y utensilios de uso corriente y doméstico que distinguimos con el sufijo y que, en la mayoría de los casos, no expresan ningún aspecto especial.

Para terminar señalaremos las dos formas *postiella* y *pustuellas* (E. XXVII, pág. 156 y E. XLIV, pág. 249, respectivamente), formadas, la primera, por sustitución del sufijo átono -ŭlus por el tónico -ĕllus; y la segunda, por adición del sufijo -uelo, de -ŏlus, que se hizo tónico [9], aunque no tuvieron valor de diminutivo en romance. Y consignaremos igualmente el sufijo -illo con la forma -iello, o sea sin reducir.

EL ARCIPRESTE DE HITA

La exuberancia vital de Juan Ruiz (vid. n. 8) se pone de manifiesto en la totalidad de su obra por la temática, por la riqueza de su versificación, por la efusión de su léxico inagotable, salpicado abundantemente de diminutivos jugosos, pletóricos de maliciosa ironía unas veces, de sensualidad otras, y de amor y afecto siempre.

De las formas en -illo hemos introducido esportilla (II, pág. 121, 1205 d) entre los diminutivos por tener sentido disminuidor y referirse a una especie de zurrón pequeño que solían llevar los romeros y en el que guardaban las limosnas y otros objetos; igual en el «Romance de la Condesita»: «*es-*

---

[9] R. Menéndez Pidal, *Gram.*, § 6, 2.

portilla de romera / sobre el hombro se echó atrás» [10]. En esta época esportilla tenía, sin duda alguna, significación disminuidora que hoy ha perdido en la mayoría de los casos; por lo menos en los casos señalados era diminutivo, aunque estaba ya en camino de convertirse en positivo. Igualmente ocurre con *odrecillo* (II, pág. 51, 1000 d; II, pág. 142, 1233 c, y II, pág. 229, 1516 c), que, aun refiriéndose a un objeto concreto, especie de gaita, mantendría la significación de diminutivo por oposición a odre, ya que aquél estaba formado por un cuero pequeño de cabra, y esta oposición era todavía muy viva en la conciencia lingüística de los hablantes, lo que no ocurría en otros casos, como *escudilla* (II, pág. 110, 1175 a), por ejemplo. Seguimos manteniendo fuera de la lista dada los topónimos, como puede verse; por ejemplo, *Valdemoriello* (II, pág. 115, 1186 b). *Taborete* o *tamborete* creemos que es diminutivo con sentido disminuidor y quizás usado específicamente para designar el tambor pequeño tocado con un solo palillo, como después tamboril o tamborino, el cual tiene ya un empleo concreto, como puede verse en Covarrubias (*Tes. de la Leng. Cast.*). *Tapete* es positivo (II, página 196, 1400 c) con la significación de tapiz «alhombra con que se cubre el suelo» (Covarrubias, *id.*, II, f. 182), y así en el Marqués de Santillana [11] (pág. 99, v. 26 y pág. 220, v. 45), no obstante el positivo «de tape negro» del manuscrito VII-A-3 de la Biblioteca Real frente a «de tapete negro» de la primera cita, que parece indicar que existía conciencia del sufijo -ete en dicha palabra. Con criterio más rígido podrían ser consideradas como positivos algunas formas en -ete, como

---

[10] R. Menéndez Pidal, *Flor Nueva de Romances Viejos*, 5.ª ed., Col. Austral, Espasa-Calpe, Buenos Aires, 1944, pág. 214.

[11] Marqués de Santillana, *Canciones y Decires*, Clásicos Castellanos, Ed. y notas de don V. García de Diego, Espasa-Calpe, S. A., Madrid, 1942.

chançonetas (II, pág. 149, 1241 c; II, pág. 140, 1232 c; II, página 60, 1021 c), _chufetas_ (II, pág. 58, 1015 c), _menoretas_ (II, pág. 149, 1241 b), _motete_ (II, pág. 140, 1232 c), etc.

Con el Arcipreste aparece ya muy generalizada la terminación -illo que empleaba el pueblo castellano desde tiempos antiguos; no obstante, todavía es abundante -iello por influencia literaria.

Sustantivos y adjetivos constituyen casi exclusivamente el campo en que tiene lugar la sufijación diminutiva, con carácter sugeridor e imaginativo las más de las veces, y, no pocas, está el sufijo cargado de intención sensual y sensorial que resalta en medio de un léxico realista que deja sentir su influjo directo sobre los sentidos. En una palabra, es el del Arcipreste de Hita un léxico con color y sabor propios en el que sobresale la nota sensorial del sufijo diminutivo: «Dióm' pan de çenteno / Tyznado, moreno, / Dióme vino malo, / _Agrillo_ é ralo, / É carne salada» (II, pág. 62, 1030 d).

La imaginación es asaltada con fruición sensual no pocas veces: «A esa moça e otras _moçetas_ del _cuell'alvillo_ / Yo faré con mi escanto que vengan _pas'a pasillo_» (I, pág. 252, 718 b, c): con el irresistible sortilegio se acercará no «pas' a paso», sino «pas'a pasillo» para poderse gozar y recrear en la albura de las carnes de la «moçeta del cuell'alvillo», como se goza el gato en el temblor del pájaro o del «moresillo» que ha caído en sus uñas. O, por ejemplo: «Los labios de la boca le tiemblan un _poquillo_, / El color se le muda bermejo, amarillo, / El coraçón le salta ansy, á _menudillo_. / Apriétame mis dedos con los suyos _quedillo_ (I, pág. 276, c. 810). Quedillo en este caso, como en Berceo: «Tu sey aperçibido, fúrtateli _quediello_» (_S. D._, 723 a) expresan de una manera especial aquello que se realiza, en secreto, pero en la frase del Arcipreste penetra más hondamente en la sensibilidad, resulta más concreta la situación, más sensorial y

gráfica. Pero cuando desea hacer una descripción con trazos
más gruesos, una descripción de más bulto, cambia el sufijo
-illo por -ete, que presta más consistencia, sustitución equivalente al de un dibujo por un relieve: «Las çejas apartadas,
luengas, altas en peña, / *Ancheta* de caderas: esta es talla
de dueña» (I, pág. 163, 432 d), y «*Ancheta* de caderas, pies
chicos, socavados» (I, pág. 168, 445 c). Es el sufijo -illo, no
obstante, el principal medio expresivo en estas descripciones,
aun teniendo en cuenta la servidumbre de la rima: «La naryz
afylada, los dientes *menudillos*, / Eguales é bien blancos,
un poco *apretadillos*, / Las ensías bermejas, los dientes
agudillos, / Los labios de su boca bermejos, *angostillos*. /
Su *boquilla* pequeña asy de buena guisa...» (I, pág. 164, 434 a-
435 a). Acabamos de dar con el diminutivo que designa la
parte del cuerpo que no se aparta ni un solo instante de la
imaginación del Arcipreste: la boca, la boquilla de la amada,
suave y dulce. Por ello prorrumpe en un grito, grito que
viene en forma de diminutivo y centra toda la copla, que,
a su vez, centra la escena de la aparición de doña Endrina
en la plaza. Es su boquilla la que personifica todos sus
encantos, sueño largamente acariciado en su soledad que, de
pronto, se hace realidad ante sus propios ojos; por eso no
es dueño de sí y se le demuda el color, le tiemblan los
miembros y siente que le abandonan las fuerzas y el conocimiento:

> ¡Ay! ¡quán fermosa vyene doñ'Endrina por la plaça!
> ¡Qué talle, qué donayre, qué alto cuello de garça!
> ¡Qué cabellos, qué *boquilla*, qué color, qué buenandança!
> Con saetas d'amor fyere, quando los sus ojos alça.
>
> (I, pág. 232, 653 c).

No nos extrañará, pues, que enloquecido le diga «ámovos
más que a Dios» (I, pág. 235, 661 c) a doña Endrina, primer

paso en el endiosamiento de la amada que llevará a Calisto a transformarla en la divinidad, o mejor, en su divinidad, por lo que exclama el inmortal amante en su profesión de fe y caridad: «Melibeo so é a Melibea adoro e en Melibea creo é á Melibea amo» [12].

El jugueteo irónico puede venir expresado por el sufijo -ete: «Todo su mayor fecho es dar muchos sonetes, / Palabrillas pyntadas, fermosillos afeytes: / Con gestos amorosos, engañosos *rrisetes*, / Trayen a muchos locos con sus falsos *juguetes*» (II, pág. 154, c. 1257). O manifiesta la intención de captar el interés y benevolencia del oyente: «Dirévos la fabliella, ¡sy dierdes un *risete*! (II, pág. 196, 1400 d). Para librete, véase el sufijo -ete en el Marqués de Santillana.

El sufijo -uelo expresa de manera especial la ternura cuando se refiere a palabras como hijo, mozo, pequeño..., por lo que está en la misma línea expresiva de los derivados de este mismo sufijo en Berceo. Ej.: «Parió su *fijuelo*, / ¡Qué gozo tan maño! / A este *moçuelo* / El treseno año, / ... (II, págs. 262-263, 1644 a y c). «Fasedes como madre, quando el *moçuelo* llora, / Que le dise falagos, porque calle esa ora» (I, pág. 273, 799 b). «Dueñas, ¡non me rrebtedes nin me llamedes *neçuelo*!» (II, pág. 244, 1573 a), es decir, no me llaméis necio, como se lo podríais llamar a un niño porque llore la muerte de mi Trotaconventos, pues como un niño me encuentro falto de su amparo y tutela. Por esto toma un especial sentido de ternura en vejezuela: «Como la mi *vigisuela* m'avya aperçebido...» (I, pág. 293, 872 a), y «Con la mi *vejezuela* embiéle ya qué...» (II, pág. 172, 1319 a), en que el sufijo logra subir un punto más alto la afectividad de la expresión simple «la mi vieja».

---

[12] Fernando de Rojas, *La Celestina*, Clásicos Castellanos, dos tomos, 3.ª ed. y notas de J. Cejador y Frauca, Espasa-Calpe, S. A., Madrid, 1931, t. I, pág. 41.

Con este mismo sufijo aparece un diminutivo de aura, oruela: «Ençima dese puerto fasia *oruela* dura» (II, pág. 55, 1006 c), que se coloca al lado del derivado con el sufijo -illo: «Despues de muchas luvias viene la buena *oriella*» (I, pág. 272, 796 c), del que hemos señalado tres en Berceo, dos en los *Milagros* (Mil. XXII, pág. 138, 591 a y pág. 139, 593 c) y uno en la *Vida de Santo Domingo (S. D.*, 69 b); tanto bajo la forma -illo como -uelo significa tiempo, temple, ya sea «bueno o malo, en Segovia, Cuenca, Madrid, y en toda la sierra, y en Andalucía, así como oraje en Cuenca y orache en Aragón». (De la nota a la c. 1006 del *L. B. A.*) La dualidad oriella oruela parece indicar que eran sentidas esas formas como diminutivas, caso semejante a molaciellos y molacinos en *Elena y María* [13].

Con el sufijo -ino tenemos la formación de sustantivos que designan la cría de ciertos animales: «¡Confonda Dios», dixe yo, «cigüeña en el exido, / Que de tal guisa acoge *cigoñinos* en nido!» (II, pág. 42, 978 d). Es éste un sufijo que unas veces se ha comportado como un simple medio derivativo con la significación de «perteneciente a», «con la propiedad de», etc., y otras ha adquirido el matiz del diminutivo con la idea de pequeñez, señalando afecto o desprecio al mismo tiempo. Por esto es frecuente percibir en estos derivados cierto sentido positivo de animal o vegetal pequeño, joven, con sentido diminutivo disminuidor del adulto. En la actualidad, por ejemplo, se dice *encino* (Salamanca) a la encina pequeña que llegará a ser grande, con cambio de género y la misma terminación; el cambio de género permite

---

[13] No hace muchos años hemos oído la forma *orilla* en la campiña cordobesa con la acepción de brisa agradable, vientecillo fresquito o menos cálido que el que sopla en pleno llano, pues el campesino que empleaba dicho término me invitaba a subir a un alto.

tomar la terminación como si fuese el sufijo -ino, tan abundante en Salamanca. El diminutivo parlinas, «Non cuydedes que só loca por oyr vuestras *parlinas*» (I, pág. 236, 655 c), o sea, charlas, consejas, refranes embaucamientos, engaños, tiene un sentido colateral al de fablilla y parlilla, con matiz despectivo (I, pág. 72, 179 c; I, pág. 293, 870 a; II, pág. 196, 1400 d, para fablilla; y II, pág. 17, 921 a, para parlilla). Unas y otras formas son muchas veces auténticos positivos; la oposición a los positivos respectivos es no pocas veces el principal motivo de que sean consideradas diminutivos, al menos en un primer momento.

Con el sufijo -ico hemos señalado dos diminutivos bajo una misma forma: çatico, diminutivo de zato, pedazo, con matiz afectivo sobre el sentido disminuidor: «Por la grand escaseza fue perdido el rico, / Que al poble Sant Lasaro non dio solo un *çatigo*» (I, pág. 94, 247 b); «Que el rromero hito sienpre saca *çatico*» (I, pág. 292, 869 b). Con sentido análogo cabe apreciarlo en los casos siguientes de otros autores, como J. Enc. 219: «Zaticos de pan ten tú, venturado», y este refrán del Marqués de Santillana: «Del pan de mi conpadre buen çatico a mi ahijado».

El caudaloso léxico del Arcipreste de Hista, tan lleno de pintoresquismo, está henchido de vocablos jugosos en los que se percibe el hálito de una vida apasionada y un gran temperamento que domeñan el idioma al señorear sintaxis, vocabulario, composición y derivación, etc. En esta última, muestra el Arcipreste su condición de maestro del idioma formando vocablos sumamente expresivos con gracia inigualable, como cuando habla de «la neçiacha vandurria» (II, página 143, 1233 d), forma la palabra «pecadesno» (I, pág. 268, 779 b), esto es, hijo del pecado, por analogía con osezno, lobezno, judezno, pavezno (del propio Hita, coplas 284 y 287), etcétera [14].

ALFONSO MARTÍNEZ DE TOLEDO [15]

El diminutivo en -illo tiene frecuentemente en el Arcipreste de Talavera significado disminuidor de poquedad, en el sentido de poca cosa y de poca importancia, más bien que de pequeñez objetiva. Como puede verse por la simple lectura de la lista dada, algunos diminutivos se refieren a objetos, utensilios o cosas empleadas en la vida cotidiana (bolsillas, cantarillos, etc.), en los que probablemente el empleo del sufijo se debe a un rebasamiento sentimental que nos lleva a amar aquellas cosas entre las que transcurre la vida, o, por el contrario, a odiarlas; de aquí que al designarlas habitualmente con el diminutivo éste pierde su carácter y en muchos casos tiene significado de positivo. Otras veces es el sufijo el elemento apreciativo con el que se expresa lo despreciable y ruin: «Ay otros destos que son como mugeres en sus fechos e como *fembrezillas* en sus desordenados apetitos, e desean a los omes con mayor ardor que las mugeres desean a los ombres: fuego, fuego en ellos» (IV parte, c. I, pág. 260). «Amar, pues, a tales (a los flemáticos, cobardes) es mengua de bondad e sobras de ruyndad: como ay en algunas que eso se les da ser amadas de brioso que de perezoso, de fuerte que de flaco, de *ombrezillo* que de ombre entero, de ardido que de cobarde...» (III parte, c. IX, página 218). A veces presta el sufijo a la narración un acusado

---

14 Vid. Malkiel, Y., «Old Spanish *judezno, morezno, pecadezno*», *Philological Quarterly*, XXXVII, 1958, 95-99, e Ynduráin, F., «Sobre el sufijo *-ezno*», *Archivo de Filología Aragonesa*, IV, 1952, 195-200.

15 Arcipreste de Talavera, *Corbacho o Reprobación del Amor Mundano por el Bachiller Alfonso Martínez de Toledo*, Sociedad de Bibliófilos Españoles, vol. XXXV, Madrid, MCMI.

valor descriptivo que tiñe la frase de un matiz especial: «Fazense *symplezillos* como mugeres, la boz *delgadilla*, fablan muy de paso: todavia los fallareys entre mugeres, pero non de las viejas» (IV parte, c. I, pág. 264). Sirve también el sufijo para ayudar a formar locuciones prestándoles una gracia particular; en la siguiente frase equivale a «poco a poco»: «¿Como te feziste calvo? *Pelo a pelillo* el pelo levando...» (II parte, c. I, pág. 119), frase que se puede comparar a otra del Arcipreste de Hita: «pas'a pasillo». Hemos hallado en el Arcipreste de Talavera, por primera vez, la expresión «de puntillas»: «viniendo *de puntillas* en tierra...» (IV parte, c. II, pág. 303). Subraya el sufijo el jugueteo y agrado con que en secreto reciben las mujeres las galanterías de los hombres, aunque aparenten que las disgustan: «e aunque dizen (las mujeres): vereis qué nesçio, vereis qué loco, vistes qué ombre symple: esto dize su jesto segurado; pero sol *mantillo* riense como locas» (II parte, c. IX, pág. 164). Matiz afectivo adquiere el sufijo -illo en el caso siguiente: «Señor, muchas cosas a los sabyos e prudentes de tus secretos escondiste, las quales a los *pobrezillos* revelaste, y esto por que asy plaze a Ty» (II parte, c. XIV, pág. 188); es decir, el Señor, que guarda celosamente sus secretos a los sabios, los manifiesta a los humildes, los pobres de espíritu, los «pobrecillos», que son los elegidos de su corazón; es una afectividad análoga a la que Don Juan Manuel expresa mediante el sufijo -uelo en los casos de vejezuela.

El sufijo -uelo va adquiriendo por momentos, en trabazón íntima con la raíz, categoría de unidad semántica en algunos vocablos, como en pañezuelos: «e quando comyençan las arcas a desbolver, aquí tyenen... *pañezuelos* de manos a dozenas» (II parte, c. III, pág. 129); «e tornase el tal oro en lazeria farta, e despues bya a llorar, filar la rueca... broslar almohadas, fruteros, *panezuelos*...» (II parte, c. IX, pág. 167).

Se enriquece en matices aspectuales que ensanchan y ahon-
dan su campo expresivo, perfilando los anteriores y adquiriendo otros nuevos: sentido despectivo, por ejemplo: «por
quando para viçios e virtudes fasto bastan enxiemplos e
praticas, aunque paresçan *consejuelas* de viejas, patrañas...»
(II parte, c. XIV, pág. 191). Sentido irónico: «tal, la muger
de tal, la fija de tal, a osadas, quién se la vee, quién non la
conosçe, *ovejuela* de Sant Blas, *corderuela* de Sant Anton,
quién en ella se fiase, etc.» (II parte, c. XII, pág. 178), que
equivale a nuestro actual «mosquita muerta».

El sufijo -ejo tiene sentido altamente despectivo, por
ejemplo: «E à las vezes contesçe quel triste del bachachas,
como es *mugereja*, dize: non te ensañes, que yo te lo diré...»
(II parte, c. VI, pág. 151).

Es el sufijo -ete en el Arcipreste de Talavera el que más
ha avanzado en el camino de la lexicalización; en el caso
siguiente lo vemos alternar con otros sufijos: «Pero después
de todo esto comiençan a entrar por los unguentos, *ampolletas*, potecillos, salseruelas, donde tienen las aguas para
afeytar» (II parte, c. III, pág. 130), ejemplo en el que, como
en otros varios, se percibe el carácter disminuidor, como en
camareta (IV parte, c. I, pág. 269). Es, por lo tanto, el sufijo
-ete un instrumento de formación de nuevos vocablos partiendo de la cualidad o noción expresada por el tema; así,
menoretas (I parte, c. XXV, pág. 74), religiosas de órdenes
menores de la Orden de San Francisco de Asís, es diminutivo
con sentido casi de positivo adquiriendo poco después la
especialización plena; blanquete, «Pues sy lieva *blanquete*,
a la fe fasta el ojo; pues arrebol, fartura...» (II parte, c. IV,
pág. 135), que también se dice hoy, así como colorete. Otro
ejemplo de este cambio de derivado a positivo en la significación, puede verse en *filete* (II parte, c. II, pág. 124) y

todavía más adelantado —puede considerársele ya positivo—
en los Romances viejos (l. IV, *R. V. de El Cid*, pág. 142).

El sufijo -ico úsase en derivados que expresan desprecio,
como: «Non son (las mujeres) synon como *monicas*: quanto
veen tanto quieren fazer» (II parte, c. I, pág. 121).

El derivado terminado en -ino, *palomina* (II parte, c. IV,
pág. 135) está usado como cría joven del animal correspondiente, como cigoñinos, en Hita; tales formas pueden considerarse como auténticos positivos.

Los diminutivos acabados en -ito tienen significado disminuidor y algún leve matiz afectivo principalmente, debido
quizás a que está unido a raíces que expresan poco y chico;
así fue entendido en algún caso, como en los incunables de
Sevilla, 1498 y Toledo, 1500, en los que «Poquita» está susti-
tuida por «pequeña»: «E son de tal calidad (las mujeres)
que por muy *poquita* ynjuria que les digas...» (II parte, capítulo VIII, pág. 160).

Mención aparte merecen los diminutivos de nombres propios de persona por su especial manera de significar, pues
en la mayoría de los casos van dirigidos directamente al
oyente en forma de vocativo, llamada, en que el derivado
equivale a un ruego o a una orden, cuyo cumplimiento, penoso a veces, deseamos suavizar; por eso empleamos el derivado. Su principal valor, pues, es activo, y la sufijación, en
este caso, no es más que una parte del capítulo general de
las palabras apreciativas, en el que hay que incluir también
las distintas formas de la exclamación y el orden de las
palabras. Equivale unas veces el diminutivo al piropo con
el que solemos reforzar una petición; otras, significa el
insulto con el que azuzamos para el cumplimiento de una
orden; otras veces es el elemento diferenciador del que nos
servimos para aislar e individualizar a una persona cuando
le pedimos algo y queremos obtener de ella cualquier favor:

este refuerzo del hipocorismo subraya la persona a quien hacemos la demanda y equivale a decir, «es a ti, precisamente a ti, de quien solicito tal cosa», etc.

A continuación algunos ejemplos de diminutivos de nombres de persona en el Arcipreste de Talavera:

> «*Alonsillo*, ven acá, para mientes e mira que las plumas no se pueden esconder, que conocidas son» (II parte, c. I, página 120). «Pues corre en un punto, *Juanilla*, ve a casa de mi comadre, dile sy vieron una gallyna ruvia de una calça bermeja» (II parte, c. I, pág. 119). «*Françisquilla*, ves a casa de mi señora la de Fulano, que me preste sus pater nostres de oro» (II parte, c. IX, pág. 165). «¡Ay triste de mí! daca huevos, daca estopa, daca vino para estopadas; *Juanilla*, ve al çurujano, dile que venga; corre ayna, p., fija de p.» (III parte, c. VIII, página 211). «¡Ay p., *marica*, rostro de golosa, que tú me as lançado por puertas...!» (II parte, c. I, pág. 117). «*Marica*, anda, ve a casa de mi vezina, verás sy pasó allá la mi gallina ruvia...» (II parte, c. I, pág. 120). «*Ynesyca*, veme a casa de mi comadre que me preste...» (II parte, c. IX, pág. 165). «*Menciyuela*, corre en un salto a los alatares o a los mercaderes, traeme...» (II parte, c. IX, pág. 165). «*Teresuela*, ve en un punto a mi sobrina que me preste...» (II parte, c. IX, pág. 165), etc.

En todos los casos el diminutivo expresa familiaridad.

EL MARQUÉS DE SANTILLANA

De don Íñigo López de Mendoza, Marqués de Santillana, he recogido los diminutivos de las *Canciones y Decires* (vid. nota 11) y el único del «Proemio e carta»[16] que envió al Condestable de Portugal. Hemos eliminado formas como

---

[16] Marqués de Santillana y Juan de Mena, *Poesía*, Clásicos Ebro, Zaragoza, 1944. «Proemio e carta que el Marqués de Santillana envió al Condestable de Portugal con las obras suyas», pág. 59.

trompetas (pág. 84), según el criterio que venimos siguiendo, topónimos como *Robledillo, Colladillo* (pág. 239), *Loçoyuela* (pág. 230), etc.

Este poeta de gusto provenzal e italianizante en el sentir de la poesía que es el Marqués de Santillana ha dejado reducido a escasos brotes lo que fue opulento léxico en Berceo y el Arcipreste. Probablemente sintió el diminutivo como un rasgo popular que su gusto aristocrático rehusó. Vemos no obstante el primero de ellos, serranillas, empleado con gracia, matizado de blanda ironía apenas perceptible en la invocación a manera de piropo que el caballero dirige a las serranas: «*Serranillas* de Moncayo, / Dios vos dé buen año entero, / ca de muy torpe lacayo / faríades cavallero» (Serranilla I, v. 1, pág. 225). Los en -uelo no tienen significado peyorativo tampoco, sino disminuidor afectivo: «Allá en la *vegüela* / a Mata 'l Espino, / en ese camino / que va a Loçoyuela, / de (guissa) la vy / que (me) fizo gana / la fruta temprana» (Serranilla III, v. 4, pág. 230). «Yo loé las de Moncayo / sus gestos e colores, / de lo cual non me retrayo, / e la *moçuela* de ores» (Serranilla VIII, v. 6, pág. 241).

En el Proemio hemos hallado un solo diminutivo, obretas, en el que se ve con toda nitidez la influencia que ejerció lo provenzal, e italiano, en el Marqués, como muestra la preferencia del sufijo -ete en lugar del -illo, mucho más corriente éste en Castilla; pudiendo significar los dos una cosa tenida en poco, el Marqués de Santillana no toma -illo, sino -ete. Creemos, pues, que la elección del sufijo -ete ha sido debida en este caso, sin duda alguna, a provenzalismo: «Mas como quiera que de tanta insufiçiencia estas *obretas* mias que vos, Señor, demandades, sean...» (nota 11, pág. 59). Como se ve perfectamente, el sufijo señala aquí un apocamiento cortés, con el fin de pedir benevolencia cuando sean leídas y juzgadas sus obras, como si éstas hubieran nacido como al descuido y por entretenimiento, para que no sean juzgadas, por lo tanto, como obras serias y muy pensadas. Consignaremos, no obstante, la posibilidad de que el sufijo -ete hubiera tomado una especialización de empleo con palabras como libro y obra, obra literaria; pues lo encontramos usado en el Arcipreste de Hita: «El me dé la su graçia é me quiera alumbrar, / Que pueda de cantares un *librete* rimar» (I, página 14, 12 c). «Fizle quatro cantares, e con tanto faré / Punto a mi *librete*» (II, pág. 257, 1626 d), en donde cabe apreciar los aspectos señalados para librete en don Juan Manuel.

ROMANCES VIEJOS

La totalidad de los diminutivos que he recogido pertenece a la pequeña colección de R. Menéndez Pidal (vid. nota 10) *Flor Nueva de Romances Viejos.*

La tradición ha ido embelleciendo paulatinamente los romances con la expresividad del diminutivo. De aquí que comparadas dos versiones de un mismo romance es frecuente, a veces, encontrar en la más moderna un derivado que no existe en la versión más antigua, como en el ejemplo siguiente con el sufijo -ito:

> Levantando más los ojos
> vio cosa de maravilla:
> en la más *altita* rama
> viera estar una infantina.

Según la versión dada por Menéndez Pidal. Y en la de Menéndez Pelayo [17]:

> arrimárase a un roble, / alto es a maravilla.
> En una rama más alta, / viera estar una infantina.

---

[17] Menéndez Pelayo, *Antología de poetas líricos castellanos*, C.S.I.C., MCMXLV, vol. VIII, pág. 305.

De una manera consciente se ha empleado el diminutivo en los romances en las versiones o refundiciones hechas sobre los romances viejos, tratando así de acumular un rasgo que preste sabor arcaico al verso; por ejemplo:

> ¡Así tus ganados vayan
> siempre de bien en mejor,
> tus tiernos *hijuelos* veas
> criados en bendición...
>
> («R. XXVII del Cid»).

> Como los moros se acercan,
> a cada uno por sí abraza;
> cuando llega a *Gonzalvico*,
> en la cara le besaba.
>
> («R. III de los Siete Infantes de Lara»).

El diminutivo en general, cualquiera que sea el sufijo, desempeña una función estética basada principalmente en la cargazón afectiva; ésta se ve acentuada cuando el sufijo es -ico.

En los nombres propios el sufijo señala la afectividad, una afectividad especial, ya que normalmente el diminutivo está referido al menor de varios hermanos; en estos casos el sufijo es el elemento que aísla y subraya el afecto de que es objeto la persona designada por el diminutivo, demostrando así un amor o interés especial hacia ella.

Los dos diminutivos más notables de los restantes en -illo son avecilla y morilla.

En el lamento sereno del prisionero que yace en oscura cárcel se levanta su dolor hasta el cielo cuando siente que aquella avecilla, único puente con la vida, no volverá. Cuando llega la poesía a este punto, la queja (toda la poesía no es más que una queja «in crescendo») ha llegado a tal extremo que salta incontenible la emoción al ser herida la delicada

fibra de la afectividad expresada por el diminutivo, el cual
señala la cima emocional. Los últimos versos constituyen la
otra ladera. He aquí el «Romance del Prisionero», según la
versión fragmentaria dada por Menéndez Pidal:

> Que por mayo era por mayo,
> cuando hace la calor,
> cuando los trigos encañan
> y están los campos en flor,
> cuando canta la calandria
> y responde el ruiseñor,
> cuando los enamorados
> van a servir al amor;
> sino yo, triste, cuitado,
> que vivo en esta prisión;
> que ni sé cuándo es de día
> ni cuándo las noches son,
> sino por una *avecilla*
> que me cantaba al albor.
> Matómela un ballestero;
> déle Dios mal galardón.

La apreciación de los tres elementos, clímax, cima expresiva señalada por el diminutivo, y anticlímax, es clara.

En el caso de morilla, aparte el regusto imaginativo, cabe
apreciar cierto jugueteo fonético aliterativo en la tríada
«mora-Moraima-morilla» en función estética: «Yo me era
mora Moraima / *morilla* de un bel catar...».

El diminutivo en -ico describe más sensorial e imaginativamente: «Mi cuerpo tengo tan blanco / como un fino cristal; / mis dientes tan *menudicos*, / menudos como la sal»
(l. II, «La linda Melisenda», pág. 99).

La intensidad lírica que el diminutivo da al romance es
asombrosa, por ejemplo: «Fonte-frida, fonte-frida, / fonte-
frida y con amor, / do todas las *avecicas* / van tomar conso-

lación, / si no es la *Tortolica,* / que está viuda y con dolor»
(l. I, «R. de Fonte-frida y con amor», pág. 67).

Es signo de afecto especial el diminutivo en -ico: «No lo
mande Dios del cielo, / ni Santa María su Madre, / que deje
la fe de Cristo / por la de Mahoma tomar; / mi *esposica*
tengo en Francia, / con ella quiero casar» (l. II, «R. del cauti-
verio de Guarinos», pág. 93).

La visión poética del objeto se acentúa con el diminutivo
que lo actualiza: «Las *campanicas* del cielo / sones hacen de
alegría...» (l. I, «R. VII del rey Rodrigo», pág. 57). Esta
misma visión poética es la causa última que justifica —aparte
del motivo concreto en cada caso—, la presencia del diminutivo para designar al enemigo tradicional del cristiano,
el moro; la causa afectiva del empleo del diminutivo está
más acentuada en el femenino.

Frente a estas muestras de la función desempeñada por
el diminutivo en los romances viejos, están los restantes,
más modernos y de gusto más refinado y artificioso, cuyo
sufijo principal es -ito; con lo cual se ve que la evolución
hacia el predominio del diminutivo en -ito en detrimento de
los otros sufijos no es extraña al romancero. En los romances de este tipo es frecuente la acumulación de diminutivos
y se percibe claramente la intención lírica y artística de
estos derivados; como muestra puede verse el romance de
la *Condesita* (págs. 213-217) en el que alternan los principales
sufijos afectivos, -ico e -ito. No es extraño tampoco en este
grupo el refuerzo del sufijo repetido, como en chiquitita
(l. VI, «El pastor desesperado», pág. 248). Los escasos ejemplos de diminutivos en -ito de los romances viejos, son muy
abundantes en estos otros más modernos.

En fin, si estos romances perdieron espontaneidad al
correr del tiempo o fueron creados más artificiosa y artísti-

camente, de acuerdo con el gusto de una época más refinada, ganaron, en cambio, en intención poética.

Con *La Celestina* (vid. nota 12) pondremos punto final a esta introducción en nuestra rápida ojeada sobre algunas de las principales obras de nuestra literatura preclásica. Con ello hemos pretendido dar una visión de conjunto del panorama léxico, diferencia proporcional de formas, valores, etc., por cuanto al diminutivo se refiere, que servirá de preparación y base al núcleo de nuestro estudio.

Hemos dicho ya que para la inclusión o exclusión en la lista de los diminutivos hay que atender ante todo al papel concreto que desempeña cada forma en la frase. Por esto no chocará que esportilla se considere como diminutivo en el Arcipreste de Hita y no lo sea en *La Celestina*: «Todos los sentidos le llegaron, todos acorrieron a él (al corazón) con sus *esportillas* de trabajo» (A. VI, t. I, pág. 219). La especialización incipiente se ha traducido después en una lexicalización plena.

La Celestina, por ser obra escrita en diálogo que refleja el modo vivo de hablar de sus personajes, posee gran abundancia de los elementos activos del idioma; por ello es el valor activo el que predomina en el diminutivo en todos sus sufijos. También existen otras funciones y valores, como el disminuidor, por ejemplo:

«¡Mételo en la *camarilla* de las escobas!» (A. I, t. I, página 60). «Tenía una cámara llena de alambiques, de *redomillas* ...» (A. I, t. I, pág. 73). «E un *poquillo* de bálsamo tenía ella en una *redomilla*... Tenía en un *tabladillo*...» (A. I, t. I, página 79). «Calla, que duerme cabo esta *ventanilla*» (A. XII, t. II, pág. 95). Etc.

El sufijo no posee solamente un valor sino varios, siendo una cuestión de estadística, por consiguiente, la que nos muestre el predominio de uno de ellos en un autor, una época determinada, una región, una clase social, etc. Cabe, por lo tanto, en una conversación el equívoco, intencionado o no, al dar un oyente un sentido al diminutivo que no le concedió el locutor:

> CEL. — ... De mi boca quiero que sepa (Calisto) lo que se ha hecho. Que, aunque ayas de hauer alguna *partizilla* del prouecho, quiero yo todas las gracias del trabajo.
> SEMP. — ¿*Partezilla*, Celestina? Mal me parece eso que dizes.
> CEL. — Calla, loquillo, que parte o *partezilla*, quanto tú quisieres te daré. Todo lo mío es tuyo. Gozémonos e aprouechémonos, que sobre el partir nunca reñiremos. Etc.
>
> (A. V, t. I, pág. 196 los dos primeros, y 197.)

Celestina pretende captar a Sempronio y atraerlo a sus fines; desea que guste en su imaginación de lo que le corresponde en el reparto, aunque secretamente piensa ella no dar nada a sus socios y por ello usa el diminutivo como una nube de humo que disimula sus verdaderas intenciones. Pero Sempronio no se deja engañar tan fácilmente y aquilata el sentido del diminutivo, que él lo considera disminuidor, por lo que uno nuevo, loquillo, plenamente captativo es otro velo que disimula las intenciones de Celestina, que se ve obligada a aclarar la ambigüedad del primer caso.

He aquí otro ejemplo parecido al anterior:

> CAL. — ... Madre mía, yo sé cierto que jamás ygualará tu trabajo e mi liuiano gualardón. En lugar de manto e saya, porque no se dé parte a oficiales, toma esta *cadenilla*, ponla al cuello e procede en tu razón e mi alegría.

> PÁRM. — ¿*Cadenilla* la llama? ¿No lo oyes, Sempronio? No es-
> tima el gasto. Pues yo te certifico no diesse mi parte por medio
> marco de oro, por mal que la vieja lo reparta.
>
> (A. XI, t. II, pág. 68.)

Cuando de nuevo aparece este diminutivo tiene un valor
meramente narrativo, aunque Celestina no pierda ocasión
de mostrarnos cómo se emplea el léxico y hasta qué punto
es instrumento de nuestro vivir y afanar. Se presentan Pármeno y Sempronio en casa de Celestina a pedir su parte:

> CEL. — ... A osadas, que me maten, si no te has asido a una
> *palabrilla*, que te dixe el otro día viniendo por la calle, que
> quanto yo tenía era tuyo... Pues ya sabes, Sempronio, que estos
> ofrescimientos, estas palabras de buen amor no obligan... [Por
> eso precisamente es una *palabrilla*, en donde -illo presta al vo-
> cablo un valor despectivo, de cosa sin importancia.] Di a esta
> loca de Elicia, como vine de tu casa, la *cadenilla* que traxe
> para que se holgase con ella e no se puede acordar dónde la
> puso. Que en toda esta noche ella ni yo no auemos dormido
> sueño de pesar. *No por su valor de la cadena*, que no era
> mucho...
>
> (A. XII, t. II, pág. 98.)

También en la *Celestina* hay el tipo del diminutivo doméstico, en el que se aúna el sentido disminuidor con el afectivo,
nacido, quizás, por el uso frecuente del objeto; como pueden
ser *polvillos* (A. I, t. I, pág. 73), *unturillas* (A. I, t. I, pág. 75),
etcétera.

Vamos a estudiar ahora una serie de diminutivos formados sobre temas cuya significación es francamente peyorativa,
pero que, al unírseles la terminación del diminutivo, adquieren un valor positivo más alto que si estuviesen formados en
realidad sobre un tema axiológicamente positivo. De esta
manera los insultos, incluso aquellos términos propios de
gente de burdel, se transforman en piropos, halagos, que son

dichos y suenan en sus oídos como la mejor «flor». El poder intencional del sufijo para transformar tan radicalmente estos vocablos puede verse por comparación inmediata con el positivo. En este juego de funciones de los sufijos diminutivos actúa una doble corriente: de un lado el significado del tema y, del otro, la pluralidad de sentidos del sufijo entre los que sobresale uno de ellos, aunque suelen permanecer los restantes en un segundo plano que permite, no obstante, transparentar sus valores en la unidad global. Magnífica ocasión nos brindan las líneas siguientes de apreciar lo dicho poco más arriba, dándonos al mismo tiempo ejemplo de un caso de acumulación de diminutivos, en la que alternan los principales sufijos:

> Cel. — ... E sabe, si no sabes, que dos conclusiones son verdaderas. La primera, que es forçoso el hombre amar a la muger e la muger al hombre. La segunda, que el que verdaderamente ama es necesario que se turbe con la dulçura del soberano deleyte, que por el hazedor de las cosas fue puesto, porque el linaje de los hombres perpetuase, sin lo qual peresçería. E no solo en la humana especie; mas en los pesces, en las bestias, ... ¿Qué dirás a esto, Parmeno? ¡*Neciuelo, loquito, angelico, perlica, simplezico! ¿Lobitos* en tal *gestico?* Llegate acá, *putico,* que no sabes nada del mundo ni de sus deleytes. ¡Mas ravia mala me mate, si te llego a mí, aunque vieja! Que la voz tienes ronca, las barbas te apuntan. Mal *sosegadilla* deues tener la punta de la barriga.
>
> Pár. — ¡Como cola de alacrán!
>
> Cel. — E aun peor: que la otra muerde sin hinchar e la tuya hincha por nueve meses.
>
> Párm. — ¡Hy! ¡Hy! ¡Hy!
>
> Cel. — ¿Ríeste, *landrezilla,* fijo?
>
> (A. I, t. I, págs. 95-96.)

Este diminutivo formado sobre un tema peyorativo se convierte, por la adición del sufijo, en un halago. Esto no es privativo del español y así, por ejemplo, en una literatura como la árabe tiene gracioso empleo, dando con ello muestra de que es algo más profundo que una peculiaridad de un idioma concreto. Por ejemplo, en Aben Cuzmán en el llamado zéjel de los diminutivos por García Gómez:

> ¡Oh tú, ornato de las reuniones,
> Hermosa, sí, e inteligente!
> ¡Qué *piedrecillas*, en vez de mizcales,
> te tiraría, *leprosilla!* [18].

La coincidencia del diminutivo con el vocativo subraya la valoración positiva.

Insuperables resultan los parlamentos de Celestina cuando trata de convencer a alguien; en ellos no se sabe qué admirar más: si el profundo conocimiento del corazón humano o la maestría con que mueve el lenguaje, acicate con el cual trae a su mandar los caracteres más rebeldes. Por cuanto al diminutivo se refiere, los usa ya como halago, ya haciéndose la ofendida, en sentido malicioso y de burla, ligeramente insultante y amoroso, etc. Veamos algunos más:

> CEL. —...que él es enfermo por acto e el poder ser sano es en mano desta flaca vieja.
> PÁRM. — ¡Mas, desta flaca p. vieja!
> CEL. — ¡P. dias bivas, *vellaquillo!* e ¡cómo te atreves...!
> ....
> CEL. —... ¡Él es, él es, por los sanctos de Dios! Allégate a mí, ven acá, que mill açotes e puñadas te dí en este mundo e otros tantos besos. Acuérdaste, quando dormías a mis piés, *loquito?*
>
> (A. I, t. I, pág. 98.)

> CEL. — ¿Qué es razón, loco? ¿Qué es afecto, *asnillo?*
>
> (A. I, t. I, pág. 108.)

---

[18] Emilio García Gómez, *Cinco poetas musulmanes*, Biografías y estudios, Colección Austral, Madrid, 1944, pág. 163.

CEL. — Calla, *loquillo*, que parte o partezilla, quanto tú quisieres te daré.

(A. V, t. I, pág. 197.)

CEL. — ... ¿Qué dirás, *loquillo*, a todo esto?

(A. VII, t. I, pág. 233.)

CEL. — Lastimásteme, don *loquillo*. A las verdades nos andamos.

(A. VII, t. I, pág. 242.)

CEL. — ¿Pues, porque murmuras contra mí, *loquilla*?

(A. IV, t. I, pág. 191.)

SEMP. — ¿Qué has pensado embiar, para que aquellas *loquillas* te tengan por hombre cumplido, biencriado e franco?

(A. VIII, t. II, pág. 17.)

SEMP. — ... Acuérdate, (Pármeno) si fueres por conserva, apañes un bote para aquella *gentezilla;* que nos va más, e a buen entendedor...

(A. VIII, t. II, pág. 22.)

CEL. — ... Bendígaos Dios, ¡cómo lo reys e holgays, *putillos, loquillos*, trauiessos! ¡En esto auía de parar el nublado de las *questioncillas*, que avés tenido!

(A. IX, t. II, pág. 40.)

CEL. — ... Mas como es un *putillo, gallillo*, barbiponiente, entiendo que en tres noches no se le demude la cresta.

(A. VII, t. I, pág. 258.)

CENT. — ¡Loquear, *bouilla!* Pues si yo me enfado, alguna llorará.

(A. XV, t. II, pág. 134.)

....

Son las funciones activas del lenguaje las que predominan en casi todos los ejemplos anteriores, en los que el diminutivo es el elemento diferenciador, ya aisladamente, ya apoyado y reforzado por otro, como en el caso de *cuestioncillas*, que sirve de contrapunto al jugueteo de los dos anteriores. Puede apreciarse el matiz claramente captativo de los derivados con su valor afectivo especial surgido del contraste del tema y el sufijo. En las acumulaciones de diminutivos cada uno de ellos refuerza el otro; cada uno de los sufijos proporciona un fondo axiológico propio, un humus, un tempero, un substrato, nacido de su misma estructura y presencia, adquirido tradicionalmente por la convivencia habitual con el tema, o el grupo axiológico, positivo o negativo, que normalmente expresa; la alternancia de los sufijos (neci*uelo*, loqu*ito*, angel*ico*... sosegad*illa*) derrama toda la sal y pimienta acumulada en la lengua por el quehacer de tantas generaciones de buenos hablantes.

No falta tampoco la ironía subrayada por el sufijo, como en un caso ya citado: «¿*Lobitos* en tal *gestico*?». Y en aquellos otros en que se pondera lo buena bebedora que era Celestina, a quien, como estaba en decandencia, en vez de tener el vino en casa en un par de pellejos, «en un *jarrillo* malpegado me lo traen (dice), que no cabe dos açumbres» (A. IV, t. I, pág. 173). Y de nuevo dice afectiva e irónicamente más adelante «que con dos *jarrillos* destos, que beua, quando me quiero acostar, no siento frío en toda la noche» (A. IX, t. II, pág. 28).

Seguiremos viendo brevemente otros sufijos. La terminación -uelo en el diminutivo grosezuelos adquiere un matiz sensorial en la descripción de Melibea por Calisto: «Los dientes menudos e blancos; los labios colorados e *grosezuelos*» (A. I, t. I, pág. 55), o es un reflejo del afecto por la naturaleza y los animales de manera análoga al empleo de esta terminación en la novela pastoril: «El manso *boyzuelo* con su blando cencerrar trae las perdizes a la red» (A. XI, t. II, pág. 72); en ella, la terminación diminutiva -uelo, se nos hace presente todo el peso de una tradición literaria.

El sufijo -ejo señala pequeñez a la que frecuentemente acompaña un matiz un tanto despectivo. (A. I, t. I, pág. 73; A. IV, t. I, pág. 170; A. VI, t. I, pág. 227.)

El sufijo -ete en estos casos recogidos en *La Celestina* tiene un significado casi de positivo pleno; no obstante puede apreciarse el sentido disminuidor. Es la terminación la que recarga el matiz humorístico en la expresión siguiente: «Assi que necessidad, mas que vicio, me fizo tomar con tiempo las sáuanas por *faldetas*» (A. VII, t. I, pág. 248). En el diminutivo *bragueta* (A. VIII, t. II, pág. 22) está presente el sentido disminuidor por oposición al positivo; en cambio *agujetas* (A. V, t. I, pág. 197) es plenamente positivo (Vid. Covarrubias).

Es el sufijo -ico aquel que expresa más especialmente, quizás, el afecto hacia los seres pequeños que gozan de nuestra protección y amor. Calisto llamará a su paje *Tristanico* (A. XIII, t. II, pág. 106) y cuando a él se refiera dirá «*pajezico*» (A. XIX, t. II, pág. 183). Cuando Melibea, en el jardín, siente que el amor ha transformado su corazón en una brasa, expande este amor por la naturaleza circundante con manifestaciones delicadísimas de corte moderno, subrayadas por el diminutivo:

> MELIB. — Canta más, por mi vida, Lucrecia, que me huelgo en oyrte, mientra viene aquel señor, e muy passo entre estas *verduricas*, que no nos oyrán los que passaren.
>
> (A. XIX, t. II, pág. 177.)

Por fin aparece Calisto y el amor de los dos amantes transforma la naturaleza:

> Todo se goza este huerto (dice Melibea) con tu venida. Mira la luna quán clara se nos muestra, mira las nuues como huyen. Oye la corriente agua desta *fontezica*, ¡quánto más suaue murmurio su rio llena por entre las frescas yeruas! Escucha los altos cipreses, ¡cómo se dan paz unos ramos con otros por intercessión de un *templadico* viento que los menea!
>
> (A. XIX, t. II, pág. 180.)

Así, pues, la naturaleza toda, animada e inanimada, participa del mismo acorde amoroso. Y el sufijo, aquí, parece haber adquirido categoría de signo con una función concreta.

Otras veces presta cierto regusto irónico y malicioso a la expresión: «Assi como *corderica* mansa que mama su madre e la ajena...» (A. XI, t. II, pág. 73). «*Cozquillosicas* son todas; más, despues que una vez consienten la silla en el enués del lomo, nunca querrían folgar» (A. III, t. I, pág. 138).

El sufijo -ito tiene aire más elegante y fino para un lector moderno que el -ico, el cual posee casi siempre un aspecto más popular. Es aquél el sufijo que normalmente se une a quedo: «Escucha, que hablan *quedito*» (A. XII, t. II, pág. 81), para señalar el recogimiento y cuidado con que se realiza una acción. Otras veces marca de manera especial la ponderación irónica: «Considera, ¡qué *sesito* está debaxo de aquellas grandes e delgadas tocas! (A. I, t. I, pág. 49). Normalmente significa afecto benevolente.

Para terminar, aunque no es objeto de nuestro estudio, dejaremos constancia de la corriente culta de *La Celestina* en un cultismo, un diminutivo: *cliéntula* (A. III, t. I, página 150).

RESUMEN

Desde el primer momento en que nos hemos enfrentado con los textos hemos encontrado en ellos una pluralidad de sufijos cuyo número sigue una línea ascendente, en especial en aquellas obras que reflejan más de cerca la lengua del pueblo, como en el Arcipreste de Hita, Alfonso Martínez o *La Celestina*.

Los sufijos que tienen más vigencia en Berceo son -illo (-iello) y -uelo; y en menor proporción -ejo. No hemos hallado en las obras estudiadas ningún diminutivo en -ico, -ete o -ito, y si citamos algún ejemplo ha sido tomándolos de otras; puede decirse que no existen en Berceo diminutivos acabados en estos sufijos, tal es su escasez. El que sobresale por su número y funciones es el -illo.

La pluralidad de funciones y matices es manifiesta en Berceo en los dos principales sufijos, con empleos como el afectivo, despectivo, irónico, etc. El sentido afectivo es el más extendido en los en -illo y -uelo, y el despectivo en -ejo; -uelo es más constantemente afectivo que -illo, despectivo algunas veces. En don Juan Manuel son también los sufijos -illo y -uelo los que se presentan en mayor número, sobre todo este último, al cual corresponde desempeñar las principales funciones expresivas, de señalado signo positivo en su mayoría. Al estilo espontáneo, jugoso y lleno de donaire de Berceo sucede el de don Juan Manuel más reflexivo y cuidado. De aquí el empleo de la forma arcaizante -iello, aunque ya desde tiempos remotos se empleaba reducida, pero que no tenía tradición literaria. También hay muestra de -ejo, -ete e -ito (un ejemplo de cada uno de ellos), aunque insuficientes para poder juzgar del valor de su empleo.

Rompe Juan Ruiz con esta tradición e impone la forma -illo, siendo éste el sufijo más empleado; le siguen el -ete, -uelo y -ejo, principalmente. Se caracteriza el Arcipreste por el empleo concreto, sensorial, imaginativo y humorístico de los diminutivos, exponentes de la afectividad e ironía al retratar la vida en escenas vivas y pintorescas. El diminutivo en -illo está empleado en todo tipo de oficios (diminutivo activo, imaginativo, afectivo, despectivo, etc.); frecuentemente emplea acumulaciones que plasman la escena con caracteres indelebles y manifiestan su efusión vital. El sufijo -ete describe con rasgos más gruesos el regodeo sensual, que no falta tampoco en los diminutivos en -illo. El sufijo -uelo es empleado predominantemente con signo positivo. En todos ellos se muestra la gracia y el desenfado del humorismo de Juan Ruiz. Los diminutivos en -ejo, -ico e -ino son menos importantes.

Con un número total aproximadamente igual (un poco menor) al del Arcipreste de Hita, el Arcipreste de Talavera da entrada a un número mayor de diminutivos de otros sufijos a costa de disminuir el de los en -illo; no obstante es este sufijo el que tiene un nivel más alto de empleo siendo el papel despectivo el más característico, aunque también hay ejemplos notables de afectividad. El sufijo -uelo da lugar preferentemente a diminutivos de sentido irónico matizados negativamente. El desprecio es expresado también por el sufijo -ejo; los en -ete están casi en su totalidad en esa línea difusa que separa el positivo del derivado, e igual sucede con el único ejemplo en -ino.

El sufijo -ito, aunque sólo aparece en dos palabras, se da en número casi igual al de los diminutivos en -ico, -ete y aun -uelo, si bien el papel desempeñado por los derivados de aquel sufijo no es tan amplio como el de éstos a causa de repetirse menos.

Casi la totalidad de los diminutivos en -ico están formados sobre nombres propios, los cuales, unidos a los en -illo, dan un crecido número, y a ambos se les añade los escasos en -uelo. Sobre una afectividad positiva, y a veces negativa, que indican familiaridad en el trato, el empleo más corriente es el activo, como corresponde a la lengua oral que reproduce; no pocas veces la expresividad propia del diminutivo en estos casos y el vocativo se refuerzan mutuamente.

La escasez notable del diminutivo en el marqués de Santillana es un reflejo fiel del gusto aristocrático y la concepción elevada de la literatura, que contrasta con el sentimiento y lengua popular de otros escritos medievales, según estamos viendo. Por el contrario, son pruebas de lozanía los diminutivos de sus composiciones populares.

En la colección de romances de Menéndez Pidal *Flor Nueva de Romances Viejos* contrastan los diminutivos en -illo e -ico de los romances viejos, frente a la predilección por el sufijo -ito en los tradicionales y romances artísticos posteriores, en los que también se echan de ver los sufijos anteriores como un rasgo que presta sabor arcaico a la composición.

En los romances el empleo del diminutivo está supeditado a la expresión lírica y descriptiva. La intensidad lírica afectiva más notable está conseguida por el sufijo -ico, la cual después es expresada por el -ito.

En *La Celestina* los principales sufijos son -illo, -ico e -ito, siguiéndole en importancia -uelo, -ejo y, por último, -ete. Como en ninguno de los casos precedentes, todas las funciones están sometidas a la función activa del lenguaje. Esta finalidad está lograda en especial mediante acumulaciones de diminutivos del mismo o distinto sufijo, y la valoración positiva obtenida por la derivación sobre palabras axiológicamente negativas, lo que presta una gran vivacidad y actualización a la lengua; estos casos ejemplifican magníficamente nuestra teoría acerca del papel decisivo que desempeña el sufijo en el complejo significante del diminutivo.

La función activa del lenguaje manifestada por el diminutivo se basa en el empleo disminuidor, de poquedad y despectivo principalmente de los en -illo, y en la valoración positiva de los en -ico e -ito. Los en -uelo, -ejo y -ete siguen la línea señalada anteriormente, es decir, despectivo -ejo, casi de positivo -ete y de sentido positivo -uelo.

Es notable el empleo decidido que se hace ya en *La Celestina* del sufijo -ito, que confirma la entrada en la literatura de dicho sufijo partiendo de su carácter popular, como lo usó anteriormente el Arcipreste de Talavera, aunque en menor escala, pues en *La Celestina* ocupa el tercer lugar por su frecuencia, y en *El Corbacho*, el quinto, y no tiene la pluralidad de palabras y valores que en aquella obra.

Alguna vez aparece el carácter culto y renacentista de *La Celestina* en el empleo de un latinismo con la forma del diminutivo.

Al terminar el siglo xv, pues, nos hallamos ante la presencia activa de siete sufijos diminutivos empleados en las diversas funciones del lenguaje. Dichos sufijos son: -illo, -uelo, -ejo, -ete; -ico, -ino, -ito, aunque alguno es menos empleado, como el -ino.

EL DIMINUTIVO EN LOS SIGLOS XVI Y XVII

GARCILASO [1]

A la serenidad clásica y renacentista, al equilibrio mayestático de la forma, a la mesura señorial del estilo no es extraño el empleo del diminutivo. La limitación de su uso, no obstante, es debida a la prevención contra todo exceso. «Nada en demasía» es una norma que priva en la vida y en el arte. De aquí que todos los elementos se contraponen, se limitan y se definen en un intento de equilibrio, buscado y deseado en todas las esferas de la vida.

No es, pues, la obra de Garcilaso la más apta para que en ella abunde este sufijo.

El sufijo -illo puede tener sentido disminuidor, como en partecilla: «Si por menudo de contarte hubiese / de aquesta vida cada *partecilla* / temo que antes del fin anocheciese» (Ég. II, v. 312). En donde el sentido disminuidor del diminutivo choca con la cantidad tan considerable de cosas de que está henchida cada una de esas partecillas.

---

[1] Garcilaso, *Obras*, Clásicos Castellanos, Madrid, 1911.

Sentido disminuidor tiene también en el caso de cestillos y casi con plena diferenciación objetiva de «cestos pequeños», como en la actualidad: «y traían / *cestillos* blancos de purpúreas rosas» (Ég. III, v. 222).

Dentro de una descripción bucólica de quietud y serenidad idílicas aparece la figura amorosa de la tórtola: «Nuestro ganado pace, el viento espira, / Filomena suspira en dulce canto, / y en amoroso llanto se amancilla; / gime la *tortolilla* sobre el olmo, / preséntanos a colmo el prado flores...» (Ég. II, v. 1149), con visión estética semejante a la del caso *florecillas*: «En mostrando el aurora sus mejillas / de rosa, y sus cabellos de oro fino / humedeciendo ya las florecillas...» (Ég. II, v. 205). El diminutivo florecillas acentúa el bucolismo subrayando la humildad de las flores, no costosas ni cortesanas.

Adquiere el sufijo sentido emotivo en el caso de navecilla, reforzado por el vocativo: «Con tanta priesa corres, *navecilla*, / que llegas do amancilla una doncella...» (Ég. II, v. 1480).

Pero es la función de equilibrio la más característica de cuantas desempeña el sufijo en Garcilaso y, en general, en la poesía bucólica y novela pastoril, como he señalado en mi artículo «El diminutivo en *La Galatea*» [2].

En efecto, frente a la cargazón psicológica del adjetivo antepuesto, la del sufijo diminutivo sirve de contrapeso, como en el caso siguiente: «Cualquiera caza a entrambas agradaba; / pero la de las simples *avecillas* / menos trabajo y más placer nos daba» (Ég. II, v. 201). Tenemos, pues, la fórmula adjetivo antepuesto + sustantivo con sufijo diminutivo. El sufijo diminutivo, a la vez que refuerza al adjetivo antepues-

---

[2] Emilio Náñez, «El diminutivo en *La Galatea*», en *Anales Cervantinos*, II, Madrid, 1952.

to, pone en equilibrio, teniendo como fiel al sustantivo, la afectividad volcada en el adjetivo.

Este papel equilibrador puede desempeñarlo también frente al posesivo; por ejemplo: «Aquí quiero acostarme, y en cayendo / la siesta iré siguiendo mi *corcillo*, / que yo me maravillo ya y me espanto / cómo con tal herida huyó tanto» (Ég. II, v. 763). Cabe interpretar estas fórmulas por el deseo de subrayar la simplicidad de aves y animales en el mundo paradisíaco del idilio; a causa de esta visión del mundo en inocencia y simplicidad surgen los adjetivos típicamente bucólicos y pastoriles: tierno, simple, manso, dulce...

No es privativo del sufijo -illo la función equilibradora, como lo corrobora el hecho de que también el sufijo -uelo desempeña este papel, ya sea como manifestación de una expresividad emotiva más acentuada, como en los dos casos de «hijuelos», ya como expresión principalmente estética, como en el caso de «pedrezuelas». He aquí los versos en que se dan:

> «Cual suele el ruiseñor con triste canto / quejarse, entre las hojas escondido, / del duro labrador, que cautamente / le despojó su caro y dulce nido / de los tiernos *hijuelos*, entre tanto / que del amado ramo estaba ausente...» (Ég. I, v. 328). «Los pequeños *hijuelos*, que hallaron / las tetas secas ya de las hambrientas / madres, bramando al cielo se quejaron» (Ég. II, v. 509). «...el arena, que de oro parecía, / de blancas *pedrezuelas* variada, / por do manaba el agua, se bullía» (Ég. II, v. 447).

Como puede verse por los ejemplos del sufijo -uelo, éste está empleado exclusivamente en el desempeño de la función equilibradora, en tanto que el sufijo -illo, más abundante, aparte de la característica función de equilibrio, tiene también otras, según hemos señalado.

JUAN DE VALDÉS

Es sin duda el *Diálogo de la Lengua*, de Juan de Valdés [3], una de las obras más interesantes del siglo XVI, ya que puede considerarse como el breviario estilístico de esta época. Obra escrita en diálogo —no en vano su autor es erasmista—, muestra el dominio con que Juan de Valdés maneja el idioma, no obstante la dificultad del tema.

Hay que tener muy presente el asunto de la obra si se quiere enjuiciar el valor expresivo respecto al diminutivo, ya que debido a aquél es natural que no tenga este derivado los valores activos que en una obra no doctrinal.

Aunque Juan de Valdés no expresa su juicio directamente acerca de los diminutivos como lo hizo Herrera, podemos afirmar que no tenía de ellos el concepto negativo con que los miraba el anotador de Garcilaso, pues los emplea con cierta abundancia.

Es el valor disminuidor el principal que tiene el diminutivo en Juan de Valdés, no sólo en el sufijo -illo, sino en todos los demás. Puede verse con claridad en casi todos los casos, aunque a veces parezca indicar una ponderación y, por consiguiente, una intensidad; pero en estos casos debe tenerse muy en cuenta el adjetivo o adverbio que le suele acompañar, por ejemplo: «Esto es un poco más *durillo*, pero todavía, pues es bueno, no os lo quiero negar» (página 87). «Para deziros verdad, esto se me haze un poco *durillo*» (pág. 91).

---

[3] Juan de Valdés, *Diálogo de la Lengua*, Clásicos Castellanos, Madrid, 1946.

Es un diminutivo que expresa una ponderación de la idea manifestada por la frase, pero suavizando cortésmente la dura expresión del positivo al añadirle el sufijo: «...yo de muy buena gana daré mi voto siempre que me será demandado, aunque algunos (vocablos) se me hazen *durillos*, pero, conociendo que con ellos se ilustra y enriquece mi lengua, todavía los admitiré...» (pág. 140).

Este valor disminuidor no ha de entenderse exclusivamente en el sentido material de tamaño, sino en sentido general, de donde puede pasar a tener un sentido de importancia disminuida que conduce a la expresión de un significado despectivo, que puede llegar a poseer cierta sustantividad, por ejemplo:

> «Quanto a la prosa, digo que de los que an romançado he leído poco, porque, como entiendo el latín y el italiano (habla Valdés), no curo de ir al romance. Desso poco que he leído, me parece aver visto dos *librillos* que me contentan...» (página 169).

> «MARCIO. — Y de Cárcel de Amor, ¿que me dezís?
> VALDÉS. — El estilo desse me parece mejor. Pero todos essos *librillos*, como están escritos sin él cuidado y miramiento necessario, tienen algunas faltas, por donde no se pueden alabar como alabaréis entre los griegos a Demóstenes, a Xenofón...» (pág. 183).

Como se ve, del valor despectivo que pueda tener el diminutivo casi podría pasarse, sin apenas violencia, al de la consideración de «libro escrito en romance», según se deduce del texto.

Es, pues, el texto el que aclara el sentido, una vez más, en que hay que tomar una palabra según la interdependencia de unos vocablos con otros, que nos manifiestan las fuerzas vivas del idioma. Así, una palabra como mujercilla, deslindada del texto, sería entendida por casi la totalidad de los hablantes de lengua española con un matiz peyorativo, el cual sufrirá variaciones según los hábitos lingüísticos del hablante. Pero nada hay que justifique en este caso tal sentido, debiéndose entender este diminutivo como referido a personas pobres de espíritu, personas del pueblo. El ejemplo es el siguiente: «Oido he contender a *mugercillas* sobre qual es mejor vocablo, mecha o torcida...» (pág. 116).

Compárese con la frase siguiente de Malón de Chaide y nótese el empleo conjunto del sufijo -uelo e -ito: «unos me dizê, q̂ es baxeza escrevir en nr̄a lêgua cosas graves; otros, q̂ es leyenda para *hilanderuelas i mugercitas:* otros, q̂ las dotrinas graves i de importancia no an de andar en manos del vulgo liviano...» [4]. Recuérdese también el diminutivo vejezuela en el *Corbacho* (V parte, pág. 357).

El valor disminuidor del diminutivo aparece indistintamente en todos los sufijos y es casi el exclusivo, de aquí que Juan de Valdés forme el diminutivo con uno u otro sufijo:

> «...como parece en un *cantarcillo* ...» (pág. 109).
> «...hecha sobre aquel *cantarcico* sabroso ...» (pág. 113).
> «...en todos los vocablos que tienen el acento en la última, lo señalo con una *rayuela*» (pág. 47).
> «...señalando con una *raíca* el acento en la última» (pág. 89).

O en diminutivos que, aunque no estén formados sobre el mismo tema, son sinónimos: *rasguillo,* cuatro veces (página 97-98) y *señaleja* (pág. 94), además de las mencionadas rayuelas y raíca; *sentencillas* (pág. 161) y *refranejo* (pág. 110, 112, 123, 149 y 150)...

Para terminar reseñaré el ejemplo siguiente: «me parece cosa fuera de propósito que querais vosotros agora que per-

---

[4] Fr. Pedro Malón de Chaide, *Libro de la Conversión de la Madalena*, Barcelona, 1588. Prólogo al lector, pág. 12.

damos nuestro tiempo hablando en una cosa tan baxa y ple-
beya como es *punticos* y *primorcicos* de lengua vulgar...»
(pág. 9), en el que vemos, una vez más, el valor disminuidor
del diminutivo en Juan de Valdés.

Las páginas en que se encuentran los diminutivos no citados son las siguientes: *asperilla*, 92; *cosilla*, 18 y 118; *palabrillas*, 152 y 153; *partecillas*, 153 y 167; *sentencillas*, 161;
contezuelo, 134 y 135; *clavicos*, 135, y *zatico*, 112.

JORGE DE MONTEMAYOR [5]

Como hemos dicho ya al hablar de Garcilaso, la función
característica del diminutivo en la novela pastoril es la equilibradora. Este refuerzo a la vez que equilibrio del afecto,
manifestado en la simetría de los medios expresivos, está
llevado a cabo basándose en una expresión afectiva mesurada, no en una irrupción fuerte del afecto. La línea emocional de la novela pastoril, por lo que respecta al diminutivo,
no sufre, pues, alteración sensible por estar fundado el sentimiento en una falsa y ficticia intimidad. Fácilmente puede
corroborarse esta afirmación con el estudio detallado de los
diminutivos.

El carácter disminuidor es el más extendido en el sufijo
-illo; tanto es así que sobre él se apoya toda posible afectividad.

Debido al papel disminuidor del sufijo, no pocos de los
diminutivos mencionados están en la misma linde de positivo y derivado, de modo que algunos de ellos, con un criterio
algo más rígido, podrían tomarse por positivos. De aquí la

---

[5] Jorge de Montemayor, *Los siete libros de la Diana*, Clásicos Castellanos, Madrid, 1946.

dificultad para dar un número exacto, ya que intervienen tantas razones en pro y en contra para la inclusión o exclusión de la lista de diminutivos.

Por otra parte, si tenemos en cuenta la escasez de estos derivados al compararlos con la extensión total de la obra, y nos fijamos que en dos páginas (111 y 172) encontramos en una dos y en la otra tres de los diminutivos en -illo señalados, observaremos que existe un valor derivado del eco semántico despertado en el hablante por la repetición del sufijo dentro de una frase o período más bien corto, aunque estos diminutivos tengan, como hemos dicho, valor de positivos o casi de positivos plenos. Estos diminutivos son: «bordadas por encima de *cordoncillo* de plata», «recamado de oro de *cañutillo*...» (l. II, pág. 111); «recamada de oro de *cañutillo* de aljófar...» (l. IV, pág. 172), «poniéndole un escofión de *redezilla* de oro muy subtil...» (l. IV, pág. 172). «Las arracadas eran dos *navezillas* de esmeraldas con todas las xarcias de cristal» (l. IV, pág. 172). En los casos de «oro de cañutillo» son auténticos positivos, ya que se trata de «cierta manera de encarrujar el oro de martillo» (vid. Covarrubias); esta es la razón por la que no van en la lista.

Además, estos otros en distintos lugares con valor disminuidor principalmente: «con gracia muy singular / mil *cantarcillos* cantando» (l. III, pág. 144). «Todas venían vestidas de *telillas* blancas, muy delicadas...» (l. IV, pág. 163); «...poniendo otra flecha en su arco, con la qual, no parando en las armas, le entró por debaxo de la *tetilla* yzquierda y le atravessó el coraçón...» (l. VII, pág. 294). Este último diminutivo es otro ejemplo de imprecisión entre derivado o pleno positivo, hoy completamente diferenciado conceptualmente.

El sufijo -illo llega a desempeñar una función imaginativa en un diminutivo tan propio de la novela pastoril como pradecillo, aunque se repite poco. No cabe ver en él, en este caso, carácter disminuidor ya que este aspecto está recogido en el adjetivo antepuesto, pequeño. Este caso es el siguiente: «se assentaron a la sombra de un espesso myrtho, que en medio dexava un pequeño *pradezillo* más agradable por las doradas flores de que estava matizado, de lo que sus tristes pensamientos pudieran dessear» (l. II, pág. 68).

Esta función estética del diminutivo por contraposición del sufijo al adjetivo antepuesto se da también en el ejemplo siguiente: «...la llevó cerca de una fuente que en un verde *pradezillo* estava no muy apartado de allí, y las nimphas y los pastores se fueron tras ellas...» (l. III, pág. 135).

Sin llevar adjetivo antepuesto, en el caso siguiente tiene también un valor imaginativo y ponderativo de la amenidad recogida del sitio: «Y sentados en un *pradezillo*, cercado de verdes salzes, començaron a hablar unos con otros, cada uno en la cosa que más contento le dava» (l. IV, pág. 194).

Los adjetivos manso, simple, tierno, pequeño... son típicamente pastoriles; seguidos de los sustantivos oveja, cordero, bezerro..., con la forma del derivado que estudiamos, constituyen fórmulas que se repiten a lo largo del género pastoril a causa de la visión idílica del mundo, según lo dicho al hablar de Garcilaso. He aquí un ejemplo: «Las pastoras andavan ocupadas con sus vacas, atándoles sus mansos *bezerrillos* a los pies y dexándose ellas engañar de la industria humana...» (l. III, pág. 155).

Cuando el adjetivo antepuesto pasa a ser también diminutivo tenemos un caso de acumulación del sufijo con apoyo mutuo de los dos derivados. Este refuerzo expresivo presta una gran delicadeza a la frase. Parece ser que constituyó igualmente una fórmula dentro del género pastoril, y en este sentido fue recogida por Cervantes en el caso de «ternezuelos corderillos» en *La Galatea*[6]. He aquí el ejemplo de *La Diana:*

> «Pues estando yo y mis compañeras assentadas en torno de la fuente, y nuestras vacas, echadas a la sombra de los umbrosos y sylvestres árboles de aquel soto, lamiendo los *pequeñuelos bezerrillos* que juntos a ellas estavan tendidos, una de aquellas amigas mías ...» (l. III, pág. 150).

La función estética del diminutivo *ovejuelas* aparece en este ejemplo: «...la hermosa pastora Selvagia por la cuesta que de la aldea baxava al espesso bosque, venía trayendo delante de sí sus mansas *ovejuelas*...» (l. II, pág. 63). Y aun puede verse en este otro: «Mis *ovejuelas* miro y pienso en viéndolas...» (l. I, pág. 32), no obstante la limitación que impone el verso, lo que impide, probablemente, su colocación simétrica en los ejemplos siguientes: «Y cuyos mansos corderos / y *ovejuelas* almagradas / veas crecer a manadas / por cima destos oteros» (l. III, pág. 139). «Si la *ovejuela* simple va huyendo / de su pastor...» (l. I, página 54). Quizás habría que ver precisamente en esta ruptura de la fórmula la indicación de que se trata de una afectividad sincera y personal frente a la expresión estereotipada «adjetivo antepuesto - sustantivo diminutivo», cuando no se trate de una imposibilidad métrica. También podría tratarse de una fórmula estilística más compleja: adjetivo + sustantivo con sustantivo diminutivo + adjetivo con intención de subrayar el carácter predicativo de este último adjetivo. El caso de «ovejuela simple» señala el estadio de preparación hasta integrarse en la fórmula bimembre.

Sentido disminuidor tiene el sufijo -uelo en los ejemplos siguientes, aunque en el primero de ellos puede verse cierto cariz imaginativo que hace referencia al sentido del gusto:

---

[6] E. Náñez, *op. cit.*, págs. 277-278.

«y verlas (a las ovejas, o mejor «mansas ovejuelas» (l. II, página 63) ocupadas en alcançar las más *baxuelas* ramas, satisfaciendo la hambre que trayan...» (l. II, pág. 63). «Y aún sé yo una criada de un canónigo viejo, harto bonita, que para que fuéssemos los dos bien proveidos de *pañizuelos* y torreznos...» (l. II, pág. 113). «...estando en conversación Arsenio y Arsileo con algunos vezinos suyos, debaxo de un fresno muy grande que en una *plaçuela* estava de frente de mi posada...» (l. III, página 147). «Tenía una saya azul clara, un jubón de una tela tan delicada que mostrava la perfición y compás del blanco pecho porque el *sayuelo* que del mismo color de la saya era, le tenía suelto de manera que aquel gracioso bulto se podía bien divisar» (l. III, pág. 132).

Es sin duda en este último caso en donde el derivado raya con el positivo tan íntimamente que más bien puede decirse que está perfectamente diferenciado; no obstante, en tales casos siempre queda un vago recuerdo de la oposición positivo-derivado, que, a veces, da lugar a juegos de palabras o permite la formación del diminutivo con otro sufijo, por ejemplo *sayete* en *El Lazarillo*. Pañizuelo, según Covarrubias, equivale a «mocadero»; por ello no lo incluimos en la lista.

Los siete casos del sufijo -ete corresponden a una única forma, el diminutivo *isleta*, con matiz disminuidor; es un caso típico de diminutivo narrativo, como lo apoya el hecho de la casi absoluta carencia del positivo. Los lugares en donde se hallan los derivados son los siguientes: dos en l. III, página 131; uno en l. III, pág. 132; uno en l. IV, pág. 162; dos en l. V, pág. 230 y 237, y uno en l. VII, pág. 294. Por el uso que se hace de esta forma ya en las *Andanzas e viajes* de Pero Tafur, de la primera mitad del siglo XV, y en los relatos marineros, como en el *Diario* de Cristóbal Colón, no cabe duda acerca de su lexicalización.

Por consiguiente, dentro de la contención en el empleo del diminutivo en la novela pastoril, es la función estética, equilibradora entre la cargazón psicológica del adjetivo antepuesto y el sufijo, la más característica del género, hasta el punto de constituir una «fórmula». La causa que motiva ésta es el carácter de idilio, que ve el mundo en inocencia y simplicidad paradisíacas, según hemos dicho repetidamente, y lo traduce en clichés lingüísticos como corresponde a un modelo de vida utópica.

«EL LAZARILLO DE TORMES»

A la prosa cuidada del *Diálogo* de Valdés sucede la prosa desenfadada y espontánea de *La vida de Lazarillo de Tormes y de sus fortunas y adversidades* [7]. Aunque no es ésta obra en la cual abunden los diminutivos, hay algunos empleados con gran precisión expresiva que tiñen sus páginas de un color vivo, pintoresco y natural, como reflejo fiel de la sociedad que retrata.

Según puede verse en la lista del acopio correspondiente, no he consignado el nombre del protagonista de nuestra obra bajo la forma diminutiva, por ser denominación común y propia del muchacho, la cual alterna con el positivo. Expresa, eso sí, esa familiaridad, esa domesticidad que hemos señalado en Alfonso Martínez, por lo que tal vez la expresividad se encuentre más bien en el grado cero y no en el derivado. Tampoco he señalado otras formas diminutivas, por haberlas tomado como positivas, según el criterio que seguimos.

---

[7] *La vida de Lazarillo de Tormes y de sus fortunas y adversidades,* Clásicos Castellanos, Madrid, 1941.

El diminutivo en -illo tiene, en general, sentido disminuidor de tamaño, importancia, aprecio; de aquí se pasa fácilmente al sentido despectivo o francamente peyorativo. Así, el diminutivo mujercillas puede tener un matiz peyorativo, o simplemente indicar la poquedad de ciertas personas.

> «Era todo lo mas que rezaua por mesoneras y por bodegoneras y turroneras y rameras y ansi por semejantes *mugercillas*; que por hombre casi nunca le vi decir oración» (Trat. I, página 95).
> «A mi dieronme la vida unas *mugercillas* hilanderas de algodón...» (Trat. III, pág. 180).
> «Huue de buscar el quarto y éste fué un frayle de la Merced, que las *mugercillas* que digo me encaminaron» (Trat. V, página 203).

La expresividad irónica y ponderativa la podemos ver en el caso de golpecillo. Está Lázaro bebiendo el vino al ciego sin sospecha alguna del golpe que le espera, antes bien «un poco cerrados los ojos por mejor gustar el sabroso liquor», cuando el ciego deja caer con todas sus fuerzas el jarro sobre el rostro de aquél. «Fue tal el *golpezillo*, que me desatinó y sacó de sentido, y el jarrazo tan grande, que los pedaços dél se me metieron por la cara, rompiéndomela por muchas partes, y me quebró los dientes sin los quales hasta oy día me quedé» (Trat. I, pág. 88). Como se ve, el golpecillo no fue cosa de broma. La expresividad de este diminutivo se agranda por el sentido general del sufijo y por la contraposición de jarrazo, que expresa la acción violenta propinada por el «jarrillo»: «Usaua poner cabe si un *jarrillo* de vino, quando comiamos e yo muy de presto le asia y daua un par de besos callados y tornauale a su lugar» (Trat. I, pág. 84). En este caso cabe entrever cierto matiz imaginativo del gusto que de su contenido sabía sacar, pues no se le puede con-

siderar sólo con matiz disminuidor ya que pocos renglones
más abajo el autor emplea el positivo.

Valor imaginativo que está sobre el disminuidor tiene el
siguiente derivado: «Y por esto y por otras *cosillas*, que no
digo, salí dél» (Trat. IV, pág. 204). El diminutivo en este
ejemplo es un despertador de la imaginación; por el contrario, tiene sentido disminuidor, despectivo, en los siguientes:
«Que de la lazeria, que les trayan, me dauan alguna *cosilla*,
con la qual muy passado me passaua» (Trat. III, pág. 180).
«En entrando en los lugares do auian de presentar la bulla,
primero presentaua a los clerigos o curas algunas *cosillas*,
no tan poco de mucho valor ni substancia» (Trat. V, pág. 206).

El diminutivo en -illo entra a formar parte de expresiones como ésta: «¡Y yo que le seruía de *pelillo!*» (Trat. III,
página 159), con la significación «de ceremonia y por
cumplir».

Del sufijo -uelo, el diminutivo mozuelo sigue la línea general de los diminutivos que se refieren a hijo, pequeño, etcétera, con matiz afectivo; así, en los tres casos de *mozuelo*
(Trat. I, pág. 71; Trat. I, pág. 74, y Trat. VI, pág. 229), aunque el primero se refiere a un niño más pequeño en edad,
que, dentro de la frase, pone una nota maliciosa especial:
«Y acuerdome que, estando el negro de mi padrastro trebe-
jando con el *moçuelo*, como el niño via a mi madre e a mi
blancos y a él no, huya dél con miedo para mi madre y, señalando con el dedo, dezia: '¡Madre, coco!'».

El diminutivo *pañizuelo* (Trat. V, pág. 225) se mantiene
en la línea expresada en *La Diana*.

Maliciosa ironía expresa el diminutivo sospechuela, cuando no ya sospecha, sino certeza plena podía tener, y tenía,
de las andanzas de su mujer; pero, en cambio, sin sospechar
se encontraba «en la cumbre de toda buena fortuna», por lo
que no hacía caso de malas lenguas: «Aunque en este tiem-

po siempre he tenido alguna *sospechuela* y auido algunas
malas cenas por esperalla algunas noches hasta las laudes
y aun mas y se me ha venido a la memoria lo que mi amo
el ciego me dixo en Escalona, estando asido del cuerno»
(Trat. VII, pág. 237).

El sufijo -ete, disminuidor, pasa a designar con valor de
positivo pleno, o en camino de realizarse casi este cambio,
como en los casos recogidos: *camareta* (Trat. III, pág. 155);
concheta (Trat. II, pág. 118); *sayete* (Prólogo, pág. 63), y *silleta* (Trat. III, pág. 152). El primero, sobre todo, está muy
próximo al grado cero.

En -eto tenemos un diminutivo, variante de -ete por ita-
lianismo, cambio que le hace ganar en expresividad. García
de Diego cree que es un nuevo masculino formado sobre el
femenino en -eta [8]. Este diminutivo se halla en un párrafo
en que se pone de manifiesto la astucia de Lázaro para beber
el vino al ciego; después de unos diminutivos en -illo, el diminutivo *pobreto* pone al descubierto la conmiseración irónica del muchacho, no exenta de cierto afecto. He aquí el
párrafo completo:

> «Yo, como estaua hecho al vino, moría por él y, viendo que
> aquel remedio de la paja no me aprouechaba ni valia, acordé
> en el suelo del jarro hazerle una *fuentezilla* y agujero sotil y
> delicadamente con una muy delgada *tortilla* de cera taparlo y
> al tiempo de comer, fingiendo auer frio, entrauame entre las
> piernas del triste ciego a calentarme en la *pobrecilla* lumbre,
> que teníamos, y al calor della luego derretida la cera, por ser
> muy poca, començaua la *fuentezilla* a destillarme en la boca, la
> qual yo de tal manera ponia que maldita la gota se perdía.
> Quando el *pobreto* yua a beuer, no hallaua nada» (Trat. I, pá-
> gina 86).

---

[8] V. García de Diego, *Elementos de Gramática Histórica Castellana*,
Burgos, 1914, § 195.

En esta acumulación de diminutivos el cambio de sufijo puede ser un medio que despierte la atención y sensibilidad del lector.

En nota está recogido por Cejador así: pobreto, pobrete, passim en Guzmán de Alfarache.

También veremos más adelante otros ejemplos en -eto que denuncian el influjo de las letras italianas en el léxico español.

El sufijo -ico significa amor y ternura, y así está emplea-do en los tres casos de hermanico (Trat. I, pág. 72 dos veces, y pág. 74), añadiendo cierto matiz de amparo afectuoso con intención captativa en el de pecadorcico: «Señores, este es un niño innocente y ha pocos días que está con esse escude-ro y no sabe dél mas que vuestras mercedes; sino quanto el *peccadorcico* se llega aqui a nuestra casa y le damos de comer lo que podemos por amor de Dios...» (Trat. III, pá-gina 199).

Desempeña el sufijo -ico una función imaginativa al sub-rayar lo agradable del sitio, por las mañanas temprano: «Antes muchas (mujeres) tienen por estilo de yrse a las *ma-ñanicas* del verano a refrescar y almorzar sin llevar qué, por aquellas frescas riberas...» (Trat. III, pág. 165).

Dos diminutivos en -ito, negrito y quedito, expresan el afecto y el cuidado sigiloso, respectivamente: «De manera que, continuando la posada y conversación, mi madre vino a darme un *negrito* muy bonito, el qual yo brincaua e ayudaua a calentar» (Trat. I, pág. 70). «Levanteme muy *quedito* y...» (Trat. II, pág. 133). Bonito en este caso equivale a guapo, hermoso.

Para terminar, añadiremos que el diminutivo en el *Laza-rillo*, como hemos visto, sigue la pauta marcada por el estilo general de esta obra realista, manteniéndose su empleo den-tro de cierto límite, no obstante el caso de acumulación señalado y no haber recogido algún diminutivo-positivo, como *palominos* (Trat. III, pág. 190), por expresar plenamente una diferenciación conceptual distinta del grado cero.

La norma renacentista «escribo como hablo» es llevada a efecto por Santa Teresa en el sentido más neto. Si Valdés escribe como habla es porque su dicción es elegante y cuidada, sin artificio alguno, a no ser el propio artificio de escribir sin él. Pero Santa Teresa no pretende parecer culta, sino todo lo contrario, pues si escribe es por mandato de sus confesores. Como rehúye la vanidad de escribir con un lenguaje cortesano, se esfuerza en adoptar incluso formas que ella sabía arrinconadas en los viejos lugares abulenses; con ello su humildad ha salido al paso de un posible prurito de parecer culta, preciándose de «estilo grosero y ermitaño», como lo ha calificado Menéndez Pidal[9], ejecutando al obedecer a sus confesores y escribir rústicamente un ejercicio de mortificación. Efectivamente, el modo de hablar puede ser causa de vanidad y ensoberbecimiento, y, por lo tanto, de pecado; por ello alecciona así a sus hijas sobre la manera de hablar llanamente en el *Modo de visitar los conventos de religiosas:* la priora debe

> «mirar en la manera del hablar que vaya con simplicidad y llaneza y relisión; que lleve más estilo de ermitaños y gente retirada, que no ir tomando vocablos de novedades y melindres, creo los llaman, que se usan en el mundo, que siempre hay

---

[9] R. Menéndez Pidal, «El estilo de Santa Teresa», *La Lengua de Cristóbal Colón*, Colección Austral, Madrid, 1942, pág. 152.

novedades; préciense más de groseras que de curiosas en estos casos»[10].

Por otro lado, cuando escribe, su alma, abrasada en amor divino, encuentra un punto por donde dar suelta a sus fervores místicos; en estos momentos «Santa Teresa propiamente ya no escribe, sino que habla por escrito; así que el hervor de la sintaxis emocional rebasa a cada momento los cauces gramaticales ordinarios»[11]. Con esto se pone al desnudo la propia subjetividad de la Santa y es entonces, en estos momentos de espontaneidad máxima, cuando plenamente puede decirse que «habla por escrito» prescindiendo de todo uso estilístico premeditado, ya sea cortesano o rústico. Es en estos momentos precisamente cuando surge su incomparable lenguaje, como venero nacido directamente del centro de su alma, con toda fuerza artística sin haberlo pretendido, y su estilo se hace, en frase de Lapesa, «genial y desaliñado».

En esta literatura mística, ante la necesidad de expresar lo inefable, las palabras toman cargas semánticas derivadas del nuevo análisis psicológico, y se emplean en combinaciones antitéticas que matizan y delimitan la expresividad; y metáforas, alegorías e imágenes atrevidas vienen en ayuda de la expresión mística, arropada en un vocabulario insospechado para las cuestiones de mayor dignidad y altura, dada la escasez de letras de la santa.

De esta manera su estilo adquiere una donosura insuperable, cargándose las palabras, mediante su vocabulario popular y sintaxis emocional, de un sentido sensorial que im-

---

[10] Santa Teresa de Jesús, *Modo de visitar los conventos*, Biblioteca de Autores Españoles, LIII, pág. 297 b.

[11] R. Menéndez Pidal, «El estilo de Santa Teresa», etc., pág. 153.

presiona por su precisión, por su ternura y, en una palabra, por su belleza poética.

Cuando el alma de Santa Teresa desciende de los altos vuelos a que la conduce el amor del Esposo y nos va a comunicar esos momentos vividos, aparece el término familiar, el diminutivo preciso, amoroso, con el que tiñe toda la frase de la más deliciosa feminidad. Quisiéramos revivir en nuestra alma los acentos que despertarían en ella estas palabras en frases pronunciadas por los labios de la Santa, con la especial melodía y ritmo de la lengua oral de Ávila, que sería entonces, a no dudar, distinto del resto de España, así como hoy también lo es, pues, efectivamente, la expresión hablada abulense tiene en la actualidad una melodía característica que le presta una expresividad afectiva particularísima, y en el que el diminutivo se emplea con una gracia especial; es un lenguaje que podría definirse como de «locutorio» de convento de monjas. Nos figuramos cuánto podría adelantar este tipo de trabajos realizados sobre textos vivos de poderse emplear instrumentos y medios adecuados.

Es el diminutivo una de las formas gramaticales preferidas por Santa Teresa. «Sin el hábil uso de los diminutivos no lograría el lenguaje de Santa Teresa muy matizadas delicadezas; nos retendría en un dejo de insatisfacción, como el que experimentamos al eliminar el sufijo en aquella frase suya: «queda el alma con un *desgustillo*, como quien va a saltar y le asen por detrás». Sobre el idioma literario, que Herrera reglamentaba sólo para la solemnidad, esparce Santa Teresa una sutil gracia, dignificando la proscrita forma de gran expresividad» [12]. Con gracia inigualable está dada aquí la visión del alma que quiere levantarse más de lo que Dios la levanta (*Vida*, XII).

---

[12] R. Menéndez Pidal, «El estilo de Santa Teresa», etc., págs. 156-157.

Vamos, pues, a explayar ahora los diminutivos de dos de las principales obras de Santa Teresa: *Las Moradas* [13] y *Libro de las Fundaciones* [14]

La maravillosa feminidad de Santa Teresa inunda de afecto y amor su obra literaria hasta el punto de que la expresión despectiva del diminutivo tiene un eco de afecto positivo que hace que no sea nunca plenamente despreciativo o peyorativo. En estos casos queda un resquicio para la captación benevolente por el que se vislumbra el fino amor divino que animó su corazón.

El diminutivo en general, y en especial el derivado en -illo, tiene como denominador común el significado disminuidor, que, unido a distintas apreciaciones semánticas y axiológicas, hacen de este tipo de derivados uno de los principales medios expresivos de la elegancia y finura de sentimientos de Santa Teresa.

Tanto en este sufijo como en los restantes son más numerosos los casos matizados positivamente.

La significación disminuidora del sufijo -illo, abundante en él, aparece en casos en que los objetos a que se refieren los diminutivos son mirados con cierta complacencia:

> «y con hojas de morar se crían, hasta que, después de grandes, les ponen unas *ramillas*, y allí con las *boquillas* van en sí mesmos hilando la seda, y hacen unos *capuchillos* muy apretados, adonde se encierran; y acaba este gusano, que es grande y feo, y sale del mesmo capucho una *mariposica* blanca muy graciosa. ... y el pobre *gusanillo* pierde la vida en la demanda?» (Mor. V, c. II, pág. 92-93).

---

[13] Santa Teresa de Jesús, *Las Moradas*, Clásicos Castellanos, Madrid, 1947.
[14] Santa Teresa de Jesús, *Libro de las Fundaciones*, Clásicos Castellanos, dos tomos, Madrid, 1940.

En esta acumulación de diminutivos el formado con el sufijo -ico señala la máxima afectividad; este diminutivo es un polo de la siguiente oposición: frente a ese gusano, grande y feo, la mariposica que de él sale, blanca y graciosa. De otra parte el sufijo -illo en gusanillo denota un afecto que no llegan a expresar los tres primeros derivados, cuyo valor es disminuidor principalmente. La semejanza de estas líneas con algún párrafo de Fray Luis de Granada es notable.

Unas líneas más abajo encontramos otra acumulación de diminutivos en la que el sufijo -illo denota disminución de importancia más que un matiz despectivo propiamente dicho, y el sufijo -ito expresa el afecto:

> «Y ¡cómo si podemos, no quitar de Dios ni poner, sino quitar de nosotros y poner como hacen estos *gusanitos!;* que no habremos acabado de hacer en esto todo lo que podemos, cuando este *trabajillo,* que no es nada, junte Dios con su grandeza... Y ansí como ha sido el que ha puesto la mayor costa, ansí quiere juntar nuestros *trabajillos* con los grandes que padeció su Majestad y que todo sea una cosa. Pues, ea, hijas mías, priesa a hacer esta labor y tejer este *capuchillo,* quitando nuestro amor propio ... y vereis como vemos a Dios y nos vemos tan metidas en su grandeza como lo está este *gusanillo* en este capucho ... que cuando está en esta oración bien muerto está a el mundo, sale una *mariposita* blanca. ¡Oh, grandeza de Dios, y cuál sale un alma de aquí, de haber estado un *poquito* metida en la grandeza de Dios, ...! porque mirá la diferencia que hay de un gusano feo a una *mariposita* blanca, que la mesma hay acá» (Mor. V, c. II, pág. 94-95).

El tercer caso de mariposita es: «¡Oh, pues ver el desasosiego de esta *mariposita,* con no haber estado más quieta y sosegada en su vida! es cosa para alabar a Dios...» (Mor. V, c. II, pág. 96).

En los diminutivos que acabamos de ver las formas mariposita y mariposica son equivalentes, exponentes ambos sufijos de afecto y ternura. Ahora bien, con el sufijo -illo el diminutivo formado, mariposilla, es también equivalente a los dos anteriores, aun cuando denota éste cierto desvalimiento. Tenemos, pues, de esta forma tres distintos sufijos unidos a un mismo tema en cuyo derivado el sufijo, cualquiera que sea, desempeña, en general, un mismo papel: la expresión de un mismo afecto sin especialización de los sufijos.

He aquí las formas en -illo:

> «y ansí no hay que espantar que esta *mariposilla* busque asiento de nuevo, ansí como se halla nueva de las cosas de la tierra. Pues ¿adónde irá la pobrecica?...» (Mor. V, c. II, pág. 97). «¡Oh, pobre *mariposilla*, atada con tantas cadenas que no te dejan volar lo que querías!» (Mor. VI, c. VI, pág. 166). «¿Si habrán bastado todas estas mercedes que ha hecho el Esposo a el alma para que la palomilla u *mariposilla* esté satisfecha...?» (Mor. VI, c. XI, pág. 208).

Y los ejemplos de Mor. VII, c. II, pág. 228, y Mor. VII, c. III, pág. 238.

Los casos de mariposica, aparte el ya señalado, se dan en Mor. V, c. IV, p. 110; Mor. VI, c. IV, p. 146; Mor. VI, c. VI, p. 164, y Mor. VII, c. III, pág. 233.

De la misma manera que antes encontrábamos «palomilla u mariposilla», hallamos el diminutivo palomica en sustitución de mariposica en Mor. V, c. III, pág. 102; Mor. V, c. IV, pág. 110, y Mor. VI, c. II, pág. 128.

Estas comparaciones en que se toma el alma por una paloma o una tórtola, por ejemplo, son frecuentes, como en *El Cántico Espiritual* de San Juan de la Cruz [15]:

> La blanca *palomica*
> Al arca con el ramo se a tornado;

---

[15] San Juan de la Cruz, *El Cántico Espiritual*, Clásicos Castellanos, Madrid, 1936, canción 34.

Y ya la *tortolica*
Al socio desseado
En las riberas verdes a hallado.

Otras veces Santa Teresa compara el alma con una nave, y surge el diminutivo correspondiente: «y con un ímpetu grande se levanta una ola tan poderosa, que sube a lo alto esta *navecica* de nuestra alma» (Mor. VI, c. V, pág. 158).

La diferencia de sufijos en estos diminutivos que acabamos de ver no indica, como hemos dicho, un cambio de signo en la afectividad; cualquiera que sea el sufijo, desempeña el mismo papel de despertador de la afectividad remansada en el mismo tema, o en su sinónimo. Pero otras veces el cambio de sufijo implica un cambio de significación o una valoración distinta. Habíamos dicho que el sufijo -illo denota disminución en general, y los sufijos -ito e -ico son exponentes de afecto, como puede verse en la oposición cosilla-cosita:

> «por éstas entenderéis si estáis bien desnudas de lo que dejastes, porque *cosillas* se ofrecen, aunque no tan de esta suerte, en que os podéis muy bien probar y entendé si estáis señoras de vuestras pasiones» (Mor. III, c. II, pág. 48). «...anque creo que en cada *cosita* que Dios crió hay más de lo que se entiende, anque sea una *hormiguita*» (Mor. IV, c. II, pág. 65). «También advertid que suele causar la complesión flaca cosas de estas penas, en especial si es en unas personas tiernas, que por cada *cosita* lloran...» (Mor. VI, c. VI, pág. 168).

El sufijo -ito forma derivados que empleados por Santa Teresa adquieren una gracia especial: «porque como el entendimiento es una de las potencias del alma, hacíaseme recia cosa estar tan *tortolito* a veces» (Mor. IV, c. I, pág. 59).

Para terminar señalaremos cierto matiz despectivo, o mejor, de poca consideración o importancia, que acompaña a la significación disminuidora del sufijo -illo, tanto en algunos de los tratados como en los siguientes: *contentillos* (Mor. V, c. IV, pág. 116); *chinillas, motillas* (Mor. VI, c. IV, página 153); *lagartijillas, pensamentillos* (Mor. V, c. I, página 86); *obrillas* (Mor. III, c. I, pág. 41); *pajarillos* (Mor. IV, c. I, pág. 61); *pastorcillos* (Mor. IV, c. II, pág. 76); *poquillo* (Mor. VI, c. V, pág. 159); *suspencioncilla* (Mor. V, c. III, página 109).

Los diminutivos en -ico no mencionados son *arroico* (Mor. VII, c. II, pág. 227); *arroicos* (Mor. I, c. II, pág. 13); *tantico* (Mor. VI, c. XI, pág. 215).

Los no citados en -ito son: *faltita* (Mor. I, c. II, pág. 22); *fuentecita* (Mor. VII, c. II, pág. 229); *palabrita* (Mor. VI, c. VI, pág. 168); *partecita* (Mor. VI, c. IV, pág. 152); *poquitas* (Mor. V, c. IV, pág. 114); *poquito*, además del citado otros siete casos (Prólogo, pág. 3; Mor. V, c. III, pág. 108; Mor. VI, c. IV, pág. 153; Mor. VI, c. VI, pág. 165; Mor. VI, c. VI, pág. 166; Mor. VI, c. XI, pág. 210, y Mor. VII, c. I, página 218). Todos poseen una gracia deliciosa.

En el *Libro de las fundaciones* los diminutivos formados con el sufijo -illo poseen como denominador común la significación disminuidora, matizada a veces con expresión afectiva o despectiva.

El sufijo intensifica la valoración que en un momento dado puede darse a un objeto: «Ésta tenía unas *blanquillas* harto poco, que no era para comprar casa, sino para alquilarla...» (C. III, t. I, pág. 117).

La humildad despectiva, de cosa sin importancia, la expresa el sufijo en este caso: «... porque, como en otras partes he dicho, en algunas *cosillas* que para las hermanas he escrito...» (C. IV, t. I, pág. 133).

Matiz despectivo de cosa tenida en poco en el ejemplo siguiente: «... y no nos cansemos a alabar a tan gran Rey y Señor, que nos tiene aparejado un reino que no tiene fin, por uno(s), *trabajillo(s)*, envueltos en mil contentos, que se acabarán mañana» (C. XXXI, t. II, pág. 210).

La poquedad despectiva, o mejor, el desvalimiento, en mujercilla, que se aplica Santa Teresa a sí misma:

> «Estos (medios) yo no los procuraba, antes me parecía desatino; porque una *mujercilla* tan sin poder como yo, bien entendía que no podía hacer nada...» (c. II, t. I, pág. 112). «...espantados de tal atrevimiento que una *mujercilla* contra su voluntad les hiciese un monesterio» (c. XV, t. I, pág. 242). «¿De dónde pensáis que tuviera poder una *mujercilla* como yo, para tan grandes obras, sin solo un maravedí, ni quien con nada me favoreciese?» (c. XXVII, t. II, pág. 90).

Matiz afectuoso, basado en la deferencia conmiserativa, pone el sufijo en el diminutivo:

> «Deteníanse algunas veces, diciendo letras de nuestra Orden, que nos hacía harta devoción, y ver que todos iban alabando a el gran Dios que llevábamos presente y que por El se hacía tanto caso de siete *pobrecillas* Descalzas que íbamos allí» (c. XXVIII, t. II, pág. 134).

El resto de los diminutivos en -illo tienen muy marcado el valor disminuidor, siendo esta significación la principal: *camarilla* (C. XXIV, t. II, pág. 50; C. XXIV, t. II, pág. 51); *campanilla* (C. III, t. I, pág. 125; C. XV, t. I, pág. 240); *casilla* (C. XV, t. I, pág. 240); *cocinilla* (C. XIII, t. I, pág. 219); *cosillas* (C. XVII, t. I, pág. 264); *ermitillas* (C. XIV, t. I, página 227); *hortecillo* (C. I, t. I, pág. 104); *lugarcillo* (C. XIII, t. I, pág. 218; C. XIII, t. I, pág. 220, y C. XIV, t. I, página 225); *patiecillo* (C. XV, t. I, pág. 240); *tortillas* (C. XXVIII, t. II, pág. 125); y *ventanillas* (C. XIV, t. I, pág. 227).

Los diminutivos formados con el sufijo -uelo apenas hacen acto de presencia en las obras de Santa Teresa. En *Las*

Moradas, según hemos visto, no aparece ni un solo ejemplo, y en el *Libro de las fundaciones*, que ahora comentamos, solamente hemos recogido un caso. En general apenas usa este sufijo para formar derivados, como lo hemos podido comprobar en la lectura de sus *Cartas* y en su obra *Camino de perfección*. En esta última (C. LXIII) se da el diminutivo *agravuelos*, sustituido más tarde por la expresión «unas cositas que llaman agravios». Ahora bien, no participamos de la idea de Menéndez Pidal [16], según la cual Santa Teresa corrigió la primitiva versión por considerarla demasiado insólita, a pesar de poseer, según dice el mismo Menéndez Pidal, la morfología patrimonial ingénita y profundamente.

Por el contrario, creemos que la sustitución es debida a una distinta postura espiritual al redactar un mismo pasaje por segunda vez, que da lugar a una nueva concepción; en virtud de esto es sustituido el diminutivo, y no por un refinamiento estilístico: por creer que estaba mal formado el diminutivo y considerarlo como un atrevimiento, pues sabemos hasta qué punto Santa Teresa practicaba y mandaba practicar a sus hijas un acto de humildad y mortificación en el modo de hablar y escribir.

Además, no es un caso aislado, ya que en el *Camino de perfección*, aunque con otros sufijos, hay varios ejemplos de sustituciones. La primera forma es la del autógrafo escurialense; la segunda, la del de Valladolid: *interesillo*-interese (C. II); «u bando, u deseo de ser más, u *puntillos*... u *bandillos*, u deseo de ser más, u *puntito* de honra» (C. VIII); *congregacioncita*-congregación (C. XIX); *consideracioncita*-consideración (C. XXIII); *pobrecita*-pobre (C. II); *pobrecita-pobrecilla* (C. III); etc. Tales sustituciones están encaminadas a expresar mejor y más claramente un concepto, por ejem-

---

16 R. Menéndez Pidal, «El estilo de Santa Teresa», etc., pág. 156.

plo: «Vamos a otras *cosillas* que también importan harto, aunque *son* menudas». Corregido así: «Vamos a otras *cosas* que también importan harto, aunque *parecen* menudas» (C. XIII).

Solamente un diminutivo en -uelo hemos hallado en el *Libro de las fundaciones*, covezuela, matizado despectivamente: «Y aportaron adonde está este monesterio, adonde halló una *covezuela*, que apenas cabía; aquí la dejó» (c. XXVIII, t. II, pág. 124).

Escasos son también en este libro los derivados en -ico. Este sufijo, afectivo por lo común, guarda cierto dejo de rusticidad que no posee el sufijo -ito, también afectivo, pero mucho más elegante, sobre todo para los lectores de hoy. He aquí los casos en -ico:

> «...en viendo a fray Juan de la Miseria — un *frailecico* lego de la Orden, que fué a Beas estando yo allí» (c. XXII, t. II, página 33); «...paréceme que en un *librico* pequeño dije algo de esto, no me acuerdo...» (c. VII, t. I, pág. 166); «...porque como se le acabaron tres panes que le dejó el que fué con élla, no lo tenía hasta que fue por allí un *pastorcico*» (c. XXVIII, t. II, pág. 125).

Los diminutivos en -ito son la expresión más delicada de la ternura de Santa Teresa como manifestación de los objetos en que puso tanto amor. Vamos a elegir unos pocos:

> «Pues comenzando a poblarse estos *palomarcitos* de la Virgen nuestra Señora, comenzó la divina magestad a mostrar sus grandezas en estas *mujercitas* flacas...» (c. IV, t. I, pág. 135). «Si, como digo, (la priora) es amiga de mortificación, todo ha de ser bullir; y estas *ovejitas* de la Virgen callando, como unos *corderitos*» (c. XVIII, t. I, pág. 271). «Primero u segundo domingo de Aviento de este año MDLXVIII ... se dijo la primera misa en aquel *portalito* de Belén; que no me parece era mejor» (c. XIV, t. I, pág. 226).

Los restantes son: *casita* (C. XIV, t. I, págs. 224 y 230); *cosita* (C. VIII, t. I, pág. 179); *hacecito* (C. XV, t. I, pág. 243); *ilesita* (C. XIV, t. I, pág. 227; C. XVII, t. I, pág. 253); *labradorcita* (C. XI, t. I, pág. 202); *mujercitas* (C. XII, t. I, página 216); *pequeñitos* (C. V, t. I, pág. 140); *pobrecita* (C. VII, t. I, pág. 168); *poquita* (C. XXVIII, t. II, pág. 134), y *poquito* (C. III, t. I, pág. 125; C. V, t. I, pág. 140; C. XIV, t. I, página 226; dos casos; C. XVI, t. I, pág. 250). Todos expresan, en general, el tierno amor de la Santa.

En conclusión, el sufijo -ito señala la máxima afectividad y ternura; el -ico expresa también afectividad, pero sin la delicadeza que el sufijo -ito; el -illo denota disminución de la importancia y del afecto, y matización afectiva. De este sufijo precisamente es del que se sirve para expresar la poquedad despectiva, con finalidad captativa, como por ejemplo en el *Camino de perfección:* «Mas mirá, emperador mío, que ya sois Dios de misericordia! ¡Habelda de esta *pecadorcilla, gusanillo* que ansí se os atreve!» (C. III).

Creemos que esta forma de derivación merece mayor interés que el que le concedió Sánchez Moguel [17].

Para concluir, acabaremos con aquel aserto de Fray Luis de León, artista exquisito del vocablo, al loar el lenguaje de Santa Teresa, «porque si entendiesen bien castellano vieran que el de la Madre es la misma elegancia».

FRAY LUIS DE GRANADA

Fray Luis de Granada es, de una parte, un orador que escribe; de otra, un franciscano en el sentir la naturaleza bajo

---

[17] Antonio Sánchez Moguel, *El lenguaje de Santa Teresa de Jesús,* Madrid, 1915, pág. 82.

el hábito de Santo Domingo. Su estilo, pues, de tipo oratorio, grandilocuente y ampuloso, encuentra en la naturaleza
y su descripción campo adecuado en donde desarrollarse.
En amplios períodos de retórica ciceroniana describe las
criaturas, sus costumbres y su vida, recreándose al contem-
plarlos. Su corazón franciscano ama a los animales minúscu-
los y surge, en gran abundancia, la palabra cariñosa, el diminutivo, que, a fuerza de prodigarse, pierde la energía expresiva del caso concreto para diluirse en la narración y
tomar toda ella un colorido amoroso desprendido de la presencia del diminutivo.

No obstante lo dicho, no en todos sus escritos abunda
por igual el diminutivo, ya que la presencia de éste y la proporción en que se encuentre será debido en gran parte al
carácter de la obra elegida; la diferencia será notable entre
la *Guía de Pecadores* [18], por ejemplo, que es un tratado ascético, y la *Introducción del Símbolo de la Fe* [19], que es un
comentario de las bellezas de la naturaleza entera, como camino que conduce a Dios, suprema belleza.

La causa de la aplastante superioridad de diminutivos en
la *Introducción* es debida, sin duda alguna, al asunto tratado, distinto del de la *Guía*, pues aunque la extensión tampoco es la misma, menor en esta última obra, no es razón suficiente para que los datos sean tan dispares.

En la *Guía* el diminutivo en -illo tiene, en general, sentido despectivo, o más bien de cosa de poca importancia
simplemente; por ejemplo: «y no queráis buscar *asillas* para
calumniar a la viuda, y al huérfano, y al extranjero, y al
pobre...» (l. II, c. XI, pág. 178), en donde asillas, a pesar de

---

[18] Fray Luis de Granada, *Guía de Pecadores*, Clásicos Castellanos,
Madrid, 1942.
[19] Fray Luis de Granada, *Introducción del Símbolo de la Fe*,
Colección Austral, Buenos Aires, 1946.

la nota del anotador, Matías Martínez Burgos, aduciendo la autoridad de Covarrubias, según la cual asillas vale tanto como «ocasión y achaque», es decir, un significado concreto con especialización de forma, creo que está presente la oposición con el positivo y debe tomarse como diminutivo de asa, con significado figurado, naturalmente. En realidad, nuestra afirmación coincide con la de Martínez Burgos, haciendo la salvedad o aclaración referente a la no especialización de sentido del diminutivo.

Semejante en el sentido del sufijo son los diminutivos rencorcillo y palabrilla:

> «El cuarto pecado mortal es, cualquier odio y enemistad formada, que comunmente viene acompañada con deseo de venganza. Digo esto, porque cuando es algún *rancorcillo* y desgusto entre personas, que no llega a deseos de venganza, ... no es pecado mortal...» (l. II, c. IV, pág. 125). «¡Cuán asombrado quedará el hombre cuando en presencia de un tan gran senado, se le haga cargo de una *palabrilla* que tal día habló sin propósito!» (l. I, c. III, pág. 29).

Hemos citado estos casos para señalar y marcar más la diferencia que existe con los ejemplos siguientes, en los que suele haber una comparación más o menos expresa, acentuada por el sufijo:

> «... no le acaezca lo que al monje, que tenía por agravio que su pobreza se igualase con las riquezas de Gregorio, a quien fué dicho que más rico era él con una *gatilla* que tenía, que el otro con tantas riquezas» (l. II, c. XVI, pág. 246). «...y mira cuán grande mal sea, que un vilísimo *gusanillo* como tú, se haya tantas veces atrevido a ofender y provocar a ira los ojos de tan grande majestad» (l. I, c. IX, pág. 98). «Pues, ¿que cosa puede ser más desatinada, que ponerse a burlar un tan vil *hombrecillo* con un Señor que tiene la mano tan pesada, que si carga sobre ti, de un golpe te arrojará en el profundo de los infiernos?» (l. I, c. IX, pág. 99).

En el diminutivo con sufijo -uelo existen los dos valores, positivo y negativo, más acentuado aquél que éste. Ejemplos del último tenemos en los siguientes:

«¡O dichoso yo y verdaderamente dichoso, cuando suelto de las prisiones deste *corpezuelo*, mereciere oir aquellos cantares de la música celestial...!» (l. I, c. IV, pág. 40). «¿Qué mayor confusión que la que padesce aquel miserable rico avariento, el cual, con las *migajuelas* de pan que se le caían de la mesa, pudiera comprar la hartura del cielo, y que por no haber querido dar esta poquedad, viniese a tal extremo de pobreza, que pidiese y pida para siempre una sola gota de agua y no se la den?» (l. I, c. V, pág. 52). «Movíme a tomar este poco de trabajo, porque algunos predicadores, celosos de la honra de nuestro Señor y salud de las ánimas, deseaban que hubiese algún *pequeñuelo* volumen que tratase de todas estas cosas...» (Al lector, pág. 13). «...se da por muy saludable consejo, que el cristiano procure cada día, ... hacer alguna manera de penitencia, aunque sea pequeña, o en el comer, ... o en sufrir algún *pequeñuelo* trabajo...» (l. II, c. VII, pág. 138).

Francamente afectivo es el sufijo en los casos siguientes:

«*Hijuelos*, no amemos con solas palabras, sino con obras y con verdad» (l. II, c. XI, § 1.º, pág. 181). «Y, demás de esto, todas las Escrituras claman que Dios enseña a los humildes, y que es maestro de los *pequeñuelos*, y que a ellos comunica sus secretos» (l. II, c. X, § 9.º, pág. 174). «Lo que a uno destos más *pequeñuelos* hecistes, a mí lo hecistes» (l. II, c. XI, página 179).

Tanto el sufijo -ete como el -ico tienen sentido disminuidor con carácter de positivo pleno el primero, por lo que no ha sido señalado: «¿Qué rey jamás pidió cuenta a alguno de sus criados de un cabo de un *agujeta*?» (l. I, c. III, página 29). «Esto es, en romance claro, lo que canta aquel *versico* tan celebrado en las escuelas de los niños» (l. II,

c. XIV, pág. 215). La frase, no obstante, siempre queda envuelta en ese embrujo especial que se desprende del diminutivo.

El sufijo -ito expresa disminución de afecto pero con finura y elegancia:

> «La sexta virtud es oración, mediante la cual como hijos recorramos a nuestro Padre en el tiempo de la tribulación, como hacen hasta los niños *chiquitos*, que con cualquier miedo o sobresalto luego acuden a sus madres...» (l. II, c. XII, § 6.º, página 197). «...porque la esperanza del malo es como el *pelito* que se lleva el viento, o como la espuma de la mar que deshace la ola...» (l. I, c. III, pág. 35). «Más vale un *poquito* con descanso que las manos llenas con aflicción y trabajo» (l. II, c. XVIII, § 1.º, pág. 256).

Esta escasez de diminutivos en la *Guía de Pecadores* se ve compensada por el crecido número de la *Introducción*.

Por su abundancia esta obra adquiere una expresividad típica, que podría llamarse «infantil». Páginas hay de cuatro, seis y aun más diminutivos, con lo cual no ya la frase, sino párrafos enteros toman un tono afectivo especial en el que la expresividad no suele marcar cumbres o simas notables que sobrepasen la línea señalada por ese tono afectivo medio. El eco semántico despertado en la conciencia del lector por el sufijo llega a adormecerla a fuerza de repetirse, de manera que el cambio de sufijo o su alternancia incluso puede ser motivo para despertar la afectividad.

El sufijo -illo está empleado con valor disminuidor teñido de afecto amoroso en casi todos los casos. Fray Luis de Granada mira a todas las criaturas con caridad franciscana, como directamente salidas de las manos de Dios. De aquí que ni aun en casos en que podría apreciarse un matiz despectivo estén exentos estos diminutivos de un sentimiento amoroso, pues siempre hay una justificación: la de ser obra de Dios, cuya inteligencia y amor manifiestan, así como el propio amor del «Hermano» Luis. Ejemplos:

> «Pues cuanto este *animalillo* es más vil, tanto más nos declara que este conocimiento le fué dado por la divina Providencia» (c. XV, § Único, pág. 115). «...¿qué cosa más vil y despreciada que un *caracolillo*?» (c. XVI, § 1.º, pág. 121). «...no poco se esfuerza esta virtud con la consideración de las habilidades admirables que el Creador dio a un *animalillo* tan despreciado, tan vil y tan inútil, como es una *hormiguilla*» (c. XVIII, § 1.º, pág. 135).

En estos casos en que podría verse, repetimos, cierto matiz despectivo —en realidad señalado más por los adjetivos que por el propio diminutivo—, se aprecia la afectividad amorosa de Fray Luis separada del sentir general, de modo que aunque sean seres despreciados no lo son por él, ciertamente.

El sufijo hace la descripción más gráfica mediante el valor disminuidor; por ejemplo: «¿qué instrumentos tiene este *animalillo* tan pequeño, sino unos *piecillos* tan delgados como hilos, y un *aguijoncillo* tan delgado como ellos?» (c. XX, pág. 151).

Entre los diminutivos citados tenemos *piecillos*. Esta forma no es frecuente hoy, siendo la corriente piececillos. Por el contrario en Fray Luis encontramos dos veces la primera y una vez la segunda. He aquí las dos que faltan:

> «Y cuando la mosca inocente de tales artes se asienta en aquella tela y embaraza los *piecillos* en ella, acude el ladrón a gran priesa» (c. XVIII, § 3.º, pág. 142). «...para lo cual ni tienen necesidad de regla, ni de polmada, ni de otros instrumentos, más que su boquilla y sus *piececillos* tan delicados...» (c. XX, pág. 147).

De la comparación de estos tres casos parece desprenderse lo siguiente: la intensidad afectiva del último ejemplo está expresada por el refuerzo del infijo; en cambio, la forma piecillo es de predominio descriptivo. Es, en el campo de la expresividad afectiva, un refuerzo análogo al sufijo que se le pone a un derivado cuando éste ha perdido su valor de tal, como en el caso de paletilla, derivado de paleta, cuando esta forma ha pasado a designar con valor de positivo. Ejemplo: «De modo que lo que Dios mandaba a los hijos de Israel que hiciesen, cuando habitaban en el desierto, con una *paletilla* que traian consigo, hace este animal...» (c. XIV, § 2.º, pág. 102).

Son también debidas estas variantes de forma a razones melódicas y rítmicas, difíciles, cuando no imposibles, de precisar en textos escritos. De cualquier manera nos sirven para apreciar el estado de indeterminación, aparición y sustitución de unas formas por otras al sorprender un estado de lengua en un momento dado, y podemos ver cómo algunos sufijos sufren una especialización al unirse a una expresión concreta o a una forma especial del tema, con la vocal diptongada o sin diptongar, lo cual indica hasta qué punto perviven unos hábitos de derivación y aparecen otros nuevos.

He aquí algunos casos: del positivo cuerpo hemos señalado con el sufijo -illo tres diminutivos, de los cuales dos con la forma *cuerpecillo* y uno con la forma *corpecillos:*

> «...para declarar el infinito poder y saber de quien pudo hacer en un *cuerpecillo* tan pequeño, una fábrica tan admirable» (c. XVIII, § 2.º, pág. 140). «Y no faltará quien tenga ésta por tanto mayor maravilla que la fábrica de nuestro cuerpo, cuanto este *cuerpecillo* es de menor cantidad» (c. XXXVIII, § 7.º, pág. 266). «...como por ser Dios el que las gobierna (a las hormigas), y el que quiso declarar en estos *corpecillos* las maravillas de su providencia» (c. XVIII, § 1.º, pág. 137).

De los seis diminutivos en -uelo de cuerpo, tres son sin diptongar y tres con la vocal diptongada:

«¿Qué hoja de árbol, qué flor del campo, qué gusanico hay tan pequeño, que si bien considerásemos la fábrica de su *corpezuelo*, no viésemos en él grandes maravillas?» (c. II, pág. 23). «...porque toman una *pedrecilla* en las manos, para hacer con ella más pesada la carga de su *corpezuelo*, y menos sujeta al ímpetu del viento» (c. XX, pág. 149). «...Y para este mismo fin ponemos otros infinitos gusarapillos, en cuyos *corpezuelos* resplandece este mismo artificio...» (c. XVIII, § 2.º, pág. 140). «De modo que cuanto ellos son menores y más viles, tanto más declaran la omnipotencia y sabiduría de aquel Señor que en tan pequeños *cuerpezuelos* puso tan extrañas habilidades» (c. XVIII, § 3.º, pág. 143). «...y veremos que de día y de noche ha de estar Dios criando ánimas e infundiéndolas en los *cuerpezuelos*...» (c. XXXVIII, § 8.º, pág. 267). «Y acaecerá estar en el mismo punto muchos de estos *cuerpezuelos* organizados...» (c. XXXVIII, § 8.º, pág. 267).

Y con el sufijo -ito dos diminutivos:

«¿Quién no dará gracias al Creador viendo en un tan pequeño *cuerpecito* una tal industria...?» (c. XIV, § 1.º, pág. 101). «Porque quien puede acudir tan puntualmente, como dijimos a criar tantas ánimas e infundirlas en los *cuerpecitos*, en el punto que se acaban de organizar...» (c. XXXVIII, § 8.º, página 268).

La variación afectiva de estos diminutivos es, como puede comprobarse, muy escasa, debiéndose estas preferencias de forma probablemente a razones rítmicas del discurso, pues no hay que olvidar que Fray Luis de Granada es ante todo un orador. No obstante, quizás pueda verse en el segundo caso de los citados en -illo una determinación del positivo que le precede (cuerpo-cuerpecillo).

Otros muchos casos muestra Fray Luis de esta indeterminación o especialización, por ejemplo: *dientecillos* (C. XVI, página 117, y C. XXI, pág. 153) y *dentezuelos* (C. XIV, § 3.º, página 107); *hovecico* (cuatro en C. XXXVIII, § 7.º, pág. 266;

uno con la forma *ovecico:* C. XXI, pág. 154); *huevecico* (C. VIII, § único, pág. 66), y *ovezuelo* (C. XXXVIII, § 7.º, página 265); etc.

Como una reminiscencia de la prosa pastoril y poesía bucólica tenemos el caso siguiente con el adjetivo antepuesto «simple», típico en estos géneros: «Engañándose, pues, con esta figura las simples *avecillas,* llegábanse cerca de él sobre seguro, ỳ entonces el ladrón de un salto las apañaba y se las comía» (C. XIV, § 2.º, pág. 102).

Lo dicho para el sufijo -illo puede valer, en general, para todos los diminutivos cualquiera que sea el sufijo de que esté compuesto. La expresividad amorosa es casi siempre positiva y difícilmente puede apreciarse algún rasgo de afectividad negativa.

Los diminutivos formados con el sufijo -uelo están en la línea expresiva de signo positivo que venimos viendo desde Berceo. Palabras como callejuelas, pellejuelo y piojuelo que dichas aisladamente parecen tener un sentido peyorativo, no lo tienen tanto en la frase: «De modo que él es como una ciudad que está toda llena de calles y de *callejuelas* para el paso y servicio de los que la habitan» (C. XXV, pág. 180), dice de nuestro cuerpo al referirse a la tupida red de venas, arterias y nervios.

Si calleja y pellejo son palabras derivadas en las que la apreciación diminutiva ha quedado absorbida por el matiz despectivo, los diminutivos que estamos viendo tienen casi valor positivo: «... la primera de las cuales es un *pellejuelo* muy delicado, ...» (C. XXXII, pág. 213). Y lo mismo cabe decir de piojuelo, sabiendo que en todos esos animales viles y despreciados Fray Luis descubre la parte buena, en la que resplandece la providencia divina: «¿Qué cosa más vil que un *piojuelo?*» (C. XVIII, § 1.º, pág. 139). ¿Cómo permanecer insensible ante tal desvalimiento?

Francamente afectivos son los demás diminutivos, entre los que sobresalen los tradicionales *pequeñuelo* (C. XIII, página 95) y los numerosos casos de *hijuelo*. De todos estos últimos resalta la combinación del sufijo -uelo con -ito en el caso de «hijuelos tiernecitos», en que hay un apoyo mutuo y refuerzo de un sufijo por el otro: «Porque los padres, además de mantener sus hijos en el nido ... usan de esta piedad con ellos, que cuando arde el sol de manera que podría ser dañoso a los *hijuelos tiernecitos*, extienden ellos sus alas, en las cuales reciben los rayos del sol...» (C. XIV, § 3.º, página 106).

Los diminutivos en -ejo y -ete siguen el tono general del resto de este tipo de derivación en Fray Luis.

En el sufijo -ico puede apreciarse un grado más de afectividad y cierto eco de rusticidad que acompañan a la idea de pequeñez o poquedad, por ejemplo becerricos: «Cuando vemos otrosí los *becerricos* correr con grande orgullo de una parte a otra, y los corderillos y cabritillos apartarse de la manada» (C. XII, § 3.º, pág. 93). En este ejemplo el diminutivo en -ico parece desprender mayor afectividad que los en -illo, como puede comprobarse en el párrafo completo, en el que en breves renglones aparecen siete diminutivos, uno en -ito, *jilguerito*, otro en -ico, además del citado, *pajarico*, y cuatro en -illo, los dos mencionados y *gatillos* y *perrillos*.

Desgastado el sufijo -illo en la expresión afectiva a causa del uso excesivo que de él hace Fray Luis, la alternancia con otros sufijos pone en éstos, menos frecuentes, la nota amorosa casi desaparecida en aquél, limitado a su señalar narrativo o disminuidor. Citaré el párrafo completo:

> «Y lo que pone más admiración es que todas aquellas *plumillas* que visten este cuello, son tan parejas y tan iguales entre sí, que ni una sola se desordena en ser mayor o menor que otra.

De donde resulta parecer más aquella verdura una pieza de seda verde, como dijimos, que cosa compuesta de estas *plumillas*. No faltaba aquí sino una corona real para la cabeza de esta ave, más en lugar de ella tiene aquellas tres *plumillas* que hacen como diadema, y son el remate de la hermosura de esta ave. Y como tengan estas tres *plumicas* tanta gracia, y no sirven más que para su hermosura, vese claro que de propósito se puso el Creador a pintar esta ave tan hermosa» (c. XXII, § 2.º, pág. 167).

El sufijo -ito acentúa la afectividad todavía más que el sufijo -ico y tiene un matiz de finura que no posee éste. El sentido afectivo está teñido, a veces, de cierto regusto imaginativo, como en casita; he aquí el párrafo completo:

«Porque ¿qué cosa más vil y despreciada que un caracolillo? Éste carece de ojos, más no carece de armas defensivas; porque en lugar de ellos tiene dos *cuernecitos* muy delicados y muy sensibles, con los cuales tienta y siente todo lo que le puede ser dañoso. Y topando con alguna cosa que le sea molesta, luego se encoge y retrae en su *casita*, que es el reparo y acogida que le dio el que lo creó, conforme a su pequeñez» (c. XVI, § 1.º, pág. 121).

Las palabras siguientes al diminutivo constituyen la explicitación de su cargazón psicológica.

En el caso siguiente fija el alcance afectivo en la calificación del adjetivo al sustantivo, también diminutivo: «Así como en la fábrica de aquellos animalillos *pequeñitos* que dijimos, nos quiso mostrar la sutileza y grandeza de su poder y sabiduría...» (C. XXII, § 2.º, pág. 165).

En todos los sufijos hay ejemplos de diminutivos narrativos, dado el crecido número de repeticiones de algunas formas.

Para terminar, señalaremos algunas palabras no recogidas entre los diminutivos dados como la forma *campañilla*

(C. XXVI, § 4.º, pág. 192), distinta semánticamente de la señalada (C. XIV, § 2.º, pág. 103), y *lengüeta* (C. XXVI, página 184), por ejemplo.

CERVANTES

De la obra cervantina, cuyos diminutivos hemos fichado en su totalidad, vamos a estudiar los de las siguientes obras: *El Ingenioso Hidalgo Don Quijote de la Mancha* [20], *El Licenciado Vidriera* [21], *El laberinto de amor* [22] y la *Elección de los Alcaldes de Daganzo* [23]. Tenemos publicado un artículo sobre «El diminutivo en *La Galatea*», ya mencionado, y otro titulado «El diminutivo en Cervantes» [24], que completarán la visión del empleo y funciones que desempeña este derivado en la obra cervantina.

Algunos de los diminutivos considerados como tales poseen, no obstante, cierto carácter de especialización de la forma que hace difícil su inclusión o exclusión de la lista de derivados, como cañutillo, «oro de *cañutillo*» (I, XXXI, 3.º, pág. 131); «un ciento de *cañutillos* de suplicaciones» (II, XLVII, 7.º, pág. 188). En cambio está plenamente especializado el sufijo en el diminutivo *almohadilla,* la cual sirve para clavar en ella los alfileres, sinónimo, pues, de acerico, derivado de faz.

---

[20] Cervantes, *El Ingenioso Hidalgo Don Quijote de la Mancha,* Clásicos Castellanos, ocho tomos, Madrid, 1941.

[21] Cervantes, *Novelas Exemplares,* ed. Schevill y Bonilla, t. II, Madrid, MCMXXIII.

[22] Cervantes, *Comedias y Entremeses,* ed. Schevill y Bonilla, t. II, Madrid, MCMXV.

[23] Cervantes, *Ibid.,* t. IV, Madrid, MCMXVIII.

[24] Emilio Náñez, «El Diminutivo en Cervantes», *Anales Cervantinos,* tomo IV, Madrid, 1954.

En general los diminutivos en -ete están más cerca del significado positivo que los restantes derivados. Deben considerarse como plenamente positivos *maretas*, quizá *paleta*, en la expresión «de paleta» o «en dos paletas», como también en Quevedo; *carreta* y otros.

Tampoco se incluyen formas como *vainillas*, en la actualidad *vainicas*, labores femeninas; «*palillos* de randas», llamados también *bolillos; palillos* de dientes, etc. Si la presencia del determinante parece estar reñida con la especialización de sentido, téngase en cuenta, por el contrario, que dado el contexto extralingüístico puede prescindirse de aquél.

La forma *cantillo* (I, XXX, 3.º, pág. 119, y I, XLVIII, 4.º, página 239), con la significación de 'esquina', también queda descartada, como quedó excluida la forma cantón de *La Diana* (4.º, pág. 165). Esta última forma se oye en la actualidad en algunos lugares de la provincia de Palencia, como Frómista.

No hemos tenido en cuenta diminutivos de nombres propios como los tradicionales de *Andradilla* y *Lazarillo* de Tormes; en el análisis de los diminutivos de esta obra tampoco lo tuvimos en cuenta, aunque aparece el positivo, ya que el diminutivo es el auténtico hipocorístico, y lo que habría que considerar sería la función estilística del positivo en oposición al diminutivo.

No obstante, por pertenecer plenamente a la obra y guardar cierta relación nominal con el nombre paterno consignamos el hipocorístico *Sanchica;* pero la distinta función que desempeña en relación a otros derivados puede verse fácilmente al compararlo con el diminutivo *Sanchuelo*, frente a los numerosos positivos empleados normalmente para la denominación del personaje. Igual contraste se aprecia entre Ginés y *Ginesillo*.

Los topónimos también quedan excluidos en este análisis, según venimos haciendo, como en los casos de *Hondilla* de Granada y *Ventillas* de Toledo, verdaderas denominaciones de lugares. En cambio no lo es *tendillas* (I, III, 1.º, página 107), las cuales se encontraban en cierta plaza.

Hemos suprimido otras formas, por ejemplo en -ino, -on, como *palomino, perdigón*, por la especialización de la forma para su significado y no haber otras razones en contra, como existieron en otros casos.

Con todo lo cual venimos a corroborar una vez más nuestro aserto de que los estudios que prestan un valor excesivo a la estadística están muy fuera de la realidad, sobre todo si se trata de estudios de carácter estilístico, ya que en éstos un solo caso con verdadero valor característico puede invalidar otros muchos ejemplos en contra.

Pasemos ahora a estudiar las principales funciones de los diminutivos.

En el *Quijote* el sufijo -illo sigue la norma general y significa disminución, ya sea en sentido conceptual o axiológico, derivándose de éstos los demás valores.

A veces es signo de ponderación y realza una cualidad u objeto con una gracia especial y de manera muy distinta de la expresada cuando se emplea un adverbio o un adjetivo:

«si así no fuera, palabras, y razones le dijo Sancho, que merecían molerle a palos; porque realmente le pareció que había andado *atrevidillo* con su señor...» (II, XXIV, 6.º, pág. 117). «Lo que sé decir —dijo Sancho— es que sentí un *olorcillo* algo hombruno; y debía de ser que ella, con el mucho ejercicio, estaba sudada y algo correosa» (I, XXXI, 3.º, pág. 135). «Sucedió, pues, que a Rocinante le vino en deseo de refocilarse con las señoras facas, y saliendo, así como las olió, de su natural paso y costumbres sin pedir licencia a su dueño, tomó un trotico algo *picadillo* y se fue a comunicar su necesidad con ellas...» (I, XV, 2.º, pág. 10). «...escupió y remondóse el pecho, y luego, con una

voz *ronquilla*, aunque entonada, cantó el siguiente romance...»
(II, XLVI, 7.º, pág. 174).

En la forma casillas (II, II, 5.º, pág. 55, y II, XLII, 7.º, página 95), en el modismo «sacar a uno de sus casillas», Cervantes hace hincapié en la significación disminuidora del sufijo para hacer un juego de palabras en el primero de los ejemplos reseñados. «Mucho me pesa, Sancho, que hayas dicho y digas que yo fui el que te saqué de tus *casillas*, sabiendo que yo no me quedé en mis casas...».

La forma truchuela, a causa de su terminación, aunque no es diminutivo, presta ocasión para otro juego de palabras semejante al anterior, basado en un espejismo lingüístico originado por la forma. He aquí el párrafo:

«A dicha, acertó a ser viernes aquel día, y no había en toda la venta sino unas raciones de un pescado que en Castilla llaman abadejo, y en Andalucía, bacallao, y en otras partes curadillo, y en otras *truchuela*. Preguntáronle si por ventura comería su merced *truchuela*; que no había otro pescado que dalle a comer.

—Como haya muchas *truchuelas* —respondió don Quijote—, podrán servir de una trucha; porque eso se me da que me den ocho reales en sencillos que una pieza de a ocho. Cuanto más, que podría ser que fuesen estas truchuelas como la ternera, que es mejor que la vaca, y el cabrito que el cabrón» (I, II, 1.º, páginas 85-86).

El sufijo -illo, por expresar corrientemente la disminución, cabe apoyarse en él para la comparación ponderativa velada o no, matizada irónicamente: «y la causa fue según malas lenguas, una cierta cantidad de *celillos* que ella le dió, tales que pasaban de la raya y llegaban a lo vedado...» (I, XX, 2.º, pág. 139).

Conmiserativo, matizado de blanda ironía, no exento del deseo de convencer, es el diminutivo siguiente: «Yo iré y

volveré presto —dijo Sancho—; y ensanche vuesa merced,
señor mio, ese *corazoncillo*, que le debe de tener agora no
mayor que una avellana» (II, X, 5.º, pág. 178).

En el siguiente caso se desea despertar, empleando el diminutivo en función activa, la conmiseración de los oyentes:
«Hacía el traidor que sus lágrimas acreditasen sus palabras,
y los suspiros su intención. Yo, *pobrecilla* sola, entre los
mios mal ejercitada en casos semejantes, comencé, no sé en
qué modo, a tener por verdaderas tantas falsedades...» (I,
XXVIII, 3.º, pág. 60).

El valor plenamente despectivo lo encontramos en estos
casos:

> «porque si él las hubiera leído y pasado (las historias caba-
> llerescas) tan atentamente y con tanto espacio como yo las pasé
> y leí, hallara a cada paso como otros caballeros de menor fama
> que la mía habian acabado cosas más dificultosas, no siéndolo
> mucho matar a un *gigantillo*, por arrogante que sea; porque no
> ha muchas horas que yo me vi con él, y... quiero callar...» (I,
> XXXVII, 3.º, pág. 308). «¿No sabes tú, *licenciadillo* menguado,
> que lo podré hacer, pues, como digo, soy Júpiter tonante, que
> tengo en mis manos los rayos abrasadores con que puedo y
> suelo amenazar y destruir el mundo?» (II, I, 5.º, pág. 37).

El sufijo -illo adquiere sentido insultante en el diminutivo Ginesillo, que parece celar alguna alusión a algún enemigo de Cervantes (I, XXII, 2.º, pág. 214; dos en pág. 215; una
en pág. 226 y pág. 247; I, XXX, 3.º, pág. 126, y II, XXVII,
6.º, pág. 178).

En cambio, parece no poseer ninguna significación axiológica, sino hipocorística, en el ejemplo siguiente: «...y dis-
cípulo del famoso *Escotillo* ...» (II, LXII, 8.º, pág. 139).

Un caso semejante lo tenemos con el sufijo -ete: «...como
hablaban (los animales) en tiempo de Guisopete...» (I, XXV,
2.º, pág. 282). En éste lo cómico del nombre está más que

en la terminación, como dice Rodríguez Marín en nota, en la explotación paronomásica que Cervantes hace del nombre Isopet o Isopete, de las conocidas colecciones medievales.

La función activa del diminutivo que demuestra el interés codicioso de lograr una cosa aparece en este ejemplo: «y así, suplico a vuesa excelencia mande a mi marido me envíe algún *dinerillo*, y que sea algo qué» (II, LII, 7.º, página 299).

El sufijo -uelo posee dejo rústico y pastoril, por lo que es frecuentemente empleado en párrafos de entonación retórica pastoril; en tales casos su función es equilibradora con el adjetivo antepuesto, casi siempre presente, como en los diminutivos *arroyuelo* y *pedrezuelas* (I, L, 4.º, pág. 278; I, XXV, 2.º, pág. 295; II, XXXV, 6.º, pág. 338; II, LXVII, 8.º, pág. 225). Otras veces está empleado el diminutivo en -uelo aisladamente designando términos rurales a los que se quiere aludir con cierto desdén debido a su poco tamaño, tales como *costezuela* (I, XVIII, 2.º, pág. 88), *montañuela* y *serrezuela* (I, XXIII, 2.º, pág. 245 y pág. 246), etc., que son como un eco más del género pastoril.

El sufijo -uelo da también lugar a la formación de diminutivos afectivos, referidos a seres de corta edad, o mirados con afecto y benevolencia, aunque a veces éstos sean más ficticios que reales:

> «...y en los últimos pasos de la vida te alcanzará el de la muerte en vejez suave y madura, y cerrarán tus ojos las tiernas y delicadas manos de tus terceros *netezuelos*» (II, XLII, 7.º, pág. 106). «...y el niño *ceguezuelo*, a quien suelen llamar de ordinario Amor...» (II, LVI, 8.º, pág. 27). «...aquel que llaman Amor, que dicen que es un rapaz *ceguezuelo*...» (II, LVIII, 8.º, pág. 59).

Para terminar de analizar los diminutivos en -uelo señalaremos dos como culminación despectiva, Sanchuelo y bellacuelo, en donde la repetición del sufijo y la adición del adjetivo agudiza el menosprecio ostensiblemente: «—Ahora te digo, *Sanchuelo*, que eres el mayor *bellacuelo* que hay en España. Dime, ladrón vagamundo, ¿no me acabaste de decir ahora...?» (I, XXXVII, 3.º, pág. 310). De la tensión entre estas dos palabras «mayor bellacuelo» se eleva un resplandor de gran expresividad. Este recurso expresivo ha sido frecuentemente utilizado, como, por ejemplo, por Antonio de Trueba, en una frase deliciosa [25]: «Casi siempre, al escupir al cielo le caía la saliva en la frente; pero aun así no escarmentaba el *grandísimo pillito*». La ponderación que se logra no creo que sea razón como para afirmar, como hace Spitzer [26], el cambio del sufijo de diminutivo en aumentativo.

Como ejemplos de acumulación de diminutivos con matiz despectivo aduce Rodríguez Marín, en nota, un ejemplo de Baltasar Gracián en *El Criticón*, parte III, capítulo IX: «¡Qué *cosilla* tan *ruincilla* aquella de allá, acullá! Pues a fe que tienen harto *malas entrañuelas*». Le pasa desapercibido, no obstante, la oposición que hemos mencionado de adjetivo-diminutivo, en la cual radica no poco de la energía expresiva de la frase.

Solamente hemos hallado dos auténticos diminutivos en -ejo, animalejo y zagalejas, más disminuidor objetivo el primero y más artístico el segundo, que se halla en el famoso discurso de Don Quijote a los cabreros. He aquí las citas: «el arminio es un *animalejo* que tiene una piel blanquísima...» (I, XXXIII, 3.º, pág. 192). «Entonces sí que andaban

---

[25] Antonio de Trueba, *Cuentos*, en *Las mejores páginas de la lengua castellana*, 1942, pág. 256.

[26] Leo Spitzer, «Das Suffix - one im Romanischen», etc., pág. 189.

las simples y hermosas *zagalejas* de valle en valle y de otero en otero...» (I, XI, 1.º, pág. 251).

Los diminutivos en -ete tienen generalmente un matiz cómico y despectivo, y muchos de ellos rayan en una significación positiva, tales como *arqueta* (I, III, 1.º, pág. 97), *caleta* (I, XLI, 4.º, pág. 56) y *chufeta* (I, XXXI, 3.º, pág. 147), además de *paleta*, mencionado ya.

De cosa a la que se quita importancia, no exenta de humorismo, es la significación de madrigalete: «Duerme tú, Sancho —respondió don Quijote—, que naciste para dormir; que yo, que nací para velar, en el tiempo que falta de aquí al día, daré rienda a mis pensamientos, y los desfogaré en un *madrigalete*, que, sin que tú lo sepas, anoche compuse en la memoria» (II, LXVIII, 8.º, pág. 241).

El menosprecio puede desempeñar un papel activo en el lenguaje para despertar la compasión:

> «Si vuestra merced, señor caballero, lleva alguna cosa con que socorrer a estos *pobretes*, Dios se lo pagará en el cielo, y nosotros tendremos en la tierra cuidado de rogar a Dios en nuestras oraciones por la vida y salud de vuestra merced, que sea tan larga y tan buena como su buena presencia merece» (I, XXII, 2.º, pág. 212).
>
> «...que aquellos señores no le dieron esa vara para que maltratase a los *pobretes* que aquí vamos, sino para que nos guiase y llevase adonde su Majestad manda» (I, XXII, 2.º, pág. 218).

El sufijo -ico tiene señalado carácter regional manchego y da lugar a la formación de diminutivos de gran expresividad. Con él forma Cervantes derivados que denotan el gran aprecio con que se miran ciertos objetos: «Estaba Sancho sobre su rucio, con sus alforjas, maleta y repuesto, contentísimo, porque el mayordomo del Duque, el que fue la Trifaldi, le había dado un *bolsico* con docientos escudos de oro, para suplir los menesteres del camino, y esto aún no lo sabía don Quijote» (II, LVII, 8.º, pág. 37). En cambio, cuando han pasado los primeros momentos del contento producido por el regalo, el bolsico ha quedado reducido a los límites de la objetividad, y entonces se le denomina, con cambio de sufijo, bolsilla (II, LVIII, 8.º, pág. 46).

Por ser -ico sufijo que expresa en grado sumo la afectividad positiva, es muy idóneo para la expresión irónica, que se manifiesta a modo de interjección centelleante, y para la reconvención humorística y cariñosa, por lo que cuadra muy bien en el lenguaje activo:

«Porque ¿dónde se ha de sufrir que un caballero andante tan famoso como vuestra merced se vuelva loco, sin qué ni para qué, por una...? No me lo haga decir la señora; porque por Dios que despotrique y lo eche todo a doce, aunque nunca se venda. ¡*Bonico* soy yo para eso! ¡Mal me conoce! (I, XXV, 2.º, página 317). «¡*Bonico* soy yo para encubrir hurtos! Pues, a quererlos hacer, de paleta me había venido la ocasión en mi gobierno» (II, LVII, 8.º, pág. 43).

«—Y ¿qué tejes?

—Hierros de lanzas, con licencia buena de vuesa merced.

—¿*Graciosico* me sois? ¿De chocarrero os picais? ¡Está bien!» (II, XLIX, 7.º, pág. 236).

«que con decir: «Somos fulano y fulana, que nos salimos a espaciar de casa de nuestros padres con esta invención, sólo por curiosidad, sin otro designio alguno», se acabara el cuento, y no *gemidicos*, y *lloramicos*, y darle» (II, XLIX, 7.º, pág. 247).

«—Mas ¡jo, que te estrego, burra de mi suegro! ¡Mirad con qué se vienen los *señoricos* ahora a hacer burla de las aldeanas, como si aquí no supiésemos echar pullas como ellos! Vayan su camino, e dejennos hacer el nueso, y serles ha sano» (II, X, 5.º, pág. 191).

«¡Tate, tate *folloncicos*! / De ninguno sea tocada; / Porque esta empresa, buen rey, / Para mi estaba guardada» (II, LXXIV, 8.º, pág. 333).

El empleo de diminutivos a modo de llamadas irónicas es frecuente en el lenguaje hablado, por ejemplo, en Juan Ruiz de Alarcón, *La prueba de las promesas* [27]:

> Lucía. — No me fregonice tanto,
> Ni piense desvanecido
> Que un don tan recien nacido
> puede a nadie dar espanto.
> Tristán. — ¡*Remoqueticos* al don!
> ¡Huélgome, por vida mía.
> Mas escúchame, Lucía;
> Que he de darte una lición...

El sufijo presta una gracia especial en casos como los siguientes:

«La moza, viendo que su amo venía, y que era de condición terrible, toda *medrosica* y alborotada, se acogió a la cama de Sancho Panza, que aún dormía, y allí se acurrucó y se hizo un ovillo» (I, XVI, 2.º, pág. 44).

«...quiriendo don Quijote levantar a su encantada señora en los brazos sobre la jumenta, la señora, levantándose del suelo, le quitó de aquel trabajo, porque haciéndose algún tanto atrás, tomó una *corridica*, y puestas ambas manos sobre las ancas de la pollina dió con su cuerpo, más ligero que un halcón, sobre la albarda» (II, X, 5.º, pág. 193), «...tomó un *trotico* algo picadillo...» (I, XV, 2.º, pág. 10).

El cuidado cariñoso en palmadicas: «Bien haya quien nos quitó ahora del trabajo de desenalbardar el rucio; que a fe que no faltaran *palmadicas* que dalle, ni cosas que decille en su alabanza...» (I, XXV, 2.º, pág. 297).

El sufijo refuerza la idea expresada por el tema, al que añade frecuentemente otros matices, como el captativo:

---

[27] Juan Ruiz de Alarcón, *La prueba de las promesas*, Acto II, Biblioteca de Autores Españoles, vol. 20, pág. 441.

«Si vuesa señoría fuese servido de darme una *tantica* parte del cielo, aunque no fuese más de media legua, la tomaría de mejor gana que la mayor ínsula del mundo» (II, XLII, 7.º, página 94). «Si (tratáredes) de la amistad y amor que Dios manda que se tenga al enemigo, entraros luego al punto por la Escritura Divina, que lo podeis hacer con *tantico* de curiosidad...» (I, Prólogo, 1.º, pág 17).

Y en nota, Rodríguez Marín escribe: «Decir tantico o tantito en significación de una chispa, un ápice, un poquito, es como decir tanto así, señalando con el dedo pulgar, o con el índice, una cosa mínima de otro dedo: el canto de la uña, verbigracia. Era y es diminutivo muy usado por el pueblo...». Y a continuación dos ejemplos: uno en -ico, tomado del Archivo Histórico Nacional, Inquisición de Toledo, leg. 96, número 267, y otro en ito, de Santa Teresa de Jesús, *Vida*, capítulo XXXI.

Los otros dos ejemplos de tantico son: «De ser conde no estuvo en un *tantico*...» (I, LII, 4.º, pág. 331); «...aunque veo en él una cierta aptitud para esto de gobernar, que atusándole *tantico* el entendimiento, se saldría con cualquiera gobierno...» (II, XXXII, 6.º, pág. 279).

El cuidado sigiloso forma diminutivos como los siguientes: «¿No vean aquel moro que *callandico* y *pasito a paso*, puesto el dedo en la boca se llega por las espaldas de Melisendra?» (II, XXVI, 6.º, pág. 159).

Rodríguez Marín en nota escribe:

Callandico, diminutivo familiar de gerundio, como ¡andandito! y otros. En una seguidilla andaluza (núm. 3.616 de mi colección de Cantos populares españoles):

Yo me estoy muriendito;
Yo estoy cadáver:
Estos pícaros celos
Muerto me traen...

Y en la nota siguiente:

> Estos modos adverbiales como paso a paso y poco a poco
> se extreman en cuanto a su significación haciéndolos diminu-
> tivos. Ir paso a paso es ir despacio; ir pasito a paso es ir
> despacito, o muy despacio. Y aún pasito a pasito y poquito a
> poquito se suele decir en Andalucía, donde para ponderar la
> pequeñez de una cosa llegan hasta decir que es *rechiquirrititilla*,
> dejándose atrás, por ineficaces y poco expresivos, los diminuti-
> vos chiquito, chiquitito, chiquititillo, o chiquirritillo, chiquirri-
> titillo, y aun rechiquititillo, pues suelen anteponerle el *muy*.

Aunque no sea muy de momento la discusión de estas
palabras, diremos, no obstante, que si objetivamente consideradas puede ser cierto lo dicho por Rodríguez Marín, no
ocurre así en la mayoría de los casos en que se hace visible
el recogimiento íntimo que da lugar a que el diminutivo
preste distintas funciones. Así, el adjetivo en grado superlativo puede indicar el aprecio sumo más bien que la idea del
adjetivo en el grado superlativo, como en la poesía «¿Te la
digo, resalá?», de Rafael González Castell [28]: «¡Ay, mi hijita
primera! / ¡y mi hijita segunda! / ¡y mi hijita tercera! ...
/ ¡Ay, mis hijas chiquitas lo que yo os quiero! / Pero, ¡de
qué manera / quiero a mi *chiquitísima* nena tercera!». La
predilección del padre por su hija menor está, en realidad,
expresada por el superlativo.

Suele haber siempre una finalidad más o menos encu-
bierta, cual puede ser la captativa en la repetición del adverbio, como en este caso de Fray Antonio de Guevara en las
Epístolas familiares [29]: «Si querer tú, Alfaquí, parar aquí *po-*
quito poquito, mi contar a ti cosa asaz grande, que rey Chi-

---

[28] Rafael González Castell, «¿Te la digo, resalá?», *Las mil mejores
poesías de la lengua castellana*, pág. 594.

[29] Fray Antonio de Guevara, *Epístolas familiares*, segunda parte,
Epístola VI, Biblioteca de Autores Españoles, vol. 13, pág. 197.

quito y madre suya facer aquí». La repetición del adverbio
indica conceptualmente y equivale a «muy poco», pero la repetición de la forma derivada introduce ya nuevas valencias.
Compárese, por ejemplo, con esta expresión del mismo Quijote: «... saliese de aquellos matorrales y se dejase de hacer
disparates, y se pusiese luego luego en camino del Toboso...»
(I, XXXI, 3.º pág. 136).

La anteposición del muy es signo objetivo, en tanto que
las adiciones del sufijo son más bien signo de subjetividad.
Compárense los dos casos siguientes, en que uno de ellos
lleva el adverbio muy:

> «y estando en esto, se llegó Sancho Panza al oído de su señor
> y muy *pasito* le dijo...» (I, XXIX, 3.º, pág. 90).
>
> «—¡*Pasito*, mi señor don Quijote de la Mancha! —dijo el
> Duque—; que adonde está mi señora doña Dulcinea del Toboso
> no es razón que se alaben otras fermosuras» (II, XXX, 6.º, pá-
> gina 229).

De esta forma surge el adverbio en -mente, como en este
ejemplo: «Sin decir nada a nadie, ni a mi señor tampoco,
bonita y pasitamente me apeé de Clavileño, y me entretuve
con las cabrillas...» (II, XLI, 7.º, pág. 90).

Paralelo en la significación a pasito es quedito:

> «—Mirad lo que decís, licenciado, no os engañe el diablo
> —replicó el loco—; sosegad el pié, y estaos *quedito* en vuestra
> casa, y ahorrareis la vuelta» (II, I, 5.º, pág. 37). «Venía pisando
> *quedito*, y movía los pies blandamente» (II, XLVIII, 7.º, pági-
> na 207).

El sufijo -ico expresa predominantemente la afectividad
de manera especial, aunque el sufijo -ito lo pone de manifiesto de modo más delicado. Por ello, lo mismo que ocurre
respecto al sufijo -ico, se forman los diminutivos irónicos y

humorísticos con -ito, y adquiere mayor intensidad la expresión:

> «—¡Tomá que mi agüelo! —respondió la aldeana—. ¡*Amiguita* soy yo de oir resquebrajos! Apártense y déjenmos ir y agradecérselo hemos» (II, X, 5.º, pág. 192). «—¡A feé que agora que no hay pariente pobre! ¡*Gobiernito* tenemos! ¡No, sino tómese conmigo la más pintada hidalga; que yo la pondré como nueva!» (II, L, 7.º, pág. 262). «A lo que dijo don Quijote, sonriéndose un poco:
>
> —¿*Leoncitos* a mí? ¿A mí *leoncitos*, y a tales horas?» (II, XVII, 5.º, pág. 304).

Por la semejanza que guarda la frase siguiente con algunas de las mencionadas, sobre todo en las que interviene el diminutivo en -ico, no hay duda de que Cervantes empleó la forma bonito equiparándola a bonico, y no con la significación de guapo, hermoso que tenía antes y tiene ahora:

> «—Eso juro yo bien —dijo Sancho—: cuchillada le hubieran dado, que le abrieran de arriba abajo como una granada, o como a un melón muy maduro. ¡*Bonitos* eran ellos para sufrir semejantes cosquillas! Para mi santiguada que tengo por cierto que si Reinaldos de Montalbán hubiera oído estas razones al *hombrecito*, tapaboca le hubiera dado, que no hablara más en tres años» (II, XXXII, 6.º, pág. 263).

El diminutivo con sufijo -ito da a la frase una gracia especial, tiñéndola de suave humor con finalidad persuasiva. Así habla Sancho:

> «—Querría que vuesa merced me la hiciese de salir a la puerta del castillo, donde hallará un asno rucio mío: vuesa merced sea servida de mandarle poner, o ponerle, en la caballeriza; porque el *pobrecito* es un poco medroso, y no se hallará a estar solo, en ninguna de las maneras» (II, XXXI, 6.º, pág. 236).

El encarecimiento de una cosa suele expresarse con una palabra en forma diminutiva, haciendo con ello un llamamiento a la imaginación, que degusta previamente la posesión del objeto:

> «Si vuesa merced quiere un *traguito*, aunque caliente, puro, aquí llevo una calabaza llena de lo caro, con no sé cuantas *rajitas* de queso de Tronchón, que servirán de llamativo y despertador de la sed, si acaso está durmiendo» (II, LXVI, 8.º, página 217).

Para terminar, señalaremos un diminutivo en que el sufijo es signo especial de cariño:

> «Real y verdaderamente —respondió el del Bosque—, señor escudero, que tengo propuesto y determinado de dejar estas borracherías destos caballeros, y retirarme a mi aldea, y criar mis *hijitos*, que tengo tres como tres orientales perlas» (II, XIII, 5.º, pág. 235).

Todos los diminutivos en -ito se hallan en la Segunda parte del *Quijote*, excepto cinco: *cajita, pinganitos, tablitas* y un caso de *pasito* y otro de *poquito*, que se encuentran en la primera.

La expresión «a pies juntillas» («malas lenguas quieren decir que ha estado encinta dél; pero él lo niega *a pies juntillas*», II, LII, 7.º, pág. 304) presenta en la literatura algún caso de concordancia, así en el *Guzmán de Alfarache*, de Mateo Alemán [30]: «Neguéselo todo *a pié juntillo*, afirmando ser falso testimonio que me levantaban...».

En el *Licenciado Vidriera*, no obstante el exiguo número de auténticos diminutivos, tienen un alto valor expresivo. Si el diminutivo *redomilla* (pág. 106) es simplemente disminuidor, sonetillo desempeña una función activa: «Vuessas mercedes escuchen un *sonetillo*, que anoche a cierta ocasión

---

[30] Mateo Alemán, *Guzmán de Alfarache*, Clásicos Castellanos, edición Gili y Gaya, cinco vols., Madrid, 1926-1936; segunda parte, libro III, cap. VII, vol. V, pág. 115.

hize, que a mi parecer, aunque no vale nada, tiene un no se que de bonito...» (pág. 93).

Y el humor amargo se rezuma en este derivado: «De los maestros de escuela dezia que eran dichosos, pues tratauan siempre con angeles, y que fueran dichosissimos, si los *angelitos* no fueran mocosos» (pág. 90).

El *Laberinto de Amor* es más bien abundante en diminutivos, en los que la nota general es la propia del carácter de la obra, es decir, de la comedia; por lo tanto, la función activa será la más extendida. En ella sobresalen los siguientes ejemplos, aunque matizados diversamente:

> IUL. Diganos, señor: ¿qué millas
> desde aqui a Novara avrá?
> MAN. Treinta a lo mas que creo está.
> CAZ. 2. Y dos mas; son *angostillas*
>
> (I.ª, pág. 236).

> TAC. ¿*Carticas* a tal tiempo?
>
> (III.ª, pág. 325).

> POR. ...y assi, me assiento y suplico,
> si mi ruego puede tanto,
> que os alceys del rostro el manto
> otro poco, otro *tantico*.
>
> (II.ª, pág. 290).

> POR. Con gran paciencia te escucho,
> *mancebito* de traviessa.
> Vayase y dexenos yr,
> y serále muy mas sano.
> ....
> POR. Atruenasme las orejas,
> *mancebito*, y no te entiendo.
>
> (I.ª, págs. 250-251).

De los diminutivos del entremés de *La elección de los alcaldes de Daganzo* es sin duda alguna éste el que tiene más fuerza expresiva:

BER.   Y lo requiero (ser alcalde);
pues quando estoy armado a lo de Baco,
assi se me aderezan los sentidos,
que me parece a mi que en aquel punto
podría prestar leyes a Licurgo
y limpiarme con Bartulo.

PAN.   *¡Passito*
que estamos en concejo!

(Pág. 49).

Los siguientes son una prueba de cuán distintos caminos seguía el idioma en la boca del pueblo y en la pluma del purista Fernando de Herrera:

MUS.   Pisaré yo el *polvico*
atan *menudico*;
pisaré yo el polvò,
atan menudò.

(Pág. 54).

Y lo mismo cabe decir de la expresión adverbial «*a pies juntillas*» (pág. 41) y del diminutivo *gitanillas* (pág. 52).

Puede apreciarse hasta qué punto el idioma es una estructura, es una combinación de nociones, de valores que se apoyan unos a otros, o se oponen, como en el siguiente ejemplo, en que la terminación del topónimo da lugar para una apostilla humorística:

PAN.   De las varas ay quatro pretensores:
....
que puedan governar, no que a Dagançо,
sino a la misma Roma.

ALG.   A Romanillos.

(Pág. 43).

Antes y ahora el idioma ha roto siempre toda clase de trabas, saltando con fuerza avasalladora los estrechos límites en que se le ha querido encerrar. Pero fuerza es también reconocer que sin estas ligaduras, que suelen frenar serenamente los ímpetus violentos, la lengua sería bien pronto víctima de sus propias frondosidades excesivas, como vemos que ocurre en lugares en que la norma académica apenas se deja sentir.

Para acabar, diremos que en Cervantes se aprecian dos grandes tipos de diminutivos: aquellos que tienen entrada en frases estereotipadas de resonancia pastoril y, en general, en los lugares cuyo estilo ha sido más cuidado; en estos casos se vislumbra alguna afectación, debida a las funciones estéticas a las que se somete el derivado al considerársele como elemento equilibrador de la cargazón impresionista del epíteto, por lo que el diminutivo carece de auténtica energía expresiva. Pasa, de esta manera, a ser un elemento más de una fórmula: epíteto — sustantivo con sufijo diminutivo.

El otro grupo lo constituyen los diminutivos tomados directamente de la jugosa savia natural, afortunadamente más abundantes, y matizados en su mayoría, de forma sobresaliente, por el humor irónico de Cervantes.

GÓNGORA

Góngora es una cima egregia del Parnaso español, la culminación poética de la expresión sutil y culta de la belleza. Góngora es un virtuoso de la palabra, con la que acaricia los sentidos y la inteligencia, o, por el contrario, los tortura, sometiéndolos a una seguida gimnasia con sus juegos de malabarista del verbo.

Por lo que respecta al estudio del diminutivo en Góngora, lo agruparemos en dos partes: una, los diminutivos de *Las*

Soledades [31] y los de la *Fábula de Polifemo y Galatea* [32], y otra, los de algunos romances, letrillas, sonetos y canciones.

El diminutivo en las *Soledades* y en el *Polifemo* está sometido, como en toda composición poética, a las normas métricas que la presiden. No tiene casi otra función que la que se desprende de él como categoría sonora a la que acompaña la significación dada por una tradición literaria culta; no pocas veces equivale al positivo, ya que se trata de diminutivos de sustantivos casi en su totalidad, y en su relación con el adjetivo lo mismo va éste antepuesto que pospuesto, aunque es más característica la formación que lleva el adjetivo pospuesto que el epíteto, ya que se da con todos los sufijos. Compárese, por ejemplo:

> ...al tiempo que —de flores impedido
> el que ya serenaba
> la región de su frente rayo nuevo—
> purpúrea *terneruela*, conducida
> de su madre...
>
> (Pág. 54).

> No excedía la oreja
> el pululante ramo
> del *ternezuelo* gamo,
> que mal llevar se deja...
>
> (Pág. 56).

> Sellar del fuego quiso regalado
> los gulosos estómagos el rubio,
> imitador süave de la cera,
> *quesillo* —dulcemente apremiado...
>
> (Pág. 77).

> Del carro pues febeo
> el luminoso tiro,

---

[31] Luis de Góngora, *Soledades de Góngora*, editadas por Dámaso Alonso, Revista de Occidente, Madrid, 1927.

[32] Góngora, *Antología*, Colección Austral, Buenos Aires, 1943. También hago por aquí las citas de las composiciones menores.

mordiendo oro, el eclíptico zafiro
pisar quería, cuando el populoso
lugarillo...   (Pág. 70).

No el sitio, no, fragoso,
no el torcido taladro de la tierra,
privilegió en la sierra
la paz del *conejuelo* temeroso.
                                                         (Pág. 34).

Si no tan corpulento, más adusto
serrano le sucede,
que iguala y aun excede
al ayuno leopardo,
al *corcillo* travieso...
                                                         (Pág. 82).

El lazo de ambos cuellos
entre un lascivo enjambre iba de amores
Himeneo añudando,
mientras invocan su deidad la alterna
de *zagalejas* cándidas voz tierna
y de garzones este acento blando.
                                                         (Pág. 72).

Cóncavo frexno...
verde era pompa de un *vallete* oculto...
                                                         (Pág. 79).

La combinación simétrica por excelencia en la que interviene el diminutivo es la siguiente:

Del pobre albergue a la *barquilla* pobre
geómetra prudente el orbe mida
vuestro planeta...
                                                         (Pág. 101).

La frecuencia de los sufijos -illo y -uelo en una y otra
Soledad es opuesta: mientras en la 1.ª el sufijo predominante
es el -uelo (nueve en la 1.ª por uno en la 2.ª) en la 2.ª el

sufijo más abundante es el -illo (ocho en la 2.ª por cuatro en la 1.ª).

Por los diminutivos del segundo grupo corre un hálito suave de blanda sensualidad y de jugueteo infantil y amoroso; tal es la nota principal que se descubre en los derivados estudiados, como un prenuncio de los diminutivos de la poesía de Meléndez Valdés. He aquí algunos ejemplos.

> «Corona un lascivo enjambre / de *Cupidillos* menores / la choza, bien como abejas / hueco tronco de alcornoque» («Angélica y Medoro», pág. 121). «Todo sirve a los amantes: / plumas les baten, veloces, / *airecillos* lisonjeros / si no son murmuradores» («Angélica y Medoro», pág. 122). «Frescos *airecillos*, / que a la Primavera / le tejeis guirnaldas / ...». «Si está calurosa, / soplad desde afuera, / y cuando la ingrata / mejor os entienda, / decidle, *airecillos*: / 'Bellísima Leda'...» («Frescos airecillos», págs. 125 y 128). «*Tortolilla* gemidora, / depuesto el casto desdén, / tálamo hizo segundo / los ramos de aquel ciprés» («Guarda corderos, Zagala», pág. 124). «Vuelas, oh *tortolilla*, / y al tierno esposo dejas / en soledad y quejas» («Vuelas, oh tortolilla», página 180).

La visión poético-infantil de las trompetas y de las campanas se une a la expresión estético-amorosa, logrando versos de maravillosa belleza que, al repetirse como estribillo, forman el eco reiterante de aquellas trompetas y campanas:

> No son todos ruiseñores
> los que cantan entre las flores,
> sino *campanitas* de plata,
> que tocan a la Alba;
> sino *trompeticas* de oro,
> que hacen la salva
> a los Soles que adoro.
>
> («No son todos ruiseñores», pág. 161).

Esta visión poética de juego en la que participa el diminutivo, como hemos visto en algunos romances, aparecerá más tarde en García Lorca, por ejemplo.

Esta misma visión estética e infantil, plena de emoción por el deseo amoroso, se aprecia en *galeritas*: «La mitad del alma me lleva la mar: / volved, *galeritas*, por la otra mitad». («Para doña María Hurtado, en ausencia de don Gabriel Zapata, su marido», pág. 181.)

Función imaginativa denuncian los sufijos en los casos siguientes:

> «...y en la *tardecica*, / en nuestra plazuela, / jugaré yo al toro / y tú a las muñecas...» «...y en mi *caballito* pondré una cabeza / de guadamecí, / dos hilos por riendas» («Hermana Marica», págs. 133 y 134). «Coma en dorada vajilla / el Príncipe mil cuidados, / como píldoras doradas; / que yo en mi pobre *mesilla* / quiero más una morcilla / que en el asador reviente, / y ríase la gente» («Andeme yo caliente», pág. 139).

En los dos primeros casos, el niño se complace en el juego orientado hacia el futuro, del cual participa ya en su imaginación; en el tercer ejemplo, la función imaginativa hace referencia en el presente a un pasado y a un futuro.

El resto de los diminutivos no tiene una especialización de empleo muy marcada, y los mencionados tampoco denuncian una especialización del sufijo, aunque la visión lúdica del diminutivo parece estar concentrada en los sufijos -ito e -ico.

Con el sufijo -eto se dan formas tomadas más o menos directamente del italiano que funcionan al lado de las correspondientes españolas en -ete: «Yo sé de algún *joveneto* / que tiene muy entendido / que guarda más bien Cupido / al que guarda más secreto». («Manda Amor en su fatiga», pág. 145.)

Algunas de estas formas en -eto pueden verse en Lope de Vega.

En resumen, el diminutivo es empleado por Góngora como una categoría estética que adquiere su más alto nivel cuando desempeña la doble función artística y de juego.

LOPE DE VEGA

De Lope de Vega hemos fichado las siguientes obras: *La Dorotea* [33], *El mejor alcalde, el rey, Fuente Ovejuna* [34], *El perro del hortelano, El arenal de Sevilla* [35] y *Poesías Líricas*, el primer tomo de la colección de Clásicos Castellanos [36].

El principal valor del diminutivo en Lope, dado el carácter de su obra, es el propio del lenguaje activo, como es natural.

El sufijo -illo sirve para la designación despectiva, aspecto que se acentúa mediante la acumulación de diminutivos:

> GERARDA. — ¿Qué ha de tener, si no los celos que le das, míralotodo? ¿Piensas que no te vió mirar a las esculturas en la Merced? ¡Por cierto que son muy lindas! No diera yo por ellas para mi traer, si fuera persona de calzas atacadas, una cinta de seda: *afeitadillas, bachillerillas, bailadorcillas...*
>
> (A. V, E. II, pág. 190).

También puede alternar con otros sufijos.

> GERARDA. — (...) ¿Para qué será bueno que ande de recoleta por un lindo, que todo su caudal son sus *calcillas* de obra y sus

---

[33] Lope de Vega, *La Dorotea*, Colección Austral, Buenos Aires, 1948.
[34] Lope de Vega, *El mejor alcalde, el rey* y *Fuente Ovejuna*, Colección Austral, Buenos Aires, 1949.
[35] Lope de Vega, *El perro del hortelano* y *El arenal de Sevilla*, Colección Austral, Buenos Aires, 1946.
[36] Lope de Vega, *Poesías líricas*, Clásicos Castellanos, dos tomos, Madrid, 1941, vol. 68.

cueras de ámbar, esto de día, y de noche *broqueletes* y espadas, y todo virgen, *capita* untada con oro, *plumillas, vanditas,* guitarras, versos lascivos y papeles desatinados?

(A. I, E. I, pág. 16).

El diminutivo torna en halagos convincentes palabras que dichas con la forma positiva serían insultantes o indiferentes, razón por la que son tan empleados estos derivados en el diálogo, sobre todo en obras del carácter de *La Dorotea* y *La Celestina,* en que se pasa del afecto al enojo y de éste a aquél, fingida o realmente, apenas sin transición alguna. He aquí algunos ejemplos de la primera:

> DOROTEA. — Gerarda mia, estoy muy triste.
> GERARDA. — Calla, *bobilla, desconfiadilla,* que estás abrasando el mundo con la nieve de ese hábito, partido de ese escapulario azul, como miran los astrólogos el cielo con la banda de los signos. ¿Qué piensas que te traigo? Mira, mira, ¡qué búcaro tan lindo! Aquí está *Cupidillo,* aquel de tu edad, aquel dulce *matadorcillo.*
>
> (A. II, E. IV, pág. 61).

> BELA. — Dáselos (veinticuatro reales), Laurencio, si me dice quién de los galanes que pasean a Dorotea es el más favorecido.
> GERARDA. — Tú, *bobillo.*
>
> (A. V, E. II, pág. 191).

> GERARDA. — (...) Cuéntame lo que hay de Fernando; dime todo lo que pasa; que por ventura me debes algunas palabras en tu favor. ¡Qué!, ¿me miras y te ries? Bueno, bueno: deja el arpa, y dame parte de tu alegría; que como tú estés contenta, más que se ahorque don Bela; que más vale haceña parada que amigo molinero, y yo apostaré que dice aquel *bobillo,* polligallo, quiérelo todo: «Por el alabado dejé el conocido, y vine arrepentido».
>
> (A. V, E. X, pág. 223).

El sufijo puede hacer las veces de un resalte ponderativo del gusto que se recibe:

GERARDA. — ¡Cuál está el *tocinillo!* Dame a beber...

(A. II, E. VI, pág. 81).

Otras veces el diminutivo es un rasgo gráfico de gran plasticidad:

CELIA. — *Enojadillo* estás por lo que presumes del amor de Dorotea; que todos los que servimos somos celosos, y más cuanto más privados.

(A. II, E. V, pág. 72).

En este papel puede servirse de la imaginación como instrumento:

FELIPA. — ¡Si la vieses con qué gracia está haciendo *gestillos* a los conceptos, compitiendo con el papel la mano de la pluma, haciéndola más blanca la negra que está sirviéndola!

(A. III, E. V, pág. 117).

El carácter disminuidor del sufijo, el más extenso, está reconocido por el mismo Lope en este ejemplo:

GERARDA. — Compraréle de camino medias y zapatos. ¿Zapatos dije? *Zapatillos,* y aun no es bastante diminutivo. Si la vieses..., no tiene tres puntos de pie, con ser la pantorrilla bizarra cosa; y esto efectivo, efectivo, que no comprado.

(A. II, E. I, pág. 48).

En el sufijo -uelo puede verse hasta qué punto algunos diminutivos se habían especializado, literalizado, en su empleo a causa de su forma, no en el sentido de especialización por cambio de significado, es decir, diferenciación conceptual, sino por estar orientados hacia un motivo poético concreto. Así, de las siete veces que aparece el diminutivo *arroyuelo,* seis tienen lugar en poesías, y la restante en un caso tan característico como el siguiente:

BELA. — Porque esto de pastores, todo es *arroyuelos* y márgenes, y siempre cantan ellos o sus pastoras: deseo ver un día un pastor que esté en un banco, y no siempre en una peña, o junto a una fuente.

(A. II, E. V, pág. 78).

De cosa tenida en poco es la significación de joyuelas:

MARFISA. — ¡Triste de mí! Que si no es mis *joyuelas*, no tengo otra cosa que darte...

(A. I, E. VI, pág. 40).

Y casi plenamente despectivo el siguiente diminutivo:

GERARDA. — (...) Volved, volved en vos, Teodora; no acabe este *mozuelo* la hermosura de Dorotea, manoseándola; que ya sabéis con qué olor dejan las flores el agua del vaso en que estuvieron.

(A. I, E. I, pág. 16).

El diminutivo más señalado de los en -ete es melindroseta, de matiz irónico, combinado con el afectivo del diminutivo en -illo que le sigue, y los dirigidos al oyente:

GERARDA. — ¡Qué *melindroseta* eres, *rapacilla!*

(A. V, E. X, pág. 223).

Este carácter irónico es el más extendido, aparte del disminuidor en sentido especializado. Ejemplos del primer caso, *broqueletes* (A. I, E. I, pág. 16), ya mencionado al hablar de los en -illo, y cadeneta:

GERARDA. — Es verdad que la dificultad ha menester a Hipócrates. ¡Miren qué *cadeneta* en el aire para ponerse anteojos!

(A. I, E. VII, pág. 44).

Y ejemplos del segundo: *cadeneta* (A. V, E. VI, pág. 213) y *naveta* (A. II, E. III, pág. 56 y A. II, E. IV, pág. 62). En cambio, *muleta* (A. V, E. II, pág. 191) es plenamente positivo.

Los diminutivos con el sufijo -ico son afectivos, *Dorotica* (A. II, E. V, pág. 74 y A. V, E. VII, pág. 216), *estrellica* (A. II, E. IV, pág. 67) y *Juanico* (A. V, E. VIII, pág. 219). Los hipocorismos ostentan generalmente familiaridad afectuosa.

Afectivos también son los en -ito:

> GERARDA. — Buena sea tu vida, *angelito*, ramillete de flores, retrato de la limpieza, estanco del aseo, cifra de la hermosura.
>
> (A. II, E. IV, pág. 60).

> GERARDA. — Cansada vienes, Teodora; di que te den un *traguecito* si dura aquello del otro día.
>
> (A. II, E. VI, pág. 80).

Cierto tinte irónico dentro de la afectividad general tenemos en este caso:

> GERARDA. — Hermano Laurencio, hacer bien nunca se pierde. Está afligida la *pobrecita*; que es mañana la boda, y creo que se descuidó con un paje.
>
> (A. III, E. III, pág. 105).

La ironía se muestra más clara en estos ejemplos:

> DOROTEA *(lee)*. — Plegue a Dios, mi bien, que si conozco esa mujer que dices...
> CELIA. — ¿*Celitos*?
>
> (A. V, E. V, pág. 212).

> JULIO. — Celia, señor, Celia: *papelito* tendremos.
> FERNANDO. — ¿De esa manera lo dices, hombre sin alma?
>
> (A. I, E. V, pág. 26).

> CELIA *(Aparte)*. — Otro, *refrancito*. ¡Qué colorada está la madre! parece madroño, y la nariz zanahoria.
>
> (A. II, E. VI, pág. 82).

GERARDA. — (...) Pero no averigüemos culpas: dinos ahora a lo que vienes, y si está tu amo todavía *enojadito* ¡Qué gran ofensa, hablar Dorotica una palabra con un conocido!

(A. V, E. VII, pág. 216).

Si estos ejemplos mencionados es muestra de una ironía benévola, en cambio el siguiente está más cerca del sentido despectivo:

GERARDA. — (...) y finalmente, hombre de disculpa, y no *mocitos* cansados, que se llevan la flor de la harina, y dejan una mujer en el puro salvado, que ya entendéis para lo que será buena.

(A. I, E. I, pág. 16).

El valor principal del diminutivo en las comedias es el activo. Así, con el sufijo -illo, además de la significación disminuidora, puede tener cierto regusto imaginativo:

NUÑO (...)   Y pues estaba pelado,
pon aquel *pavillo* nuevo
a que se ase también,
mientras que baja Fileno
a la bodega por vino.

(*El mejor alcalde, el rey*,
Acto III, pág. 70).

Sentido despectivo presta el sufijo en gitanilla:

FAJARDO.   Aquí
cincuenta escudos metí
en un bolsillo, y bien lleno,
y bien lleno, y sólo hallo
el lienzo y estos papeles.
¡Vil *gitanilla*! Si sueles
para sustentar el gallo
entretener desta suerte
al que dices la ventura
mientras hacerla procura
en el que se ocupa en verte.

(*El arenal de Sevilla*, j. II, pág. 133).

Con el sufijo -uelo se forman diminutivos como *arroyuelo* en *El mejor alcalde, el rey* (Acto I, págs. 12, 13 y 19) con el sentido y empleo que el uso literario le ha conferido; y despectivo en mozuelo:

> COMENDADOR. ¡Que a un capitan cuya espada
> tiemblan Córdoba y Granada,
> un labrador, un *mozuelo*
> ponga una ballesta al pecho!
>
> (*Fuente Ovejuna*, A. II, pág. 108).

En el sufijo -ico viene expresado el afecto como en gitanica y limosnica, empleados con finalidad captativa:

> LUCINDA. (...) Que des a la *gitanica*
> algo con aquesas manos.
> LAURA. ¿Qué me dirás?
> URBANA. Cuentos vanos.
> LUCINDA. Da, pues, una *limosnica*,
> quita el guante, quita presto,
> que la mano ha de mostrar
> lo que quiero adivinar.
>
> (*El arenal de Sevilla*, j. II, pág. 139).

El sufijo -ico forma también diminutivos tradicionales, como *moricos* (*Fuente Ovejuna*, Acto I, pág. 94), y otras veces es signo de la expresión irónica lanzada como un reto insultante, jugueteo verbal que manifiesta insistencia:

> JUEZ. ¿Quién lo mató?
> MENGO. Señor, Fuente *Ovejunica*
> ....
> FRONDOSO. (...) ¿Quién mató al comendador?
> MENGO. Fuente *Ovejunica* lo hizo.
>
> (*Fuente Ovejuna*, A. III, págs. 141 y 142).

Con el sufijo -ito tenemos los siguientes diminutivos:

> PELAYO. A fe que he de presentalle,
> si salimos con el pleito,
> un puerco de su tamaño.
> SANCHO. ¡Calla, bestia!
> PELAYO.   Pues ¿qué? ¿Un puerco
> como yo, que soy *chiquito*?
>
> (*El mejor alcalde, el rey*,
> Acto III, pág. 68).

> MARCELA. ¿Qué es esto?
> TRISTÁN.   Una *mudancita*:
> que a las mujeres imita
> Teodoro.
>
> (*El perro del hortelano*, Acto II,
> Escena VII, pág. 46).

> DIANA. Sepa que no me ha de dar
> más *celitos* con Marcela,
> aunque este golpe le duela.
>
> (*El perro del hortelano*, Acto III,
> Escena XXII, pág. 93).

El sufijo -ejo parece estar relegado a desempeñar papeles exclusivamente despectivos, como en villanejo:

> COMENDADOR. ¡Bueno, a fe de Caballero!
> Pero el *villanejo* cuida...
>
> (*Fuente Ovejuna*, A. II, pág. 109).

Italianismos como pobreto sustituyen a los diminutivos en -ete:

> EMBOZADO 3.º. Eso a *pobretos* lo dan,
> y tiene poca razón.
>
> (*El arenal de Sevilla*, j. I, pág. 122).

> TRISTÁN. (...) dejádmele servir, y yo os ofrezco
> de darle alguna noche dos mojadas,

con que el *pobreto* in pace requiescat,
y yo quede seguro y sin sospecha.

(*El perro del hortelano*, Acto III,
Escena III, pág. 74).

Formas equivalentes a diminutivos se dan en *El arenal de Sevilla* (jornada I, págs. 108, 109) al remedar la manera de hablar de los moros, como *dinerilio* y *cristianilio*.

Apoyándose en el sufijo puede darse el juego de significaciones:

PASCUALA.   ¡Mal garrotillo le dé!
MENGO.   Mala pedrada es mejor.

(*Fuente Ovejuna*, A. II, pág. 111).

Los diminutivos de las poesías líricas, cualquiera que sea su sufijo, poseen unas veces carácter positivo; en ellos se percibe, otras veces, el artificio que ha presidido la confección de la poesía y, casi siempre, un alto exponente lírico matizado de blanda sensualidad y fresca inspiración. Veamos algunos ejemplos:

Rompe el tridente azul rota *barquilla...*

(Sonetos: «El saber puede dañar», pág. 190).

No corráis, *vientecillos,*
con tanta prisa,
por que al son de las aguas
duerme la niña.

(*El mármol de Felisardo*, P. VI, pág. 79).

Corred, *arroyuelos,*
cándida leche,
los corderos retocen...

(*El nombre de Jesús*, A. II, pág. 94).

Si pides señas, tiene el vellocino
pardo, encrespado, y los *ojuelos* tiene
como durmiendo en regalado sueño.

(Sonetos: «Suelta mi manso, mayoral extraño», pág. 149).

En las *mañanicas*
del mes de mayo
cantan los ruiseñores,
retumba el campo.
En las *mañanicas*,
como son frescas,
cubren ruiseñores
las alamedas.

> (Maya, *El robo de Dina*, Parte
> XXIII, pág. 70).

Por el *montecico* sola
¿cómo iré?
¡Ay Dios, si me perderé!

> (*El villano en su rincón*, P. VII, pág. 64).

Naranjitas me tira la niña...

> (*El bobo del colegio*, Parte
> XIV, págs. 75 y 76).

...huéspedes frescos de abril,
instrumentos de sus aves
campanitas del amor
que despertáis los amantes,
llevad mis suspiros,
aires suaves,
al azar de unas manos
que en ellas nacen.

> (*El bobo del colegio*, pág. 76).

Si os partiéredes al alba
quedito, *pasito*, amor,
no espantéis al ruiseñor.
Si os levantáis de mañana
de los brazos que os desean,
porque en los brazos no os vean
de alguna envidia liviana,
pisad con planta de lana,
quedito, *pasito*, amor,
no espantéis al ruiseñor.

> (*El ruiseñor de Sevilla*, Parte
> XVII, pág. 79).

El diminutivo, pues, en Lope de Vega se acomoda en el desempeño de su función al carácter de la obra en cuestión y a la circunstancia que lo motiva, por lo que apenas se echa de ver lo estereotipado del empleo en algunos casos, magníficamente conjugado con la espontaneidad de la propia creación poética de Lope, como puede verse en algunos diminutivos de *La Dorotea* y en las poesías líricas. Por una parte tenemos, por consiguiente, las funciones activas, por otra las efusivas líricas e imaginativas, unidas a cierto sentimiento lúdico poéticamente considerado.

QUEVEDO

Del gran humorista y satírico español del Siglo de Oro, Quevedo, hemos estudiado los *Sueños* [37] que se citan a continuación: *El sueño de las calaveras, El alguacil alguacilado, Las zahurdas de Plutón* y *La visita de los chistes.* Asimismo *Obras Satíricas y Festivas* [38] y la *Historia de la vida del Buscón* [39].

Quevedo, artista «ingenioso», somete el idioma a una prueba continua de posibilidades expresivas. Las palabras se afinan y concentran los distintos significados adensándose en la expresión del contraste. La ironía, la sorna, la burla serán, pues, las significaciones más normales del derivado. Aparece el diminutivo como exponente de una zumba incontenible cuando no se muestra claramente; pero, eso sí, como elemento de cierta distinción dentro de los límites de la ironía queve-

---

[37] Quevedo, *Los Sueños*, Clásicos Castellanos, vol. 31, Madrid, 1916.
[38] Quevedo, *Obras Satíricas y Festivas*, Clásicos Castellanos, vol. 56, Madrid, 1948.
[39] Quevedo, *Historia de la vida del Buscón*, Colección Austral, Buenos Aires, 1946.

desca, elegancia que no tiene el aumentativo, brochazo enérgico de tonos subidos, rabiosos, y del que hace tan frecuente
uso [40].

En esta tensión a la que sin desmayo somete todos los
elementos del idioma, ya aislados ya combinados, es difícil
encontrar, no pocas veces, la veta verdadera, a causa del
juego y pluralidad de acepciones de los vocablos, los cuales
se interfieren y presionan violentamente entre sí hasta el
punto de poderse afirmar que en largos párrafos una palabra,
la última, por ejemplo, sólo adquiere su valoración precisa
teniendo muy presentes todas las anteriores. De aquí nuestra
dificultad muchas veces para discernir la inclusión o exclusión
de una forma en la lista de derivados, para lo que seguimos
la norma que nos hemos trazado. Por ejemplo, no incluimos
ya pañizuelos, equivalente a nuestro actual pañuelo: «No se
vió jamás socorrido de *pañizuelos* mi catarro, ...Y si acaso
alcanzaba algún *pañizuelo*, porque no le viesen al sonarme...»
(*Visita de los chistes*, pág. 271). Ni nombres propios de personajes tradicionales: «en tiempo del rey *Perico*» (Visita de los
chistes, pág. 230). *Moleta* es propiamente un positivo, es la
muela de la botica (*Las zahurdas de Plutón*, pág. 133); *pinicos*
actualmente pinitos (*Buscón*, l. I, c. IV, pág. 29); *abanillo
o manguito* hoy abanico (*Premática del tiempo*, pág. 63), etc.

No falta tampoco el juego de significados a base de una
acepción del diminutivo: «No he tenido peor rato que tuve
en ver sus *gatillos* andar tras los dientes ajenos, como si
fueran ratones...» (*Visita de los chistes*, pág. 207), cuando, en
realidad, es la denominación de unos instrumentos con los
que se extraían las muelas.

Pasemos a considerar algunos diminutivos.

---

[40] Comp. Federico Latorre, «Diminutivos, despectivos y aumentativos en el siglo XVII», *Archivo de Filología Aragonesa*, VIII-IX, 1956-57,
105-120. Se refiere principalmente a Quevedo.

Como una muestra de un tema tan manido por Quevedo,
cual es el queratológico, tenemos el único diminutivo de *El
sueño de las calaveras* —según la edición que seguimos—,
engarzado en frase retintinosa gracias al «no sé qué», tan
distinto del empleado por San Juan de la Cruz. He aquí el
ejemplo: «mas saltó un verdugo y dijo no sé qué de Mecenas
y Octavia, y que había mil veces adorado unos *cuernecillos*
suyos, que los traía por ser día de más fiesta; contó no sé qué
cosas» (pág. 43).

El desprecio burlón, por cosa de poco valer, queda relegado al sufijo -illo; en el primer ejemplo la ironía se percibe
claramente:

> «Hay poeta que tiene mil años de infierno y aun no acaba
> de leer unas *endechillas* a los celos». «Miren el diablo del sastre,
> o diablo es el *sastrecillo*» (*El alguacil alguacilado*, págs. 67 y 73).
> «Así —dijo un diablo—, soltóse el *cocherillo* y no callará en
> diez años» (*Las zahurdas de Plutón*, pág. 111). «Toda la sangre,
> *hidalguillo*, es colorada» (*Id.*, pág. 121). «Era un *hombrecillo*
> menudo, todo chillido...» «Al que acabó de decir esto se llegó
> un *muertecillo* muy agudo...» (*Visita de los chistes*, págs. 231 y
> 230), etc., etc.

Despectivos son también los diminutivos en -uelo y -ete:

> «Y no que andan por ahí unos *mozuelos* con unas lenguas
> de portante matando a cuantos los oyen, y así hay infinitos
> oídos con mataduras». «Si vía con mi mujer *galancetes*, decía
> ¡malo!; si vía mercaderes, decía ¡bueno!» (*Visita de los chistes*,
> págs. 290 y 296).

La ironía está realzada con el sufijo -ico e -ito:

> «¿*Coplica* hay? —dije yo—. No andan lejos de aquí los poe-
> tas» (*Las zahurdas de Plutón*, pág. 149). «Yo no traigo corche-
> tes ni soplones ni *escribanito*» (*El alguacil alguacilado*, pág. 65).
> «Mirad la retahila de infernales sabandijas que se produce de

un *licenciadito*, lo que disimula una barbaza y lo que autoriza una gorra» *(Visita de los chistes*, pág. 244). «Diréis que de puro verdad es necedad: ¡buen *achaquito*, hermanos vivos!» *(Visita de los chistes*, pág. 253). «Y ahora no hay *doncellita* ni *contadorcito* que ayer no tenía que contar sino duelos y quebrantos..., que no se haga la gata de Juan Ramos» *(Id.*, pág. 293).

En las *Obras Satíricas y Festivas* fichadas el sufijo -illo forma diminutivos cuyo valor más señalado es el despectivo:

«...soplón (gozque de las regatonas, *bufoncillo* de los tenientes, trasto de la república...)» *(Premática del tiempo*, pág. 69). «Infierno vale más una vez que barriga dos. ¡Pues la *gentecilla* que hay en la vida y las costumbres!» *(El entremetido y la dueña y el soplón*, pág. 201).

En el abigarrado *Cuento de Cuentos* el diminutivo se acumula, apoyándose en su significar mediante los distintos sufijos empleados despectivamente en son de burla, como en el caso de maridillo, tan expresivo: «Empezó el *maridillo* a echar verbos» (pág. 180). Este diminutivo era muy del agrado de Quevedo a juzgar por las veces que lo empleó de manera tan gráfica como aquí: «Fuerza es que en su mujer / vea el *maridillo* postizo, / que el vestido que él no hizo / otro se lo hizo hacer» [41].

El diminutivo que expresa el valor despectivo de cosa tenida en poco es un auxiliar notable de la intención captativa del hablante:

«...dicen al alguacil: 'Déjeme voacé y váyase con Dios; que yo hago pleito homenaje a fe de caballero de ir a casa del señor alcalde y acomodar esta *causecilla*'; que tal vez será por haber sostraído alguna pieza de plata de casa del señor donde

---

[41] Quevedo, *Obras en verso*, Ed. Aguilar, Madrid, 1932, letrilla V, pág. 76.

entró» *(Capitulaciones de la vida de la corte, y oficios entretenidos en ella*, pág. 95).

El diminutivo marca la cima de la ironía zumbona en una expresión que podría representarse por un plano inclinado: «No es posible sino que cuando vuesa merced me empezó a querer me contó el dinero; porque a la propia hora que se acabó la bolsa espiraron las finezas. No me ha querido un real más, mi alma. ¡Honrado *terminillo* ha tenido!» *(Cartas del Caballero de la Tenaza*, XV, pág. 84).

El sufijo -uelo forma diminutivos que expresan el menosprecio y poco valer, como los numerosos casos de *mozuelo* y *demoñuelo*: «Desde lejos un *demoñuelo* decía...» (*El entremetido y la dueña y el soplón*, pág. 251).

Con este significado no exento de cierta conmiseración tenemos la acumulación que sigue: «La miserable se lo cree, y muy ufana de su venganza, y de que su respeto haya costado pendencia y sangre derramada, saca el *dinerillo* que tiene, y a veces sus *joyuelas* o *plateja*; tómalo el lagarto, y hácese antana...» Y poco más abajo: «La *pobreta* lía su ropa; y con el *dinerillo* que nuevamente ha ganado...» (*Capitulaciones de la vida de la corte, y oficios entretenidos en ella*, pág. 110).

Es el sufijo -ete signo de sorna, aunque el derivado suele estar en esa zona difusa en que se debate el positivo y el diminutivo en -ete: «El de narices meñiques y romas, llamadas *nariguetas...*» *(Libro de todas las cosas y otras muchas más*, pág. 139). De aquí al hipocorismo no hay más que un paso.

Como ejemplos de diminutivos irónicos en -ico copiamos los que siguen: «¿*Ventanicas* para ver toros y cañas, mi vida?» *(Cartas del Caballero de la Tenaza*, IV, pág. 77). «Esto hace peor caldo que los *mojigaticos* que ahí están» *(El entremetido y la dueña y el soplón*, pág. 247).

Mediante el sufijo -ito la expresión irónica se suaviza y la burla se hace menos sangrienta:

> «y al decir ello dirá, ponía una *boquita* escarolada como le dé Dios la salud...» *(El entremetido,* etc., pág. 204). «Pues siendo todo lo que escriben (los cultos tales, no los finos) anocheceres y amaneceres, con irse a la ropería de los soles, se hallan auroras hechas, que les vienen como nacidas a cualquier *mañanita».* «En la platería de los cultos hay hechos cristales fugitivos para arroyos, y montes de cristal para las espumas, y campos de zafir para los mares, y margen de esmeraldas para los *praditos» (Libro de todas las cosas y otras muchas más,* pág. 151).

El mandato cortés lo manifiesta el diminutivo de forma recomendativa: «Cene *poquito, escarolitas;* una ayuda» *(Libro de todas las cosas y otras muchas más,* pág. 145).

De los diminutivos de la *Historia de la vida del Buscón* reseñaremos los siguientes:

Con el sufijo -illo viene expresada la ironía graciosa: «... el porquero se llenó el puño de sal, diciendo: 'Bueno es el *avisillo* para beber', y se lo echó todo en la boca...» (l. I, c. X, pág. 78).

El empleo activo con finalidad captativa lo tenemos aquí: «Anda, *bobillo,* que si te inquietaban mujeres, bien sabes tú que yo...» (l. II, c. VIII, pág. 136).

Signo apreciativo e imaginativo: «Iba yo fiado en mis *escudillos,* aunque me remordía la conciencia de ser contra la orden...» (l. II, c. II, pág. 99). «A la de buenos dientes (enseñaba), que riese siempre... a buenos ojos, lindos bailes con las niñas: ya *dormidillos,* cerrándolos, ya elevaciones, mirando arriba» (l. II, c. VIII, pág. 135).

El sufijo puede ser signo de ponderación desorbitada: «¿No os acordáis que dijisteis a los pollos 'pío, pío' y es Pío nombre de los papas, vicarios de Dios y cabezas de la Iglesia? Papaos el *pecadillo»* (l. I, c. VI, pág. 46).

Completamente opuesta es la función que desempeña el sufijo en este caso, aunque hay un resquicio por donde se vislumbra un gesto irónico: «Declaréle cómo había muerto (mi padre) tan honradamente como el más estirado; cómo le trincharon e hicieron moneda, y cómo me había escrito mi señor tío el verdugo de esto y de la *prisioncilla* de mamá...» (l. I, c. VII, pág. 53).

El sufijo -uelo forma diminutivos de valor despectivo: «parecia, con los cabellos largos y la sotana mísera y corta, *lacayuelo* de la muerte» (l. I, c. III, pág. 21).

En el ejemplo siguiente se da el caso curioso de que el positivo del diminutivo está repetido a continuación como dato conceptual, en tanto que el rasgo axiológico está dado por el diminutivo. La frase dice por sí misma más de lo que pudiéramos decir nosotros: «Llegamos a la puerta, y llamó; abrióle una *vejezuela* muy pobremente abrigada y muy vieja» (l. II, c. I, pág. 91).

Hemos señalado un solo derivado en -ejo, sacristanejo, diminutivo en esa linde del despectivo, de difícil precisión: «sólo el *sacristanejo* comenzó a jurar por vida de las visperas solemnes...» (l. I, c. X, pág. 68).

Los diminutivos en -ete son despectivos, sin tener rasgo sobresaliente ninguno de los señalados, o próximos al positivo. En este sentido, matizado levemente con signo positivo, cabe interpretar el diminutivo Alonsete: «...con esto ya yo tenía nombre, y había llegado a llamarme *Alonsete* porque yo había dicho llamarme Alonso» (l. II, c. IX, pág. 143). Indica familiaridad.

Diminutivo en -ico con valor positivo, nos descubre la función captativa del lenguaje al ser empleado activamente al dirigirse hacia el oyente: «Al fin, yo mudé de *frasecicas* y cogía maravillosa mosca» (l. II, c. VIII, pág. 139).

La valoración positiva del sufijo -ico es denunciada por la comparación de Pablillos y Pablicos, por ejemplo: «no he visto cosa tan parecida a un criado que tuve en Segovia, que se llamaba *Pablillos*, hijo de un barbero del mismo lugar» (l. II, c. VII, pág. 127). «Por cierto que no hay servicio como el de *Pablicos*, si él no fuese travieso» (l. I, c. VI, página 43). En ambos casos aparece la familiaridad, pero teñida afectivamente en el último.

El diminutivo en -ino tiene carácter disminuidor: «un Cristo de bronce traía colgando del cuello, y un *rosarino*» (l. II, c. VIII, pág. 138).

Los diminutivos en -ito, afectivos normalmente, son elementos inapreciables para expresar valores negativos, precisamente a causa del empleo continuo que se hace de este sufijo como signo axiológico positivo. De aquí la expresión irónica, por ejemplo: «Mejor se ha hecho que yo pensaba; quería el *familiarcito* venir tras mí a ver la mujer, pero lindamente le he engañado y negociado» (l. I, c. VI, pág. 46). «El *pobrecito* ahora sin duda, se ensució cuando le dio el mal» (l. I, c. V, pág. 40).

Como un acicate de la imaginación se levanta el diminutivo en raro contraste con el aumentativo que le precede: «porque no he visto, desde que Dios me crió, tan linda cosa como aquella en quien yo tenía asestado mi matrimonio: blanca, rubia, colorada, boca pequeña, dientes menudos y espesos, buena nariz, ojos rasgados y verdes, alta de cuerpo, lindas manazas y *zazosita*» (l. II, c. VII, pág. 126). El sufijo aumentativo que sorprende en esta descripción parece ser un rasgo ponderativo, de valoración neutra, dado el contexto. No obstante podría verse en este aumentativo ese resquicio por donde se cuela el gesto burlón de Quevedo. Más malicioso es el siguiente diminutivo: «No me está bien a mí decirlo, que soy su marido —dijo el hombre—, ni tratar de eso; pero sin pasión, que no me mueve ninguna, se puede gastar con ella cualquier dinero, porque tales carnes no tiene el suelo, ni tal *juguetoncita*» (l. II, c. IX, pág. 141).

En definitiva, el diminutivo en Quevedo es uno de los principales medios expresivos del humor y de la burla. Son, pues, las expresiones negativas, veladas o descubiertas, los medios más idóneos para su manifestación. El idioma, después de salir de las manos de Quevedo, ha quedado convertido en un instrumento apto para cualquier experimento.

CALDERÓN

De don Pedro Calderón de la Barca hemos estudiado tres autos sacramentales: *La cena del rey Baltasar, El gran teatro del mundo* y *La vida es sueño* [42], y dos comedias, *La dama duende* y *La vida es sueño* [43].

Con el estudio de estas obras de Calderón vemos qué poco propicios son los temas alegóricos y abstractos al empleo del diminutivo. En efecto, de los tres autos sacramentales solamente tenemos un derivado en *La cena del rey Baltasar* y ninguno en los otros dos. Este diminutivo encaja perfectamente como elemento imaginativo dentro de una descripción del mismo tipo: «Lisonjas son / los pájaros y las ramas, / haciendo blando rumor / al aire, que travesea, / entre las hojas veloz, / donde aromas de cristal / y pastillas de ámbar son / las *fuentecillas* risueñas / y el prado lleno de olor» (v. 950, pág. 41).

---

[42] Calderón, *Autos sacramentales*, Clásicos Castellanos, vol. 69, Madrid, 1942.
[43] Calderón, *Teatro escogido*, Ed. de la R. A. E., Biblioteca de Autores Clásicos Españoles, VII y VIII, Madrid, 1868, tomo segundo.

Naturalmente, dejo fuera de la lista formas etimológicas como *tenacillas*, ya que va unido el sufijo a una significación concreta.

Las citas de los diminutivos de *La vida es sueño* son:

> CLOTALDO. *(Ap. a los soldados, al salir.)*
> Todos os cubrid los rostros;
> Que es diligencia importante,
> Mientras estamos aquí,
> Que no nos conozca nadie.
>
> CLARÍN. *¿Enmascaraditos* hay?
> (Jor. I, Esc. III, pág. 353).

> CLARÍN. ¿Por qué a mí (encerrarme)?
> CLOTALDO. Porque ha de estar
> guardado en prisión tan grave,
> Clarín que secretos sabe,
> Donde no pueda sonar.
> CLARÍN. ¿Yo, por dicha, solicito
> Dar muerte a mi padre? —No.
> ¿Arrojé del balcón yo
> Al Ícaro de *poquito*?
> ¿Yo sueño o duermo? ¿A qué fin
> me encierran?
> (Jor. II, Esc. XVII, pág. 427).

> ROSAURA. La puerta
> (Mejor diré funesta boca) abierta
> Está, y desde su centro
> Nace la noche, pues la engendra dentro.
> *(Suenan dentro cadenas.)*
> CLARÍN. ¡Qué es lo que escucho, cielos!
> ROSAURA. Inmóvil bulto soy de fuego y hielo.
> CLARÍN. ¿*Cadenita* hay que suena?
> Mátenme, si no es galeote en pena:
> Bien mi temor lo dice.
> (Jor. I, Esc. I, pág. 344).

Como se ve, en los tres ejemplos hay con manifiesta regularidad una expresión irónica centrada por el diminutivo.

Ahora bien, lo que no deja de ser significativo es el hecho de que los tres casos se dan en labios del «gracioso» Clarín, como un rasgo más de este personaje dentro del teatro.

Cuanto más humana y real sea la obra y menos abstracta, tanto más propicia será para el empleo del diminutivo; de aquí el mayor número de estos derivados en *La dama duende*.

En esta obra el sufijo -illo puede expresar la disminución, como en *golpecillo* (Jor. II, Esc. III, pág. 233).

Es prueba de un jugueteo irónico basado en la situación; así en estos ejemplos:

> ¿Mas qué veo? ¡Vive Dios *(Registra la bolsa)*,
> Que en carbones lo convierte!
> *Duendecillo, duendecillo,*
> Quienquiera que seas o fueres,
> El dinero que tú das
> En lo que mandares vuelve.
> Mas lo que yo hurto, ¿por qué?
>
> (Jor. I, Esc. XIV, pág. 215).

> COSME. ¡Triste de mí! ¿Dónde voy?
> Ya éstas son burlas pesadas
> Mas no, pues mirando estoy
> Bellezas tan extremadas.
> ¿Yo soy Cosme, o Amadís?
> ¿Soy *Cosmillo*, o Belianís?
>
> (Jor. III, Esc. VIII, pág. 300).

Mediante la significación disminuidora (que origina un hipocorismo), se obtiene en este ejemplo un rasgo cómico.

Signo despectivo es el sufijo en este caso:

> Por eso estoy harta yo
> De decir (si bien te acuerdas)
> Que mires que no te pierdas
> Por *mujercillas*, que no
> Saben más que aventurar
> Los hombres.
>
> (Jor. I, Esc. VIII, pág. 195).

El diminutivo plazuela con el determinativo que le acompaña está próximo a la especialización, semejantemente a algunos casos de los sainetes de don Ramón de la Cruz. Este es el diminutivo en Calderón:

> ¡Vive Cristo, que parece
> *Plazuela* de la Cebada
> La sala con nuestros bienes!
>> (Jor. I, Esc. XIV, pág. 214).

La prueba irrefutable de la especialización conceptual de este tipo de denominaciones nos la proporciona el hecho de que el derivado en cuestión no es sustituible por otro, por ejemplo, placeta o plazoleta.

Los diminutivos en -ito son irónicos, frailecito y viuditas, y ponderativo tamañito:

> ...porque este estado (el de la viudez)
> Es el más ocasionado
> A delitos amorosos;
> Y más en la corte hoy,
> Donde se han dado en usar
> Unas *viuditas* de azar.
>> (Jor. I, Esc. VII, pág. 190).

DON MANUEL.	¿Qué forma tenía (el duende)?
COSME.	Era un fraile

> *Tamañito*, y tenía puesto
> Un cucurucho tamaño;
> Que por estas señas creo
> Que era duende capuchino.

DON MANUEL. ¡Qué de cosas hace el miedo!
> Alumbra aquí, y lo que trajo
> El *frailecito* veremos.
>> (Jor. II, Esc. XII, pág. 251 y 252).

Mediante el estudio comparativo del empleo del diminutivo en estas obras de Calderón puede afirmarse, una vez más, lo inadecuado de los temas lógicos y abstractos para el desarrollo normal de las funciones del diminutivo. Cuando éste aparece en obras de aquellas características es, precisamente, en momentos en que han quedado relegadas a un trasfondo.

Véase, por el contrario, qué aleteo vital corre por las páginas en que aparece el diminutivo en la comedia _La vida es sueño_, y el número de derivados y funciones, normales ambos, en _La dama duende_, comedia de carácter tan distinto a aquella obra [44].

---

[44] Nunca hemos pretendido extraer conclusiones generales del análisis de las calas literarias que venimos realizando, como podrá comprobar el lector del trabajo original que, ligeramente retocado, presentamos ahora. Manfred Engelbert en un artículo «Zur Sprache Calderóns: Das Diminutiv», _Romanistisches Jahrbuch_, XX, 1969, 290-303, presenta el resultado del estudio de 75 obras de Calderón, que se nos antoja un tanto escaso teniendo en cuenta el corpus de que parte.

RESUMEN

Al comenzar el siglo XVI percibimos un descenso brusco
tanto en el uso del número de sufijos diminutivos y en el
número de éstos, como en la espontaneidad y energía expresiva. En efecto, en el lenguaje de cortesanía de Garcilaso y
en la novela pastoril los diminutivos quedan reducidos a las
formas en -illo y -uelo, es decir, a los diminutivos de tradición literaria, pues aunque en *La Diana* hay un crecido número de formas en -ete, este sufijo se da en una sola palabra, lo que le presta cierto carácter de positivo, a lo cual
contribuye la casi no existencia del positivo propiamente
dicho. La causa última del empleo especial del diminutivo
en Garcilaso y *La Diana* se explica por el carácter de idilio
que ve el mundo en inocencia y simplicidad paradisíacas, lo
cual origina un tipo de formulación, adjetivo + sustantivo
con sufijo, que se repite sin cesar con un grupo de adjetivos
que denotan ese carácter de simplicidad e idilio, a saber,
tierno, simple, manso, dulce... Originan así, a la vez que un
refuerzo expresivo —más señalado y afectivo en el caso de
-uelo—, un equilibrio simétrico de la cargazón expresiva.

Por el contrario, Valdés, aunque cortesano también, imprime a su obra un carácter muy distinto de la visión candorosa del mundo de la novela pastoril, y de aquí surge una
mayor libertad en la expresión que se traduce en el uso de

-ejo y, sobre todo, -ico, además de los sufijos tradicionales
-illo y -uelo. En Valdés el diminutivo en general tiene una
significación disminuidora en la que se apoya la descripción.

La gracia y vivacidad del diálogo están magníficamente
conseguidas en *El Lazarillo*, en lo cual participan la ironía
y el humor que expresan los diminutivos en -illo y -uelo. La
valoración positiva se manifiesta sobre todo por el sufijo -ico
y el -ito, que de nuevo aparece en *El Lazarillo*. El sufijo -ete
está formando derivados con significación casi de positivos
plenos.

Los sufijos diminutivos en Santa Teresa, ordenados según
su importancia numérica, son: -illo, -ito, -ico y -uelo. El número de sufijos -ito alcanza casi al de -illo, y es con mucho
superior al -ico. Prácticamente sólo existen los tres primeros. El sufijo -illo denota disminución de la importancia o
del afecto, el cual está matizado positivamente, más bien
que en sentido despectivo; y los sufijos -ito e -ico denuncian
en deliciosos diminutivos el amor que vivificó el corazón de
la Santa, expresado de manera más fina por el -ito que por
el -ico. Santa Teresa, que no tenía prejuicios literarios ni
trabas que la ligaban a una tradición —en realidad está contra todo esto—, da cabida preferentemente al sufijo -ito, que
se impone cada vez con mayor firmeza.

En Fray Luis de Granada la escasez de diminutivos de
la *Guía de Pecadores*, frente a la abundancia de la *Introducción del Símbolo de la Fe*, se justifica por el distinto tema
de ambas obras, y quizá también por la diferencia temporal
en que fueron escritas. El sufijo -illo denota poca importancia y matiz positivo generalmente; el sufijo -uelo es predominantemente afectivo, aunque algunas veces tiene carácter
despectivo; los en -ico e -ito expresan cariñosamente, si bien
este último es más fino que aquél; el número de los en -ito
es aproximadamente igual a los en -ico. El sufijo -ejo, muy

escaso, es exponente de poca consideración y despectivo; -ete, más raro aún, no tiene en realidad carácter de derivado. El sufijo -illo es con mucho el más abundante. Son notables algunas de las formas originadas en la fusión del tema y sufijo.

Los sufijos diminutivos en Cervantes, ordenados cuantitativamente, son: -illo, -ico, -ito, -uelo, -ete, -ejo e -in. El valor principal del sufijo -illo es el disminuidor, sin olvidar el ponderativo y humorístico; también es importante el despectivo. El sufijo -uelo da lugar a la formación de diminutivos de valoración positiva y negativa algunas veces, y otras, a la de diminutivos en párrafos de entonación pastoril y lenguaje pulido y cortesano. Apenas existen los diminutivos de sufijo -ejo e -in, y no son numerosos los en -ete; este último tiene un carácter cómico y despectivo, o forma derivados de significación próxima a la de positivo. Los sufijos -ico e -ito expresan la máxima afectividad y cariño, de aquí que sean ellos los más idóneos para formar diminutivos de gran sabor irónico y humorístico. El -ico tiene regusto regional, que en Cervantes es un rasgo evocador de La Mancha; en cambio el -ito es más fino, e incluso la ironía manifestada por un diminutivo con este sufijo es más delicada. Es curioso que en el *Quijote* casi la totalidad de diminutivos en -ico e -ito están en la segunda parte.

En Góngora los sufijos más numerosos vuelven a ser -illo y -uelo, es decir, los sufijos de prestigio literario. Son los únicos (salvo un caso en -ejo y otro en -ete) que aparecen en las *Soledades* y en el *Polifemo*. Su empleo es el mismo que en el lenguaje de cortesanía. Estos sufijos son también los más frecuentes en las composiciones menores, aunque en ellas se dan igualmente -ico e -ito, que, junto a -illo, desempeñan las funciones poético-infantil e imaginativa.

Los diminutivos en Lope de Vega están formados sobre los sufijos siguientes ordenados por su frecuencia, a saber: -illo, -ito, -uelo, -ico y -ete. La función más representativa es la derivada de la lengua oral, y del empleo poético en otros casos. La función activa está basada en el carácter peculiar de cada sufijo: despectivo unas veces, y otras, afectivo captativo con palabras axiológicamente negativas con el sufijo -illo; el oficio disminuidor e imaginativo es menos frecuente. Tanto el -illo como el -uelo están empleados de acuerdo con el uso acostumbrado en la tradición literaria; no falta algún ejemplo peyorativo con -uelo. El -ete, escaso, es de significación próxima al positivo. Los en -ito e -ico están usados con gran acierto poético en su señalar axiológicamente positivo, por lo general; también hay muestras de diminutivos humorísticos con -ito, de gran energía en el lenguaje activo. El -ito es más fino y elegante que el -ico, que guarda cierto dejo de rusticidad.

Los sufijos diminutivos en Quevedo, en cuanto a su prelación cuantitativa, son: -illo, -ito, -ico, -uelo, -ete, -ejo e -ino. Estos dos últimos son casi inexistentes. Para Quevedo el sufijo no es más que un medio de expresar o acentuar los valores y significaciones negativas, ya de una manera expresa y clara, ya de forma velada e irónica. El diminutivo, juntamente con el chafarrinón del aumentativo en brochazo enérgico y fuerte, contribuye a dar ese tono violento, en claroscuro, al inconfundible estilo quevedesco. Así, los sufijos -illo y -uelo, que expresaban lo mismo valores positivos que negativos —en especial -uelo, positivo la mayoría de las veces—, el sufijo -ete próximo a la especialización de positivo, e -ico e -ito axiológicamente positivos según su acostumbrado empleo, adquieren en Quevedo, por lo general, matiz peyorativo. Los dos primeros para manifestar algo negativamente, y -ete, -ico e -ito, por lo general, cuando la expresión negativa se dice de manera humorística e irónica. Con -ete la ironía y la burla resultan más de bulto, no tan fina como cuando emplea -ico e -ito. Naturalmente, no faltan otros empleos, como el imaginativo, o alguna matización positiva, pero son más escasos.

Con la escasez de diminutivos en Calderón tenemos la justificación de nuestro aserto acerca de lo impropios que resultan los temas alegóricos y abstractos para la presencia de este tipo de derivados. Los sufijos diminutivos son -illo, -ito y -uelo, y la función representativa, la del lenguaje activo; en ella abunda la expresión irónica tanto del sufijo -illo como del -ito; menos importante es el uso despectivo. El único ejemplo en -uelo está próximo a la especialización significativa.

A lo largo de los siglos XVI y XVII se observa una creciente especialización axiológica de los sufijos -illo, -uelo y -ete en sentido negativo; -ejo, escasamente empleado, también acentúa este matiz. Se corrobora más fácilmente lo dicho en los sufijos de uso más numeroso, es decir, los sufijos de tradición literaria -illo y -uelo; los diminutivos en -ete y -ejo son menos frecuentes, en especial los de este último; prácticamente el diminutivo en -ino no existe. Los sufijos de valoración positiva son -ico e -ito preferentemente; en la oposición que surge entre ambos sufijos por expresar dicha valoración, se resuelve a favor del sufijo -ito, que pasa a ser el más numeroso y el preferido por los escritores que no posean como nota característica el regionalismo. Las funciones que desempeñan están matizadas axiológicamente de acuerdo con lo dicho anteriormente. Las más frecuentes son quizás las funciones activas. En la expresión de la ironía y el humor toman parte de manera sobresaliente los sufijos axiológicos positivos -ito e -ico.

Al llegar a este punto de nuestro recorrido a través de ciertas obras literarias, hemos podido comprobar cómo la especialización de términos derivados —diminutivos— no sólo viene teniendo lugar por medio de una lexicalización propiamente dicha, semántica o axiológica —tenacillas, camareta, plazuela, mujerzuela, etc.—, sino también a través de una especialización de empleo, especialmente literario (arroyuelo, maridillo, simplecico, etc.).

Estas son, pues, las funciones principales de los sufijos; no obstante, debe tenerse en cuenta el riesgo que entraña toda generalización.

CAPÍTULO III

EL DIMINUTIVO DESDE EL SIGLO XVIII
HASTA EL ESPAÑOL CONTEMPORÁNEO

DON RAMÓN DE LA CRUZ

De las obras más características de Don Ramón de la Cruz, los *Sainetes* [1], hemos fichado un buen número de ellos.

Con los nombres propios he hecho una cita aparte porque la mayoría de estos diminutivos están tomados como denominación común, y cuando aparecen el diminutivo y el positivo, como *Alonsillo* y Alonso *(La Comedia de Maravillas)*, aquél está empleado corrientemente por los iguales de dicho personaje, en tanto que éste lo pone Don Ramón de la Cruz en labios de la marquesa, rasgo que distingue dos esferas de la sociedad.

Por otra parte, sería problema para el positivo, análogo, aunque guardando las distancias naturales, al de *malilla*, «juego de la malilla», y su positivo mala, regresión manifiesta; la forma del diminutivo la tenemos en *malillita* (todas en

---

[1] Don Ramón de la Cruz, *Sainetes*, dos tomos, Biblioteca «Arte y Letras», Barcelona, 1882.

Las tertulias de Madrid). Otro ejemplo puede ser el de _zancadilla_ y zanca (echar la zancadilla), aunque en casi todos estos casos debe tenerse presente la versificación para explicarlos _(El muñuelo)._

Como forma curiosa tenemos el diminutivo _chito_, formado sobre la voz onomatopéyica al demandar silencio, y el aumentativo chitón _(El casamiento desigual)_, pero que, por resultar difícil estructuralmente, da como forma diminutiva propia _chitito (La maja majada)._

He incluido entre los diminutivos formas como _tonadilla_ y _fandanguillo_ por el empleo que se hace de sus respectivos positivos y su equivalencia con otros sufijos, como _fandanguito (La comedia casera,_ 2.ª parte); _campanilla (La duda satisfecha),_ forma dudosa, ya que así llamamos las que se suelen usar en las casas, audiencias, etc., manteniendo el positivo para las grandes de las torres e iglesias. Tampoco hemos tenido en cuenta _señorito,_ diminutivo que se usa con la significación concreta de hoy; _carreta,_ y otros. En este sufijo hay que tener en cuenta su alto grado de lexicalización incluso para las formas incluidas en lista.

Consideremos ahora algunos de los principales diminutivos.

Dado el carácter de la obra que analizamos, es la función activa la más importante del diminutivo; todas las demás están supeditadas a ésta. Así aparece el matiz irónico al aumentar la exageración.

> COLASA. Esta _manita_ derecha (hará la pregunta),
> con un sopapo tan limpio,
> que antes que llegue, las muelas
> se le han de salir de miedo
> con el aire que he de hacerlas.
>
> _(La maja majada,_ t. I, pág. 93).

Como un grito se eleva el diminutivo, como una llamada de atención tras la cual hay una intención decidida; de aquí que las palabras que le siguen son la ampliación semántica intencional de aquél:

> MUJERES.   ¡Arañémosla!
>
> ZAINA.   *¡Aspacito;*
> porque si me desenvuelvo
> no me ha de quedar nenguna
> que no traiga al retortero.
>   (*Los bandos del Avapiés*, t. I, pág. 160).

> SACRISTÁN.   Sí señora, con ella hablo,
> que es una gran gloresía
> desairar a un hombre blanco,
> y estando hablando con él,
> dejarle por los extraños:
> ¡pues *cuidadito* conmigo,
> que no soy hombre que aguanto
> floreos!   (*Las frioleras*, t. II, pág. 78).

El matiz despectivo, por ejemplo en *gentezuela* (*La maja majada*, t. I, pág. 106), mujercillas y vecinillas:

> MUDO.   ¡Grudas memorias!
>
> ZAQUE.   Pues cuécelas y alienta. Sé la trama
> de esas dos *mujercillas*...
>
> MUDO.   Poco a poco,
> y delante de mí, mira como hablas;
> que al cabo soy quien soy, y ellas mujeres.
>
> ZAQUE.   Pero malas mujeres.
>   (*El muñuelo*, t. I, pág. 243).

> JUANA.   *¡Vecinillas*
> por fin! La culpa me tengo
> yo de vivir, sino en casas
> de gentes de fundamento.
>
> LAS MUJERES.   ¡Cómo *vecinillas!* Es
> una infamia aguantar esto.
>   (*La Petra y la Juana*, t. I, pág. 276).

La función imaginativa sensorial en diminutivos como cenita, sentadito:

MAURO.   En casa, en casa: ya tengo
                prevenida mi *cenita.*
                                    (El Café de Máscaras, t. I, pág. 39).

VENANCIO.   ... todo el año
                estoy yo como un jumento
                trabajando, y él está
                sentadito en el brasero
                en conversación contigo.
                                    (El reverso del sarao, t. I, pág. 321).

D.ª PAULA.   (...) mas tan hecha
                estoy a estarme *solita,*
                que al oír un golpe en la puerta
                pienso que es trueno; ¡me asusto!
                                    (La comedia casera, t. II, p. 97).

En este caso indica más bien recogimiento agradable.

La función doble imaginativa sensorial y captativa la ejemplificamos con este diminutivo:

AGUADOR.   Agua *fresquita,* señores.
                                    (La pradera de San Isidro, t. II, pág. 12).

Para terminar este breve análisis del empleo del diminutivo en Don Ramón de la Cruz, señalamos el refuerzo del sufijo como un subrayado ponderativo de la frase:

MARIQUITA.   ¡*Toditica*
                me estoy aquí repudriendo!
                                    (La cena a escote, t. II, pág. 243).

El prefijo re- es también un auxiliar de esta frase ponderativa que refuerza el sentido del doble sufijo.

Los diminutivos de nombres propios con valor hipocorístico más o menos acentuado desempeñan las mismas funciones que las que hemos visto en los otros diminutivos, por lo que no insistimos.

El empleo del sufijo en Don Ramón de la Cruz es una manifestación costumbrista que retrata el modo corriente de hablar de sus personajes, especialmente aquellos que representan las clases más populares y el desgarrado uso de su léxico y sintaxis.

MELÉNDEZ VALDÉS

Los diminutivos que reseñamos de Meléndez Valdés corresponden a la colección de *Poesías* publicada por Clásicos Castellanos[2].

La poesía de Juan Meléndez Valdés a la luz del diminutivo acentúa los conocidos rasgos de su anacreontismo y sensualidad. Sus versos, cargados en exceso de palabras amables, presionan sobre la sensibilidad del lector produciendo un empalagamiento creciente a medida que sigue la lectura. La repetición constante de estos términos nos hace ver la afectación y falta de espontaneidad y, por consiguiente, falsedad de esta poesía. Pero si una larga lectura de sus poesías puede producir el hastío por este exceso de blando epicureísmo y de voluptuosidad diluidos en sus versos, no cabe duda de que una lectura corta lleva a nuestro espíritu la delicada y sedante ternura que Batilo quiso y supo imprimir en sus versos. Ahora bien, el fallo de este tipo de poesía estriba en que, con su repetición, se desgastan los medios expresivos, produciendo, a la larga, efectos contrarios: la sensación y la sensibilidad han quedado así inmunizadas, adormecidas, al no emplear otros recursos que actúen sobre aquéllas. Todo, el lugar, el ambiente, los temas, la manera de

---

2 Meléndez Valdés, *Poesías*, Clásicos Castellanos, Madrid, 1941.

tratarlos, la expresión de los mismos, etc., rezuman sentimentalismo teñido de tibia y gris melancolía.

Pondremos punto final a estas palabras, antes de pasar a ejemplificar, con las autorizadas de Pedro Salinas en el prólogo a la edición de Clásicos Castellanos al hablar del estilo, en el que halla

> «cierto amaneramiento y artificiosa lindeza del lenguaje, acarreado por el tono mismo de la anacreóntica; dominio de vocablos dulces y graciosos, cuya blandura se acentúa aún más por el empleo del grado diminutivo: cupidillos, cefirillos, arroyuelo, aves parlerillas, vuelitos, hierbezuela, pasan y repasan por la lírica de Meléndez. Este elemento externo de su estilo fue el más imitado, el que señoreó la lengua poética de casi todos los poetas del tiempo, aquel por el que se ganaba Meléndez todas las admiraciones, de tal suerte, que llegó a caracterizarle, y ello explica que los románticos le combatieron a pesar del fondo de romanticismo que hay en su poesía» (pág. XLVII).

En las poesías de Batilo se halla el diminutivo ya en el mismo título, como en las odas «Los hoyitos» y «El arroyuelo», la letrilla «El ricito», etc.

La naturaleza toda participa de la postura sentimental que hacia ella adopta el poeta, por lo que sus elementos son invocados de manera delicada, mediante el diminutivo, para lograr su benignidad primero y convertirse en su confidente después; por ejemplo:

> Parad, *airecillos*,
> Y el ala encoged,
> Que en plácido sueño
> Reposa mi bien.
>
> («La Flor del Zurguén», pág. 74).

> Decidme, *airecillos*,
> decidme qué haré,

> Para que me escuche
> La Flor del Zurguén?
> *(Id.,* pág. 76).

Rara vez toma el diminutivo tintes de graciosa picardía, como en estos casos:

> Mira en sus blandos gorjeos
> Y en su incesante bullicio
> Cuál su tierno amor explica,
> Gozándose en mis cariños.
> El *vivillo* (sic) los entiende,
> Y en oyendo, «dulce hechizo,
> Ven de tu padre a los brazos»,
> Se pierde en alegres brincos.
>
> («El cariño paternal», pág. 103).

> Cuando aplicándole al (pecho) tuyo,
> Y él premiándolo *arterillo,*
> Como que apurar anhela
> Su néctar más exquisito,
> Los dos en grato embeleso
> Su empeño infantil reímos.
>
> *(Id.,* pág. 105).

> *Arterillo* el semblante,
> Cuan vivaz y festivo,
> Y así como temblando
> Por su nudez de frío.
>
> («De un cupido», pág. 30).

El diminutivo es rasgo de tierna devoción que amplía la cargazón subjetiva del posesivo:

> La mi *queridita*
> Una cárcel tiene
> En su rostro bello,
> Donde a todos prende.
>
> («El *hoyuelo* en la barba», pág. 83).

Frecuentemente la ternura del sentimiento amplifica la expresión con la finalidad de describir totalmente, de donde proviene la acumulación de diminutivos:

> Tornóse en mariposa,
> Los *bracitos* en alas,
> Y los pies *ternezuelos*
> En *patitas* doradas.
>
> («El amor mariposa», pág. 6).

En resumen, el diminutivo en Meléndez Valdés adquiere categoría de rasgo esencial, sin cuyo empleo perdería carácter su poesía; pues, aunque es un motivo ornamental, no lo es tanto que se le pueda calificar de mero elemento decorativo.

DON LEANDRO FERNÁNDEZ DE MORATÍN

Las obras de Moratín que hemos fichado son *La Comedia Nueva, El Sí de las Niñas* [3] y *El Viejo y la Niña* [4].

No hemos considerado como diminutivos formas como *señorita, hombrillo* 'prenda de vestir', los diminutivos de las acotaciones, los de nombres propios que tienen un marcado carácter hipocorístico dentro del ambiente de la obra, en que el diminutivo es un principalísimo rasgo del lenguaje familiar que traspasa los límites de este derivado para ser un trazo de esa modalidad idiomática. Más abajo se citan algunos ejemplos.

En cambio, si cito los diminutivos de *El Viejo y la Niña* lo hago movido por la oposición de sufijo (*Blasilla-Blasita, Isabelilla-Isabelita*), que obliga a que se citen los demás.

----

[3] Leandro Fernández de Moratín, *La Comedia Nueva* y *El Sí de las Niñas*, Bibliotecas Populares Cervantes, Madrid (s. a.).

[4] Leandro Fernández de Moratín, *El Viejo y la Niña*, Manchester, 1921.

Según el criterio que tenemos para la discriminación de las formas positivas y no positivas incluimos una forma, *campanilla*, y excluimos otra, pues mientras que en la primera hay una presencia activa del sufijo, en la segunda no la hay, ya que ha pasado a ser ésta la denominación común. Véanse los distintos textos:

> DOÑA FRANCISCA. — (...) Y (traigo) una campanilla de barro bendito para los truenos...
> *(El Sí de las Niñas, I, 2.ª, pág. 133.)*

> SIMÓN. — Y sobre todo, cansa... el ruido de campanillas y cascabeles y la conversación ronca de carromatos y patanes ...
> *(El Sí de las Niñas, I, 1.ª, pág. 120.)*

El carácter reservado y apocado de Moratín encuentra un tubo de escape en las valentías —limitadas valentías, no obstante— de su obra, y de ésta las libertades léxicas del empleo concreto del diminutivo, por lo que a nosotros respecta. Moratín, taciturno y reconcentrado en sí mismo, lanza en el teatro el desprecio que le merecen los malos autores teatrales, y lo expresa con un diminutivo despectivo:

> D. PEDRO. — Díganle ustedes que el teatro español tiene de sobra *autorcillos* chanflones que le abastezcan de mamarrachos...
> *(La Comedia Nueva, I, 4.ª, pág. 57.)*

Pero el tono normal de la expresión es benevolente:

> DON ANTONIO. — ¿Conque han hecho una comedia? ¡Haya *picarillos!*
> *(Idem, I, 1.ª, pág. 22.)*

Otras veces es la expresión irónica con la que zahiere de manera muy delicada la precipitación y poca valía de ciertas composiciones de las obras teatrales:

DON SERAPIO. — ¿Mañana? ¿Conque mañana se ha de cantar
y aún no están hechas ni letra ni música?

DON ELEUTERIO. — Y aun esta tarde pudieran cantarla, si
usted me apura. ¿Qué dificultad? Ocho a diez versos de introducción... Después unas cuantas *coplillas* del mercader que hur-
ta..., cuatro *equivoquillos*, etcétera, y luego se concluye con se-
guidillas de la tempestad, el canario, la *pastorcilla* y el *arroyito*.

(*Idem*, I, 3.ª, pág. 32.)

Un mismo diminutivo puede usarse en sentido conmiserativo o irónico, respectivamente, en los ejemplos que
siguen:

DON SERAPIO. — ¡Mayor gatallón! ¡Y qué mala vida dio a su
mujer! ¡*Pobrecita*! Lo mismo la trataba que a un perro.

(*Idem*, II, 1.ª, pág. 75.)

D. ANTONIO. — ¡*Pobrecita*! ¡Ya se vé! El visir sería un bruto.

(*Idem*, I, 3.ª, pág. 46.)

La ponderación tiene en el diminutivo un signo que manifiesta en sentido contrario a lo expresado rectamente:

DON ANTONIO. — ¿Conque es muy hábil, eh?
PIPÍ. — ¡Toma! ¡*Poquito* la quiere el segundo barba!

(*Idem*, I, 1.ª, pág. 29.)

Despectivo es el diminutivo *empleíllo*, por ejemplo:

DOÑA IRENE. — ...un cualquiera, como quien dice: un hombre
de capa y espada, con un *empleíllo* infeliz en el ramo del viento,
que apenas le da para comer...

(*El Sí de las Niñas*, II, 5.ª, pág. 176.)

La abundancia de diminutivos y el medio en que se producen testifican el carácter doméstico o familiar de los mismos. Es un tono de condescendencia amistosa y cariñosa el
que hay en sus páginas y se manifiesta en los diminutivos,

matizados sensorial, imaginativa, afectiva o irónicamente; por ejemplo:

> Doña Irene. — No, nada más... ¡Ah! Y házmelas bien *caldositas* (las sopas).
>
> *(El Sí de las Niñas,* II, 3.ª, pág. 166.)

> Doña Irene. — Mi hermana es la que está bastante *delicadita...*
>
> *(Idem,* I, 3.ª, pág. 134.)

> Don Diego. — (...) ¡Y qué fuera de tiempo me recomendabas al tal *sobrinito!* ¿Sabes tú lo enfadado que estoy con él?
>
> *(Idem,* I, 1.ª, pág. 129.)

El ambiente familiar en que se desarrolla la acción influye sobre los denominativos personales transformándolos en diminutivos que pasan a ser plenos hipocorismos, a pesar de las acotaciones en sentido opuesto, ya que éstas usan los positivos. Estos diminutivos giran en torno a doña Francisca bajo las formas Paquita, Francisquita y Frasquita; el primero es el más abundante y el que da más aire familiar, como en estos casos en que va precedido por el artículo:

> Don Diego. — ¡Graciosa niña! ¡Viva la *Paquita!*
>
> *(Idem,* I, 3.ª, pág. 138.)

> Doña Francisca. — No, señora; créame usted. La *Paquita* nunca se apartará de su madre, ni la dará disgustos.
>
> *(Idem,* II, 4.ª, pág. 170.)

E incluso en diminutivos de empleo general y afectivo hay que ver este derivado familiar como una señal de lo corriente de su uso en expresiones de este tipo.

> Calamocha. — Aventurado (está) a quitar el hipo a cuantos le disputen la posesión de su *Currita* idolatrada.
>
> *(Idem,* I, 8.ª, pág. 149.)

Este ambiente familiar es el que presiona sobre objetos y seres bautizando incluso a los animales con palabras hala-

gadoras, graciosamente humorísticas, y diminutivos, como
don Periquito, para nombrar a un tordo *(Id.,* I, 6.ª, pág. 146).

La pauta marcada por estas dos comedias en cuanto al
diminutivo sigue en trazos generales en *El Viejo y la Niña:*

> MUÑOZ. Jamás la consentiréis
> Festines ni serenatas,
> Ni *amiguillas,* ni paseos...
> *(El Viejo y la Niña,* I, 1.ª, v. 216, pág. 8).

> MUÑOZ. Está el marido
> Rechinando, ¿y qué tenemos?
> Nada... Viene la señora:
> Él se encrespa, bien, y luego
> Anda el *mimito,* el desmayo,
> la *lagrimilla,* el requiebro,
> Y ¿qué sé yo? de manera
> Que destruye en un momento
> Cuanto el amo y el criado
> Proyectaron.
> *(Idem,* II, 1.ª, v. 68, pág. 35).

Los diminutivos se agolpan para reforzar la expresión:

> DON ROQUE. ¿(Quisieras) Que ya cubierto de canas,
> Fuera un petimetre lindo,
> *Dijecito* de las damas,
> *Vivarachito, monuelo*
> Director de contradanzas,
> Entre duende y arlequín?
> *(Idem,* I, 2.ª, v. 346, pág. 12).

El menosprecio es resaltado por los sufijos -uelo y -ete:

> DON ROQUE. Calla, por Dios, no quieras
> Que vaya allá y de un porrazo
> La mate. ¡Haya *picaruela,*
> Habladora, embusterona!
> *(Idem,* III, 3.ª, v. 105, pág. 77).

MUÑOZ. La mujer conoce,
  Y es fácil de conocerlo,
  Que toda aquella tronada
  Vino por el *soplonzuelo*.
  (Idem, II, 1.ª, v. 54, pág. 35).

MUÑOZ. (...) Y entre tanto
  Vejete que se juntaba
  Ninguno hubo que dijese:
  «Don Roque, ved que no es sana
  Determinación casaros».
  (Idem, I, 1.ª, v. 135, pág. 6).

La sorpresa toma matices irónicos con el sufijo -ico; o simplemente irónico en -ito:

DON ROQUE. ¡Hola! (Ap. Recado tenemos,
  Y *billetico* también.
  Yo he de verle.)
  (Idem, II, 8.ª, v. 809, pág. 60).

DON ROQUE. ¿Te ríes?
MUÑOZ. ¡Y qué mala gana tengo
  De *risitas!*
  (Idem, II, 1.ª, v. 226, pág. 40).

La intensificación en el sigilo se logra mediante la repetición del sufijo, por ejemplo:

DON ROQUE. Yo me voy;
  Y observando si hay silencio
  En esta pieza, te subes
  Pasito a pasito, y viendo
  Que no hay nadie en ella...
  (Idem, II, 1.ª, v. 213, pág. 40).

Finalmente señalaremos el uso familiar del diminutivo en nombres propios precedidos del artículo; por ejemplo:

Muñoz. — (...) ¡La *Blasita!*
                              (Idem, II, 15.ª, v. 1145, pág. 73.)
Don Roque. — (...) ¡La *Isabelita* y su alma!
                              (Idem, III, 11.ª, v. 513, pág. 93.)

BRETÓN DE LOS HERREROS

Como muestra de las comedias de Bretón de los Herreros he fichado la que lleva por título *Muérete ¡y verás...!* [5]. Hemos tomado esta sátira social como ejemplo de costumbrismo en el teatro de Manuel Bretón de los Herreros.

El diminutivo en la literatura costumbrista en general, más que por sí mismo, tiene un valor de medio, de ambiente, localista; la razón de su presencia es secundaria, pues se debe a que es una voz empleada por las personas de un grupo social, y su inclusión puede ser una pincelada que ayude a precisar los contornos del retrato. Esta es la causa de la existencia de no pocos diminutivos en Fernández de Moratín, Don Ramón de la Cruz, Mesonero, Estébanez Calderón y otros. A veces puede ser rasgo, incluso, que exprese el modo de hablar semejantemente al empleo de palabras como faición, extraudinario, etc., que califican a la persona que las usa.

A continuación algunos ejemplos:

Matías.   (...) Sólo te ruego
            que no bailes con el títere
            de *Ferminito.*
                              (III, 1.ª, pág. 188).
Dama 1.ª   Sí, sí, un *poquito* de baile.
                              (IV, 7.ª, 208).

---

[5] Manuel Bretón de los Herreros, *Muérete ¡y verás...!,* en *Autores Dramáticos Contemporáneos y joyas del Teatro Español del siglo XIX,* dos tomos, Madrid, 1882.

ELÍAS. No fue posible
hacerla entrar en la fiesta.
La maldice y la detesta
como sacrilegio horrible.

PABLO. ¡Pobrecilla!

(IV, 1.ª, 204).

No obstante lo dicho, como puede verse por los ejemplos anteriores, el diminutivo posee personalidad suficiente para tener entrada por sí mismo en la literatura costumbrista, como igualmente veremos más adelante.

FERNÁN CABALLERO

De esta gran novelista hemos fichado una corta narración, *Un servilón y un liberalito* [6].

La sensibilidad femenina de la autora de *La Gaviota*, Cecilia Böhl de Faber, se pone de manifiesto a través del derivado objeto de nuestro estudio, a causa del dejo sentimental y un tanto dulzón del mismo. Pero como esta efusión sentimental no es desmedida, proporciona, por el contrario, un encanto especial a su prosa.

El matiz axiológico predominante es el positivo, y sus diminutivos son casi todos afectivos. Incluso en momentos en que la reconvención irónica podría tener, a causa del diminutivo, cierto aspecto insultante, éste no llega a dibujarse con claridad, borrado por el afecto que rebosa de estos personajes simpáticos. El afecto en todas sus manifestaciones es el principal rasgo del diminutivo en Fernán Caballero. Esta y no otra es la causa del crecido número de diminuti-

---

6 Fernán Caballero, *Un servilón y un liberalito, o Tres almas de Dios*, Madrid, 1863.

vos de pobre, y la abundancia de los en -ito, terminación que de manera tan tierna expresa el afecto.

El menosprecio está reservado al sufijo -uelo.

A continuación algunos de los diminutivos en -ito, sufijo el más característico en el estilo de Fernán Caballero:

> «—¿Es Vd. por lo visto un servilón de siete suelas?, exclamó sofocado Leopoldo.
> —¿Y Vd., según parece, un *liberalito* a casquete quitado?, repuso D. José» (c. III, pág. 34).

> «—¡El *pobrecito* ... el bendito! ... ¡Cascabeles con el *mocito!*, dijo D. José...» (c. VI, pág. 62).

> «¡Ampáranos, oró mentalmente; no te lo pido por mí, sino por aquella *pobrecita* que está en la cama, que no ha tomado en tanto tiempo ni una cucharada de caldo!» (c. VIII, pág. 90).

> «—¡Jesús María!, exclamaron alborozadas ambas buenas mujeres; ¿V. E. es aquel *loqui...* perdone Vuecencia, aquel *jovencito*, que se nos entró como un *pajarito* por la ventana?» (c. VIII, pág. 92).

Es, pues, *Un servilón y un liberalito* un hermoso cuadro de caridad en que el diminutivo en -ito principalmente sirve con eficacia a dar colorido a estas «tres almas de Dios».

ESTÉBANEZ CALDERÓN

Los diminutivos de las *Escenas andaluzas* [7] de Serafín Estébanez Calderón forman un buen número.

Estébanez posee una dicción abundante a fuerza de querer hacerla castiza, y emplea con exuberancia léxico y giros sintácticos usados por los escritores clásicos. Con ello, si bien logra escenas ágiles y graciosas, en cuanto a los medios idiomáticos de que se sirve no puede disimular que son

---

[7] Serafín Estébanez Calderón, *Escenas andaluzas*, Madrid, 1883.

completamente postizos, incluso en palabras del sabor de ésta: brujidiabla *(La Celestina*, pág. 163). En cambio aparece más clara esta artificiosa imitación en la sintaxis, en giros como las oraciones condicionales con la forma -ra en la hipótesis y en la apódosis.

Por lo que respecta al diminutivo también se percibe esta tendencia casticista; por ejemplo: «...si os acuden con la *vaquilla*, llegad heis con la *soguilla*» *(La Celestina*, 164). No obstante, la misma abundancia de diminutivos en -illo e -ito es un rasgo en favor de la realidad que retrata, así como el uso de nombres comunes de lugar, *placeta*, denominación andaluza frente a *plazoleta*, y *plazuela*, castellanas, y *pajolilla* frente a *pajuela*. He aquí el lugar del primer diminutivo acompañado de otros dos en -illo: «Pues en esta *placeta* y claro me encuentro al *cabritillo* hijo de vaca y de toro y *mancebillo* de cuatro a cinco años...» *(Gracias y donaires de la capa*, 353). Y el lugar de pajolilla: «...como la *pajolilla* prenda bien...» *(Id.*, 351).

Otro andalucismo es el empleo constante del diminutivo en nombres propios de personas o como apodos de éstas, a las cuales es tan natural esta denominación como un rasgo diferenciador más. Por ello no damos como diminutivos propiamente dichos formas tales como *Polvorilla, Saltitos, Culebrita, Capita, Puntillas, Currilla, Higadillas, Agallejas, Manolito, Caquillas, Periquillo* el de la Mojigata, *Juanillo* el ventero, *Chivatín, Parlerín*, etc. Como prueba de que esta denominación corriente del diminutivo ya no es un rasgo diferenciador para el nombre propio, por exceso precisamente de esta abundancia, tenemos el hecho de que se acompaña a veces de un determinativo. En cambio, cuando el rasgo que dio origen a un apodo está empleado como simple adjetivo lo hemos reseñado como diminutivo: «...tropezaron mis ojos con aquel vejete despierto y *parlerín»* (*Baile al uso y danza antigua,* 303).

El carácter principal del diminutivo en -illo se desprende de su propia existencia, de su frecuente empleo en Andalucía. Las funciones no sólo de este diminutivo, sino también los formados con los restantes sufijos, no están tan acentuadas como en los Quintero, por ejemplo. Es frecuente en los en -illo el matiz disminuidor y valoración afectiva o despectiva. A continuación algún ejemplo de los diminutivos más jugosos:

«todavía recuerdo, *loquilla,* que andabas colgada de la mano de tu enamorado, para que volviese a halagar los aladares de tus cabellos...»; «...pero déjalo llegar, *bobilla,* que antes ha de tornar a ti, que no tú al estado que ayer tenías...» (*La Celestina,* 175 y 176). «¡Ya es nuestra como la *carnecilla* de nuestros huesos!» (*Asamblea general...,* 297). «...y ahora llamada por nuestra confirmación y potestad buena y rebuena, la *rubilla* Carmela» (*Asamblea general...,* 292). «Acaso vuesas mercedes me miren como *fumadorcillo* de aguachirle» (*Fisiología y chistes del cigarro...,* 363). «...pues aquel *pecadillo* del sabor a afrancesado... nos retrajeron de contar con Vmd. en nuestro pensamiento y planes» (*D. Opando...,* 93). Etc.

Disminuidor y afectivo en general es el diminutivo en -uelo: «...ningún caballero se presentó jamás en plaza sin seis o cuatro esclavos o lacayos y otro *lacayuelo* vestido costosísimamente» (*Toros...,* 225). «Buen rato te me llevas contigo, *picaruela...»* (*D. Opando...,* 107).

El sufijo -ejo está empleado despectivamente como expresión de apocamiento con finalidad captativa dirigida al oyente: «¿Sabe V. (le dije) que he bosquejado un *articulejo* de costumbres, sirviéndome de cañamazo y urdimbre el suceso que así nos sobresaltó y que después nos divirtió tanto?» (*El Roque y el Bronquis,* 207).

Despectivo e irónico es el diminutivo en -ete principalmente: «El *Rifador*, al alargar la rosa, y tropezando sus ojos con la efigie del alfeñique *caballerete*, añadió» (*La rifa andaluza*, 23). «Ellas (las mujeres) te darán el pago, *pobrete* (dijo Rechina): que el vino es placer más barato y duradero...» (*Los filósofos en el figón*, 53).

Como reminiscencia erudita cabe interpretar el humorismo del diminutivo refrancicos: «¿Con sutilezas te vienes y *refrancicos* propones?» (*Los filósofos en el figón*, 55).

Finalmente, el diminutivo en -ito indica la máxima acentuación axiológica. Así, en el ejemplo siguiente es el remate, a manera de cima, de un grupo de piropos: «En grupas viniste, hermosa Basilisa, flor de la gracia, remate de lo bueno, ramo de azahares, y *espumita* de la sal» (*La feria de Mayrena*, 82).

Como un halago aparece frecuentemente en el piropo, y, por lo tanto, empleado el sufijo positivamente: «Dígame, niña: ¿se puede saber los años con que esa *personita* cuenta?» (*El Roque y el Bronquis*, 197). «Todos aplaudían, todos deliraban. Otro, al ver y gozarse de un movimiento picante, en una actitud de desenfado: —¡Zas, puñalada; *rechiquetita*, pero bien dada!» (*Un baile en Triana*, 254). En este ejemplo es curiosa la combinación del prefijo y sufijos para intensificar la energía del diminutivo. Esta intensificación puede lograrse con el diminutivo frente al positivo: «...van estos dependientes del ramo de fomento y de las mejoras materiales, así muy serios, *seriecitos* en regla» (*Gracias y donaires de la capa*, 349).

Por último, un diminutivo sensual e imaginativo:

«La Polvorilla era un *pino de oro*. Jaca de dos cuerpos, era muy bien ensillada, mejor empernada, y tomando tierra con dos dijes, que no con dos pies, pues tan lindos y bien cortados eran. La cabeza era gentil, la mirada rigurosa, bebiendo con corales y marfiles que hacían eclipsar los ojos de purísimo *gustito* de quien la miraba, y traían el agua a la boca como deseando beber en aquella concha» *(El Roque y el Bronquis*, 197).

MESONERO ROMANOS

Los diminutivos de las *Escenas Matritenses* [8] de Ramón de Mesonero Romanos son, como en Estébanez Calderón, numerosos.

Don Ramón de Mesonero Romanos posee un estilo elegante dentro de una sobriedad que no quita colorido y viveza a la narración. Encaja el diminutivo en estas condiciones como un rasgo caracterizador más en la descripción de un personaje, escena, etc., con valor semejante a cualquiera de las demás pinceladas que entran en el retrato. Así, el diminutivo del nombre propio de un personaje, en una descripción, le es tan natural como las prendas habituales con que se viste, muchas de éstas también con denominaciones en diminutivo, aunque no lo sean funcionalmente.

Con el sufijo -illo hay gran abundancia de diminutivos disminuidores, o cuyo sufijo apenas se deja sentir debido al hábito de emplear el derivado.

El valor afectivo o despectivo, diversamente matizado, está usado en menor número. A continuación unos ejemplos:

«...habrá acordado exponer al público la dicha *obrilla* de mi débil pincel...» *(La exposición de pinturas*, pág. 609). «Favor a la justicia; dejadme a esta *pecorilla*, que es el cuerpo del delito» *(De tejas arriba*, pág. 580). «¿*Trampilla* tenemos? ¡ay!, cuenta, cuenta, hija que no hay como escuchar para aprender...» *(El día de toros*, pág. 360). «El *cabriolé* ... produjo un hombre

----

[8] Ramón de Mesonero Romanos, *Escenas Matritenses*, Ed. Aguilar, Madrid, 1945, págs. 349-699.

chiquitillo y lenguaraz, azogado en sus movimientos...» *(Una noche de vela,* pág. 537). [Matiz sensorial, bien vaya solo o con otro sufijo]: «... y trocaban el aroma de sus diosas respectivas por el grato *olorcillo* de la ensalada y la perdiz» *(Madrid a la luna,* pág. 499). «...en fin, cada uno quemó lo que tenía a mano: desde Nerón, que quemó a Roma para templarse al *calorcito,* hasta el labriego de nuestros días, que quema estiércol y retama con un *olorcillo* que déjelo usted estar» *(Al amor de la lumbre, o el brasero,* pág. 670).

Los sufijos -uelo, -ejo y -ete son predominantemente despectivos:

> «De un anchuroso corral / sobre la menguada puerta, / que asienta en el interior / de una sucia *callejuela*...» *(El coche simón,* pág. 478). «...dirigidos por mitad entre los menguados *caballejos* de sus varas...» *(El día de toros,* pág. 359). «¡Ahí es nada! Que al volver con ella a su casa me he hallado en la escalera a un *galancete* joven, que, cuando le he descubierto, me insulta, me desafía y...» *(El día de toros,* pág. 368.)

Sobre esta regla general cabe la intención axiológicamente positiva o el matiz sensorial: «¡Cuánto más valiera mascar mientras nos ayudan los dientes, y... ¿no es verdad, hija mía...? ¿Que no me entiendes?, *¡picaruela!* ¿pues a qué vienen esos colores que se te han asomado al rostro?» *(De tejas arriba,* pág. 564). «De todos modos, no puede negarse que, cuando no sea otra cosa, presta cierto *saborete* de originalidad a nuestro teatro madrileño» *(El teatro por fuera,* pág. 585).

En este diminutivo es digno de mención también la manera de formarse el derivado, directamente unido al positivo.

Como nota de humor se alza -ico en medrosica: «—Yo, señor Apolo —dijo la silla, un tanto *medrosica* y mohína—, soy natural de Vitoria...» *(Las sillas del Prado,* pág. 550).

Los diminutivos en -ito son, por lo general, afectivos. Por ello precisamente cabe insinuar más o menos al descubierto una intención irónica despectiva: «Señor don Simón y muy señor mío, ¡qué *gentecita* tiene usted en su casa!» (*El día de toros*, pág. 367). «Pícaro labriego —le dice—, ¿a mí me vienes con *moneditas* falsas?» (*El recién venido*, pág. 604), etc.

En el diminutivo siguiente se centra la ironía de las personas que viven en la capital con sus inconvenientes múltiples, y el matiz captativo del derivado: «Queremos suponer que no le causa perjuicio el pagar cuatro por lo que en toda tierra de cristianos vale dos... ni el comprar a toda costa cólicos y demás tropiezos intestinales, disfrazados con el nombre de besugos *vivitos* de hoy...» (*Inconvenientes de Madrid*, pág. 678).

Otras veces señala el recogimiento que se trasluce exteriormente:

> «...vino el dengue, el filé, el lechuguino de los *bigotillos* y la pera, y miró al balcón del principal; se acercó *callandito* a la *rejilla* de la escalera, dio los *golpecitos* y le abrió la vieja, y allá se coló» (*El día de toros*, pág. 363). «...subió *poquito a poquito* la escalera de la cocina, se llegó al *balconcillo*, tiró del sayal a la moza como quien algo tenía que pedirla, y ella le siguió como quien algo le tenía que dar» (*La posada, o España en Madrid*, página 665). Etc.

El primero de estos párrafos puede servir también de ejemplo de acumulación de diminutivos.

Terminaremos con el único diminutivo en -uco, afectivo. «Conoció, pues, el viejo *Faco* que era la ocasión llegada de aventurar algunos paternales consejos a aquel incauto *pajaruco* caído voluntariamente y por primera vez en las sutiles redes de la corte...» (*El recién venido*, pág. 596).

ADELARDO LÓPEZ DE AYALA

Su obra *Consuelo*[9] nos ha proporcionado el material para nuestro estudio.

Como puede apreciarse por el volumen de los diminutivos son los en -*iño* e -*ito* los más importantes tanto por el número como por las funciones que desempeñan.

Suelen estar agrupados, lo que presta gran belleza y vivacidad a las escenas, y colorido típico y localista. Veamos algunas acumulaciones:

> LORENZO. ¡Bien!... Naide. Ya doña Antonia
> se encontrará recogida,
> Que es la primeira en la casa
> Que se escurre y se retira
> A su cuarto: anda la *probe*
> Fatigosa y *coitadiña*.
> Aquí estarán: si pudiera...
> Aquí están, las dos *juntiñas*:
> El ama *mu* reverenda
> En su butaca, y mi Rita
> Está *echadita* a sus pies,
> Como mansa *cordeiriña*.
> ¿Falan? No. Rezando están,
> Rezando las dos *solitas*...
> ¡Ay qué manu! Y pone y quita
> Horquillas... Peru ¡qué manu
> Tan cariñosa y tan linda!
> Ya viene; ya sus *pasicos*
> Me están haciendo cosquillas
> En el alma.
>   (III, I, págs. 137 y 138).

---

9 Adelardo López de Ayala, *Obras Completas*, siete volúmenes, Colección de Escritores Castellanos Dramáticos; *Consuelo*, en el volumen 3.º, Madrid, 1882.

LORENZO.   Esta noche
           Estaban toudas garridas.
           Por las portas de los coches
           Bajaban *encogidiñas*
           Y *arrugadiñas;* y a logo,
           Al tomar tierra, se erguían
           Dando un *brinquito*, y brillaban
           Cuajadas de pedras finas.
                             (III, II, pág. 139).

LORENZO.   Y ¿pensas que hay en el mundo
           Mejor terra que la mía?
           Nenguna. Ya te estoy *vendo*
           Absorta y *emboubadiña.*
           Verás cascadas y lagos...
           Y *fontiñas* cristalinas...
           Verás la Virgen bendita
           Que ben ocupa su barca
           Dourada, y en las orillas
           Dos *angeliños* que reman
           Y parece que la guían...
               ¡Ay, *rapaciña!*
           ¡Quién escuchara contigo
           Las campanas de su ermita!
                             (III, II, pág. 142-143).

LORENZO.   (...) ¡Quién te viera
           En el campo del mío pueblo
           Vestidita de gallega,
           Al modo que allí se visten
           Las *rapaciñas* gaiteras!
           Bien *justadiño* el zapato
           Branca y *justadiña* media...
           Cofia más limpia que el ouro,
           Ben *prancadiña* y ben puesta,
           Como una branca paloma
           Que se pousa en la cabeza.
                             (II, I, págs. 76 y 77).

El sufijo -iño y estas acumulaciones pueden ser rasgos
caracterizadores suficientes de la región de origen de este

personaje y sus hábitos lingüísticos. Algunos de estos diminutivos son de gran belleza poética, según se ha visto.

Finalizaremos con dos diminutivos en -ito que indican, frente a los en -iño, típicos de Galicia, una región y una clase social distintas:

> CONSUELO. Mira, mamá: sea cual fuere
> el porvenir que me aguarda,
> yo lo sufriré gustosa
> Si nunca, nunca te apartas
> De mi lado; si yo puedo
> Oir tu voz, besar tus canas...
> ANTONIA. ¡Ah, simple!... yo he madrugado
> Más que tú... Pues ¿qué pensabas?
> *juntitas.*
> CONSUELO. ¡Siempre conmigo,
> *Mamita* de mis entrañas!
> (I, XI, pág. 52).

PEREDA

De las obras de don José María de Pereda hemos fichado *El Sabor de la Tierruca* [10] y *Sotileza* [11].

De acuerdo con el criterio que seguimos no hemos incluido en estas listas los topónimos, como *Praducos* y *Muelluco*, y nombres propios o apodos como Tablucas: «Diéronle por esto el nombre de *Tablucas...*» (*El Sabor de la Tierruca*). Pero mantenemos estos últimos en *Sotileza*, porque en ellos suele haber cierto matiz axiológico señalado por el distinto uso del positivo o de los sufijos, como en Andrés, *Andresillo* y

---

[10] José María de Pereda, *El Sabor de la Tierruca*, en *Obras completas*, t. X, Ed. Aguilar, Madrid, 1951.

[11] José María de Pereda, *Sotileza*, en *Obras completas*, t. XII, Ed. Aguilar, Madrid, 1950.

Andresito; esta inclusión nos lleva a señalar los restantes, aunque excluimos aquellos que se emplean como denominación única corrientemente, y los diminutivos de nombres propios en frases hechas. «Y hete aquí ya a *Periquito* hecho fraile» (*Sotileza*). Tampoco incluimos los diminutivos que tienen algún viso de positivos, o lo son en efecto en estos casos, como *molinillo*, de chocolate; *puntillo*, del honor; *callejas, manillas*, de la guadaña, etc.

Como formas afines podemos señalar pollanca, con sufijo que se emplea para designar animales jóvenes, como potranca: «¡Cuánto más alegre la miserable choza entre laureles y zarzas, con el becerrillo al tosco pesebre y una *pollanca* picoteando en las goteras del corral, que el silencioso palación de abolengo...!» *(S. Tierruca, VI, 66).*

En -on, como boquerón y raigón, positivos disminuidores:

> «...y empáyemela usted con aquella porfía entre el que descarga la hierba y el hormiguero de gente que la toma al *boquerón* del pajar y la lleva hacia adentro y la acalda sin que pelo quede de una horconada al *boquerón* cuando otra nueva viene del carro...» *(S. Tierruca, II, 34).* «Tres años hace no más que nació el primer escajo aquí. Con la punta de la navaja pudo arrancarse entonces; hoy da que rozar para medio día lo que se ve, en una semana no desencasta los *raigones* el azadón» *(S. Tierruca, XIII, 127).*

El diminutivo en -illo es normalmente de valoración positiva. El carácter despectivo es escaso, y ni éste ni el afectivo están muy acentuados, aunque el último está más marcado en casos como los siguientes en este ejemplo de acumulación de diminutivos:

> «Sólo dos parejas de bueyes y algunos *ternerillos* había al pesebre (...). Pues ¿y los *becerrillos*? Horas se pasaba con ellos rascándoles el testuz y dandoles *palmaditas* en la cara (...). Y cuando se cansaba Pablo, la mimosa *bestezuela* le golpeaba

suavemente con la cabeza... Lo cierto es que, fuera del *corderillo*, no hay otro animal de faz más atractiva ni que más se haga querer» (*S. Tierruca*, III, 46).

El sufijo -illo con yeísmo señala la diferencia de pronunciación andaluza: «¡Aquí ze ven lo guapo, zeño futraque! ¿Pa qué jué ímpetu?... Otro *arrempujonsiyo*...» (*S. Tierruca*, XXV, 243).

Realza el sufijo el menosprecio en traidorzuelo, diablejo, caballeretes, por ejemplo:

«...y bien hizo aquella noche el *traidorzuelo* en no aportar por la taberna, porque toda su fama tremebunda no le hubiera librado de una mano de leña como para él solo» (*S. Tierruca*, XXIV, 238). «Nos está haciendo mucho daño el *diablejo* de Asaduras» (*S. Tierruca*, XIX, 182). «Mirábanlos de reojo y con recelosa curiosidad los *caballeretes* de los pueblos...» (*S. Tierruca*, XVIII, 176).

Disminuidor y sensorial el -ico: «¡Vaya, que quien bien ve esa *cinturica* tan fina, que se puede abarcar con la llave de la mano, y esos pies de cañamón en dulce, no pensara que tan rollizas las tenía, hija!...» (*S. Tierruca*, XVIII, 173).

El sufijo -ino, en *corajina*, es casi positivo, y en *chiquitines* realza aún más la significación semántica de la raíz.

El diminutivo en -ito expresa de manera especial el afecto, diversamente matizado:

«...y su ahijado, muy *cerquita* de Ana, tan pronto contemplaba la labor que esta tenía entre las manos como miraba las nubes por la ventana abierta» (*S. Tierruca*, IX, 92). «—¿Y quién se lo ha dicho a usted, *caballerito*?, preguntó aquí don Juan de Prezanes, dejando traslucir, en la mal fingida dureza de la pregunta, el propósito que ésta envolvía» (*S. Tierruca*, IX, 92).

El amor con que Pereda ve y describe las cosas de su tierra le llevan a estas descripciones:

«...y, andando, andando, llegó a una *casita*, punto más que
choza, baja, muy baja, pobre, muy pobre, arrimada, como de
misericordia, al paredón más alto de unas ruinas antiquísimas...
Fuera de la *casuca*, junto a su puerta, entreabierta, y sentada
en un canto arrimado a la pared estaba una vieja, flaca y aper-
gaminada...» *(S. Tierruca,* VIII, 85).

Este cambio de sufijo parece indicar una diferenciación
axiológica (aparte determinaciones geográficas, sociales o de
nivel de lengua), que se confirma con los ejemplos de *casuca*
referida a la mansión de la Rámila (VIII, 86; XXXIII, 229),
y la que le regaló don Pedro Mortera, *casita* (XXX, 294).

El sufijo -uco es el típico de la Montaña; como nota regional entra en número crecido en un cuento narrado por un
personaje del pueblo, la Rámila. A esta narración, y con
carácter narrativo, se deben los abundantes *enanuco*, por
ejemplo.

Polos de distinta valoración pueden ser mujerucas y santuco, por ejemplo: «Se desocupó la iglesia; quedáronse en
el porche, murmurando, las *mujerucas* a ese manjar aficio-
nadas» *(S. Tierruca,* XXIII, 219). «—¿Ni siquiera a Catalina
(has ofendido), *santuco* de Dios?» *(S. Tierruca,* XV, 145).

El diminutivo se encuentra con más profusión en *Sotileza*,
pero sigue las líneas generales de significación de *El Sabor
de la Tierruca.* Pondremos, no obstante, algunos ejemplos,
como los siguientes:

«Y ¿cómo no había de volver Andrés, si le daba gloria ver
a aquella *chiquilla*, poco antes medio salvaje, *sentadita* al lado
de tía Sidora, tan limpia, tan peinada, tan *aliñadita* de ropa,
tan *juiciosita* pasando un hilo por dos remiendos... En fin: que
la *chiquilla* era otra ya, y el honrado matrimonio estaba chocho
con ella. A mayor abundamiento, las del quinto piso andaban
calladitas como unas santas... ¿Qué más? Hasta Muergo parecía influido benéficamente por la transformación de la *chicuela» (Sotileza,* X, 131-132). «Traía de la mano a una *muchachuela*

pobre, mucho más baja que él, *delgadita*, pálida... y no llevaba sobre sus carnes... más que un corto refajo de estameña, ya viejo, ceñido a la flexible cintura sobre una *camisita* demasiado trabajada por el uso... Hay criaturas que son limpias necesariamente y sin darse cuenta de ello, lo mismo que les sucede a los gatos. Y no se tache de inadecuada la comparación, pues había algo de este *animalejo* en lo gracioso de las líneas, en el pisar blando y seguro y en el continente receloso y arisco de la *muchachita*» *(Sotileza*, I, 21).

Creemos hallar cierto matiz axiológico en la complacencia que supone el ir con una persona del brazo en la expresión «ir del brazo o del bracete»: «Había ido a misa de once aquel día del *bracete* de su marido...» *(Sotileza*, VII, 94). Una variante la tenemos en dos ejemplos de *El sabor de la Tierruca* (págs. 148 y 156), «ir de brazalete».

El diminutivo en -ino es también de uso frecuente en la Montaña, aunque no se emplea con la prodigalidad que los en -uco, ni son tan típicos. He aquí un ejemplo usado por el pueblo: «—¿Me empriestas la uja un *poquitín*? A mercar una salía ahora mesmo» *(Sotileza*, XI, 141).

Los diminutivos en -ito, tan frecuentes, expresan de modo general la valoración positiva, matizada según el diminutivo y su empleo concreto:

«Volvieron a callar el uno y la otra, hasta que al hallarse enfrente de la Monja y próximo a los primeros barcos, volvió a decir Andrés, *bajito* también...» *(Sotileza*, XVI, 208). «...dijo a Muergo muy *callandito*, pero con suma vehemencia, mientras le agarraba con ambas manos por la pechera del elástico peludo: —¡Quiero que no güelvas por aquí más!» *(Sotileza*, XII, 154). «...armáronse los remos de la barquía y fuése ésta *poquito* a poco hacia la calle Alta» *(Sotileza*, XXII, 272). «Cierto es eso —respondió el capitán, devorando un suspiro y frunciendo el entrecejo, como si el comerciante le hubiera acertado en el *rinconcito* en que él guardaba el único secreto de su corazón» *(Sotileza*, VIII, 103), etc.

En el caso de *salita* el diminutivo parece haber traspasado las lindes del derivado; no obstante, es difícil precisar si ha alcanzado una plena diferenciación semántica semejante a aquellos otros casos en que formas diminutivas señalan objetos domésticos diferentes de los indicados por el positivo (cuchara, cucharilla; mesa, mesilla) al menos por la función que desempeñan o el uso que de ellos se hace.

El sufijo -uco, típico de la Montaña, expresa en boca de las gentes bajas, que son quienes más lo emplean, toda la gama de valores que va de un polo al otro. Para la expresión más fina se usa el sufijo -ito más corrientemente, según hemos visto. A continuación algunos ejemplos en -uco:

> —«¡Pos míate el otro..., *piojucos...*, chumpaoleas!» (*Sotileza*, VI, 86). «En fín, *miseriucas* de pueblo, de las que apenas queda ya rastro, en buena hora se diga» (*Sotileza*, XI, 133).

Pero son más abundantes los diminutivos de valoración positiva, por ejemplo:

> «Y a too y a esto, *finuca* ella; *finuco* el su andar, *finuco* el su vestir, aunque el vestío sea probe... Y lo que yo le digo a Sidora cuando me emponderá la finura del cuerpo y la finura de obra del *angeluco* de Dios...» (*Sotileza*, XI, 144). «—Al Muelle Anaos —le interrumpió tía Sidora—, ya está ella en no volver... ¿verdá, *hijuca*?... Y por lo tocante a Muergo, según él se porte, así nos portaremos con él... ¿No es eso, *venturaúca* de Dios!... Pero ¿qué mil demontres habrá visto esta inocente en ese espantajo de Barrabás, pa tomarse tantos cuidaos por él?... Pa mí cuenta, es de puro móstrico que le ve... ¿Verdá, *hijuca*?» (*Sotileza*, IX, 115).

Como se ve por estos ejemplos el sufijo -uco da lugar a la formación de diminutivos que desempeñan la misma pluralidad de funciones que los derivados constituidos con cualquiera de los restantes sufijos.

DON BENITO PÉREZ GALDÓS

De Galdós hemos fichado los diminutivos de *Fortunata y Jacinta* [12], *Marianela* [13] y *Gloria* [14].

La abundancia de diminutivos en Galdós es abrumadora. La importancia, pues, de este derivado dentro de su obra es grande no sólo por su frecuencia, sino también por su expresividad.

En *Fortunata y Jacinta* y en *Gloria* no hemos señalado los diminutivos de los nombres propios en la lista de derivados, porque tienen un carácter específico ya que son empleados como denominativos corrientes. Bajo este signo deben ser considerados, y así lo comprendió el mismo Galdós cuando escribía las siguientes palabras:

> «¿Y por qué le llamaba todo el mundo y le llama todavía casi unánimemente Juanito Santa Cruz? Esto sí que no lo sé. Hay en Madrid muchos casos de esta aplicación del diminutivo o de la fórmula familiar del nombre, aun tratándose de personas que han entrado en la madurez de la vida. Hasta hace pocos años, al autor cien veces ilustre de *Pepita Jiménez*, le llamaban sus amigos y los que no lo eran, Juanito Valera. En la sociedad madrileña, la más amena del mundo porque ha sabido combinar la cortesía con la confianza, hay algunos Pepes, Manolitos y Pacos que, aun después de haber conquistado la celebridad por diferentes conceptos, continúan nombrados con esta familiaridad democrática que demuestra la llaneza castiza del carácter español. El origen de esto habrá que buscarlo quizás en ternuras domésticas o en hábitos de servidumbre que trascienden

---

[12] Benito Pérez Galdós, *Fortunata y Jacinta (Dos historias de casadas)*, cuatro tomos, Sucesores de Hernando, Madrid, 1915.

[13] Benito Pérez Galdós, *Marianela*, 3.ª ed., La Guirnalda, Madrid, 1880.

[14] Benito Pérez Galdós, *Gloria*, en *Obras completas*, Ed. Aguilar, tomo IV, Madrid, 1941, 503-687.

sin saber cómo a la vida social. En algunas personas, puede
relacionarse el diminutivo con el sino. Hay efectivamente Manue-
les que nacieron predestinados para ser Manolos toda su vida.
Sea lo que quiera, al venturoso hijo de D. Baldomero Santa
Cruz y de doña Bárbara Arnáiz le llamaban Juanito, y Juanito
le dicen y le dirán quizás hasta que las canas de él y la muerte
de los que le conocieron niño vayan alterando poco a poco la
campechana costumbre» (*Fortunata y Jacinta*, I, I, 12-12).

No obstante, señalaremos algunos diminutivos de nombres
propios a fin de dar idea hasta qué punto se emplea este
derivado en *Fortunata y Jacinta*: Joaquinito, Barbarita, Gus-
tavito, Baldomerito, Isabelita, Rupertito, Pepito, Castita, Rosita, Benignita, Paquito, Ramoncito, Rufinita, Manolita, Paquita, Antoñita, Padillita, Aurorita, Jacintillo, Periquillo,
Mariquita, Placidito, Fortunatita, Belencita, Delfinito, Juanín,
Pitusín, etc.; denominaciones y apodos como el padre Fugui-
lla, las hermanitas de los Pobres, El Papelito (periódico), etc.,
etc. En *Gloria*: Isidorilla, Venturita, Teresita, Serafinita, Paquito, Francisquín, Gasparuco, Nazarenito, el padre Poquito,
etcétera.

Por el contrario, en *Marianela* el sufijo se deja sentir con
más fuerza en los nombres propios.

Como apodo curioso tenemos el formado sobre los casos
de la declinación en la novela *Doña Perfecta* [15]:

«El señor Penitenciario va a subir al cuarto de *Don Nominavito* y nos echará un responso... —*Don Nominavito* es amigo
nuestro —repuso una de ellas—. Desde su templo de la ciencia
nos dice a la *calladita* mil ternezas, y también nos echa besos
volados.

—¿Jacinto? —¿Pero qué endiablado nombre le han puesto
ustedes?

—Don *Nominavito*...

15 Benito Pérez Galdós, *Doña Perfecta*, Madrid, 1919.

—Sí, y todo el santo día estaba cantando.

—Declinando, mujer. Eso es: se ponía de este modo. *Nominavito rosa, Genivito, Davito, Acusavito»* (XIII, «Un casus belli», pág. 147).

De aquí que más adelante se diga sin más: «Rey contempló durante un rato las frescas facciones de *D. Nominavito»* (pág. 159).

El jugueteo idiomático es manifiesto a base de la metátesis que da por resultado la terminación diminutiva.

Otro tipo de expresividad es el que se logra apocopando el nombre o refundiendo el sustantivo, por ejemplo «sito Maxi», por «señorito Maximino».

Con el sufijo -uso tenemos una voz, Pituso, empleada en *Fortunata y Jacinta* con evidente carácter diminutivo afectivo: «No me fío yo de un parecido que puede ser ilusorio, y mientras Juan no me saque de dudas, seguiré creyendo que adonde debe ir tu *Pituso* es a la Inclusa» (I, X, 416).

Esta valoración semántica de la palabra pituso no sólo hay que verla a causa de su raíz pit, 'pequeño', según Meyer Lübke, sino también del sufijo, pues aunque en la palabra pequeñusa todavía cabe la presencia disminuidora del tema, no ocurre así en otras. Este vocablo fue oído por mi amigo Manuel Seco en el mismo Madrid de labios de una señora en esta frase: «¡Es que es tan *pequeñusa...*!». Posee evidente matiz familiar y afectivo.

Carácter más definido es el de la voz *pobruso*, usada frecuentemente en Elche y en Cheste. Especialmente en esta última población tiene un marcado matiz diminutivo conmiserativo, empleado para designar al pobre de espíritu por personas de todas las clases sociales. En general es forma corriente desde Teruel hacia el mediodía.

Derivados con tal sufijo hay que buscarlos en el ámbito regional, y así encontramos formas como *tontuso* en Navalperal de Pinares (Ávila).

Como ejemplos de doble derivación en la que interviene el sufijo -uso, quedando interno, tenemos *Pitusín*, en *Fortunata y Jacinta*. Esta forma, Pituso, que llegó a alcanzar cierto uso, por ejemplo en *Pepita Reyes* de los hermanos Álvarez Quintero, en Arniches [16], etc., ha desaparecido prácticamente del uso, familiar y coloquial, en el que solía darse, del habla madrileña, en la cual se empleó con cierta profusión en la época a que nos referimos. Hoy todavía se la puede encontrar, por ej., como denominación de tienda de prendas de vestir de niño (calle de Fernández de los Ríos, Madrid).

A partir de ahora formas como *callejuela*, *plazuela*, *plazoleta* y *placeta* no irán incluidas en la lista de diminutivos, pues han pasado a designar tales lugares con un carácter tan individualizador y concreto que hay que considerarlos casi como positivos. En el mismo caso están *chiquillo* e incluso *salita*. En efecto, la individualización de esta última y, por consiguiente, su carácter positivo, tiene su origen en el excesivo uso que se hace del diminutivo en el ambiente doméstico; ésta es la causa de que exista un crecido número de derivados, que en realidad no lo son, funcionalmente, se entiende, para designar un sinfín de objetos empleados en la vida familiar. La forma chiquillo se ha desgastado probablemente por la misma razón; no obstante, debido a su significación semántica es fácil hallar algún ejemplo matizado axiológicamente, pues es palabra que lo mismo puede ser sustantivo que adjetivo, lo que duplica aquella posibilidad.

La importancia de plazuela, etc., es principalmente geográfica; sobre todo, para placeta, forma fijada. por ejemplo,

---

[16] M. Seco, *Arniches y el habla de Madrid*, etc., págs. 470-471.

en el mediodía de España; las demás son de fijación más amplia.

Formas no consideradas como auténticos diminutivos han tomado en Galdós una especialización tan concreta como las siguientes:

> «Asomáronse las dos señoras, y vieron que en la parte baja de la calle, cerca de la esquina de la de San Carlos, había un *gran corrillo* que a cada momento engrosaba más» *(F. y J.,* III, V, 234). «Si hay en su existencia días vergonzosos, y no diré tanto como vergonzosos, días borrascosos, días desventurados, ha sido por ley de la necesidad y de la pobreza, no por vicio... Los hombres, los *señoritos,* esa raza de Caín, corrompida y miserable, tienen la culpa...» *(F. y J.,* II, II, 93). «La engañé, le garfiñé su honor, y tan tranquilo. Los hombres, digo, los *señoritos,* somos unos miserables...» *(F. y J.,* I, V, 162).

La apreciación de la noción de corrillo se ve favorecida por el sintagma «gran corrillo» del texto. La presente de señorito, que alcanzó su momento cumbre en los años inmediatos a la Guerra Civil, se delimita perfectamente frente a otras acepciones: persona soltera, maestra o cualquier mujer que trabaja en una oficina, etc.

Pasemos ahora a señalar los principales valores y funciones del diminutivo en Galdós.

El madrileñismo de la obra galdosiana queda patente sólo con echar una mirada sobre el abrumador número de diminutivos, y con reparar en la proporción en que se encuentran los distintos sufijos.

Dado el crecido número de estos derivados en sus distintas terminaciones puede afirmarse, en términos generales, que todos los sufijos poseen algún ejemplo de todos los tipos de funciones. Quizás haya que señalar tendencia axiológicamente positiva y frecuencia de diminutivos activos, sobre todo en *Fortunata y Jacinta*.

A continuación algunos ejemplos de los distintos sufijos, empezando por esta obra:

«Y lo que es esa *francesilla* asquerosa no se ríe de mí» (*F. y J.*, IV, VI, 329). «¡Ah! sí... Todos nos llamamos personas decentes; pero *facilillo* es probarlo» (*F. y J.*, I, IX, 363).

«—¿Y qué más da que vayan o no a casa de Cánovas?

—Nada, nada... la cosa no tiene malicia. *Flojilla* cosa ¿de qué pan hago las migas, compadre? Del tuyo, que con el viento no se oye» (*F. y J.*, III, I, 25).

«Y esto va a escape. Ya se ve. La *locurilla* me ha cogido ya con los huesos duros y con muchas Navidades...» (*F. y J.*, III, IV, 151).

«—¡*Pobrecilla*! Es una santa» (*F. y J.*, III, II, 87).

«Las chicas no eran malas, pero eran *jovenzuelas* y ni Cristo Padre podía evitar los atisbos por el único balcón de la casa o por la ventanucha que daba al callejón de San Cristóbal. Empezaban a entrar en la casa *cartitas*, y a desarrollarse esas *intrigüelas* inocentes que son juegos de amor, ya que no el amor mismo» (*F. y J.*, I, II, 72-73).

«¡Qué ignominia!... Esta *mujerzuela* aquí, en esta casa... ¡qué afrenta!...» (*F. y J.*, III, VII, 379).

«¿Es que no comes para hacerme rabiar?... Ven aca, *tontuela*, echa la *cabecita* aquí» (*F. y J.*, I, VIII, 282).

«Allá me sacó del cofre la partida de bautismo, un *papelejo* que apestaba» (*F. y J.*, I, X, 385).

«Todos los primeros de mes recibía Barbarita de su esposo mil *duretes*» (*F. y J.*, I, VI, 191).

«Ilusionarse con un *caballerete* porque tenga los ojos así o asado..., es propio de hembras salvajes» (*F. y J.*, II, IV, 196).

«—*Señorita*... ¿sabe? es el viento que rebulle en la escalera. No sea usted tan *medrosica*...» (*F. y J.*, II, VII, 378).

... (mandó) «un pastelón así, mirad, del tamaño del brasero de doña Calixta, que tenía dentro muchas pasas *chiquirrininas*, y picaba como la guindilla» (*F. y J.*, I, II, 37).

«Se fue pian *pianino*, y se sentó en la puerta...» (*F. y J.*, III, V, 239).

«...y cogiendo en brazos al niño le hizo caricias a su modo: '¿Quién te quiere a ti, churumbé?... ¿A quién quieres tú, *piojín* mío?'» (*F. y J.*, I, IX, 349).

«Tú no sabes lo que es una mujer que se muere por un hombre. ¡*Pobretín*, esa miel no la has catado nunca...!» (*F. y J.*, IV, VI, 365).

«¡El amor! Yo te enseñaré lo que es... No lo sabes, *tontín*... ¡la cosa más rica...!» (*F. y J.*, IV, VI, 366).

«—...Las cuatro: ¡qué tarde!

—Dí qué temprano. Ya pronto se levantará Plácido para ir a despertar al sacristán de San Ginés. ¡Qué frío tendrá!...

—¡Cuanto mejor nosotros aquí, tan *abrigaditos*!

—Me parece que de esta me duermo, vida.

—Y yo también, corazón.

Se durmieron como dos ángeles, mejilla con mejilla» (*F. y J.*, I, X, 396).

«*Chitito* —le dijo su tía, entrando *pasito* a paso—, no hagas ruido, que tu mamá está dormida» (*F. y J.*, III, VI, 278).

«...alargando la boca para ser mejor oída, decía con voz plañidera:

—*Cojita* mía..., *cañamoncito* de mi alma, ¡cuánto te quiero!... Allá va el *patito* con sus meneos; una, dos, tres... Lucero del convento, ven y escucha, que te quiero decir una *cosita*... ¡Ay, mi *galapaguito* de mi alma, qué *enfadadito* está conmigo! que le quiero tanto... Sor Marcela, una *palabrita*, nada más que una *palabrita*. Yo no quiero que me saques de aquí, porque me merezco la encerrona. Pero ¡ay, *niñita* mía, si vieran qué mala me he puesto!... *Cojita*, graciosa, *enanina* remonona, mira, oye... tráeme nada más que una *lagrimita* de aquella gloria divina que tú tienes. Anda, ángel, mira que te lo pido con toda mi alma, porque esta *penita* que tengo aquí no se me quiere quitar y parece que me voy a morir... y así te coronen los serafines cuando entres en el cielo con tu *patita* coja...» (*F. y J.*, II, VI, 271-272).

«—¿Y el niño?

—Sigue tan *dormidito*» (*F. y J.*, IV, VI, 339).

«Ésta tenía a sus dos niños *descalcitos*» (*F. y J.*, I, IX, 354).

«En la fecha en que nuestra narración coge a doña Lupe, tenía ya un *caudalito* de diez mil duros...» (*F. y J.*, II, III, 157).

«¡Vaya con el *caballerito!* Es cosa de dar parte a la policía»
(*F. y J.*, IV, I, 54).

«Jacinta no se atrevió a decir «borracho». La palabra horrible
negábase a salir de su boca.

—Dilo, hija. Dí ajumao, que es más bonito y atenúa un poco
la gravedad de la falta.

—Pues como estabas *ajumaíto*, no eras responsable de lo que
decías» (*F. y J.*, I, V, 168).

«Desde que usted se fué estuve llorando hasta *ahorita*» (*F. y
J.*, III, IV, 124).

«—Tiene usted una casa muy mona.

—Para menestrales, *talcualita*» (*F. y J.*, I, IX, 359).

«Creía estar sola, y vió que Patria se acercaba *pasito a pasito*,
pisando como los gatos» (*F. y J.*, II, VII, 380).

Etcétera, etc.

Algunos diminutivos de *Marianela*:

«Por el hueco aparecieron la *naricilla* y los negros ojos de
la Nela. *Celipín, Celipinillo* —dijo ésta sacando también su mano.

—¿Estás dormido?» (*M.*, IV, 45).

«—Pues las flores —dijo el ciego, algo confuso, acercándolas
a su rostro— son... unas como *sonrisillas* que echa la tierra...»
(*M.*, VI, 72).

«Los negros *ojuelos* de la Nela brillaban de contento, y su
cara de *avecilla* graciosa y vivaracha multiplicaba sus medios
de expresión, moviéndose sin cesar» (*M.*, VI, 68).

«—No es eso, *tontuela*; habla de la belleza en absoluto» (*M.*,
VII, 82).

«Repetidas veces dijo para sí al llenar la escudilla de la
Nela: —¡Qué bien me gano mi *puestecico* en el cielo!» (*M.*,
IV, 53).

«Él solo, *solito* él, con la ayuda de Dios, aprendió todo lo
que sabe» (*M.*, IV, 46).

«Se va *poquito* a poco perdiendo la voz» (*M.*, VIII, 98).

«Vete *poquito a poquito*: hoy me aprendo esto, mañana lo
otro» (*M.*, XII, 144).

«Ahora se vuelve a oír la voz: habla bajo, y me dice al oído
muy *bajito*, muy *bajito*...» (*M.*, VIII, 99).

«Él me pregunta cómo es una estrella, y yo se la pinto de
tal modo hablando, que para él es lo *mismito* que si la viera»
(*M.*, III, 36).

«¡Pobre *Mariquita*, tan buena, y tan abandonada!...» (*M.*, XV,
172). «*Despacito* siguióla a bastante distancia...» (*M.*, XVIII, 203).

Y, por último, algunos diminutivos de *Gloria*:

«Tampoco quiso éste intervenir en otro *asuntillo* que traía
a Ficóbriga Rafael del Horno...» (*G.*, I, X, 521).

«Pero dime ahora, *loquilla* de mi corazón, ¿cómo pudiste
dar calor en tu entendimiento a esas malditas víboras?» (*G.*,
I, XXX, 567).

«—Ven acá, mansa *ovejuela* —dijo don Ángel sonriendo» (*G.*,
I, XXIX, 565).

«—¡Pícaros *animalejos!* —exclamó don Juan, riendo» (*G.*, I,
III, 508).

«—Señoras —se dejó decir—, ¿saben ustedes que esto me
huele a *judiíto* pasado?» (*G.*, II, V, 600).

«—Esta semana no te he dado nada. Toma.
—¡Bendita sea la mano de Dios...! —exclamó José, tomando
seis *moneditas* de plata» (*G.*, I, XV, 529).

«—¿Qué tal, señoras mías; se trabaja *muchito*?» (*G.*, II, V,
600).

«—Lo que quieras, *queridita* —repuso Lantigua con el mayor
cariño» (*G.*, II, XXX, 675).

«La religión no manda que seamos groseros. Vamos *corriendito*... Vamos...» (*G.*, II, XXIV, 657).

En resumen, el diminutivo en Pérez Galdós tiene un marcado carácter madrileño que más tarde se repetirá en el
teatro de Arniches. El sufijo -ito es el que mejor expresa el
aspecto localista. Los restantes sufijos desempeñan un papel
más secundario, basado en la expresión habitual de la respec-
tiva terminación; entre éstas sobresale la del sufijo -illo
cuyas funciones se basan, por lo general, en el carácter disminuidor del mismo.

El significado rebajador da lugar a un empleo activo del diminutivo, como hemos visto en Galdós y se oye corrientemente en la actualidad en frases como ésta: «¡No es un timo, sino un timito!», contesta, por ejemplo, el pícaro a la justicia. Un caso similar podemos ver en Arniches [17]:

> SEÑÁ RITA. — (...) Y bromitas, no. ¡Que es mucho cinismo el de usté!
>
> ALEJO. — ¡Mucho, no; un *cinismillo* de mala muerte; pa ir tirando naa más!
>
> (Acto II, Esc. VIII).

MIRÓ

De Gabriel Miró hemos fichado los diminutivos de su obra *Figuras de la Pasión del Señor* [18].

Miró es uno de los pocos escritores que ha merecido el honor de que sus obras hayan sido estudiadas desde el punto de vista del diminutivo. En este sentido Renata Donghi Halperin [19] le ha dedicado un artículo de corte periodístico en la tendenciosa revista *Por nuestro idioma*, que dado su carácter, no merece ser comentado.

Si tuviésemos que calificar el estilo de Miró con una sola palabra le aplicaríamos ésta: afectivo-sensual. Su afectividad nace de la mirada serena y amorosa que expande en torno suyo. Miró encuentra el mundo hermoso y lo ama, porque, incluso las cosas que no son buenas y bellas, él quiere que

---

[17] Carlos Arniches, *Las doce en punto*, Acto II, Esc. VIII, Ed. Aguilar, *Obras completas*, t. IV, Madrid, 1948.

[18] Gabriel Miró, *Figuras de la Pasión del Señor*, Ed. E. Domenech, dos tomos, Barcelona, MCMXVI.

[19] Renata Donghi Halperin, «El diminutivo en Miró», *Por nuestro idioma*, núm. 8 (diciembre de 1936 y enero de 1937), págs. 2 y 3, Buenos Aires.

así sean. Todo en él es serenidad y transparencia, finura y luminosidad expresiva que, a fuerza de luz, difumina los objetos. Y como vivificando estas cualidades, una gran caridad que se escapa en magníficos diminutivos limpios, tersos, luminosos. A veces parece que percibimos cierta voluptuosidad de Miró en el empleo del diminutivo, como en este ejemplo de *El Obispo Leproso* [20]: «Se maravillaba el niño de que por mandato de sus dedos —sus dedos cogidos por los de don Magín— fuera poblándose la soledad de voces humanas, asomadas a las bóvedas, sin abrir las piedras *viejecitas*» (I, I, pág. 8).

Los diminutivos en -illo, en las *Figuras de la Pasión del Señor*, desempeñan fundamentalmente funciones estéticas en la descripción... «el pámpano nuevo de sus higueras, se cuaja en *lancillas* de sol como las candelas de un Tabernáculo campesino...» (t. I, 55); «...su pecho, emblandecido con *mielecillas*» (t. II, 94). Suelen estar bañados de afectividad.

Los en -uelo son también descriptivos, excepto vejezuelo, matizado despectivamente: «Y el *vejezuelo* le dijo con risa de vicio» (t. II, 194).

Tanto en los diminutivos de estas terminaciones como en los de las restantes puede decirse que es este diminutivo, vejezuelo, el único con carácter peyorativo. De los restantes, el que más es indiferente axiológicamente, o disminuidor. Este carácter se encuentra soterrado en todos los sufijos; en el caso de *lunetas* la delimitación entre derivado y positivo es difícil, y la balanza casi se inclina del lado de éste.

La complacencia de los objetos y seres pequeños presta motivos para el empleo del diminutivo: «La luna, grande, redonda, lo penetraba todo como si fuese un ascua que

[20] Gabriel Miró, *El Obispo Leproso*, en *Obras completas*, vol. X, Biblioteca Nueva, Madrid, 1926.

derretía el sahumerio de claridad esparcido dulcemente en todo; hasta los *insecticos* que hilan entre los árboles, eran gotas y hebras de plata» (t. II, 184).

El diminutivo en -ito es el de expresividad más acusada. Adquiere singular encanto la frase en la que aparece; sosiega y encauza nuevamente la narración por los senderos apacibles y serenos si hubo un momento anterior desagradable. Por ejemplo: «Supo la invitación de Poncio en el segundo día de haberse abandonado a morir de hambre. Ocurriósele el suicidio sin apetecerlo. No fue suya la voluntad de la muerte. Sintió que se le posaba como una *avecita* ligera que descansa en una rama sin doblarla» (t. II, 95).

Es verdadera fruición la que siente Miró con estos diminutivos en -ito, por ejemplo: «Y el león del Jordán y la hermosa (Herodías) se miraron.

»Los ojos del hombre pasaban iracundos sobre la mujer, y parecía crepitar la breña de su cuerpo; ella, durmió los suyos como palomas en aquel árbol virgen, sintiéndose *chiquita*, femenina, dulce, menesterosa» (t. II, 22).

La voluptuosidad que parece sentir Miró en el empleo del diminutivo está bien patente en la sensualidad que se desprende de los dos diminutivos siguientes:

«En medio del torrente seco, de la profecía de Joel, donde se acostaban las sombras de las sepulturas, Asaf oía el resuello de su vida cansada y el brinco cristalino, la placentera animación del agua, riéndose y mandándole como la delicada hija de un señor en la jiba de su camello. Asaf era el viejo camello del agua. La *doncellita* retozaba aturdidamente por su espalda. Entonces, Asaf se amohinaba como un chico, y movía su cráneo abrasado rezongando; pero, hallábala tan *desnudita*, tan palpitante y frágil, que le hablaba y le sonreía manso y bueno» (t. I, 42).

Estos dos diminutivos son dos brasas a cuya luz hay que ver toda la frase.

RAMÓN PÉREZ DE AYALA

De Pérez de Ayala hemos fichado los diminutivos contenidos en su novela *Belarmino y Apolonio* [21].

Sobre la discusión de formas sólo justificaremos la no inclusión de camuesín por la razón que fácilmente se desprende de las dos primeras veces que aparece: «Vaya, vaya —dijo (la duquesa)...; conque éste es el gran Apolonio Caramanzana, y éste otro el *camuesín*...». «De allí en adelante me llamó el *camuesín*» (IV, 110).

De los distintos sufijos que emplea Ayala en la derivación, el típico de la región del autor, Asturias, es el -ino.

Con los restantes sufijos tenemos los tipos de diminutivos que venimos viendo; por ejemplo: «...mostrando rojas y pequeñas manzanas, que no sugerían la imagen del pecado, sino a lo más de un *pecadillo*» (VI, 238). «No delataba el aplomo del cura conquistador ni el hipócrita y meloso encogimiento del *curilla* faldero» (I, 26).

En -uelo: «Los *chicuelos* les seguían, a distancia prudente, canturreando...» (III, 62).

En -ejo: «Mi hermano, en su testamento, ha dejado unos *cuartejos*, poca cosa, para que con ellos, según mi arbitrio, vea yo de hacerte hombre» (IV, 126).

En -ete: «Lo que señaladamente les molestaba era que yo no perdía los buenos colores. Siempre fui tan *coloradete* como ahora soy» (VII, 245).

---

[21] Ramón Pérez de Ayala, *Belarmino y Apolonio*, Saturnino Calleja, S. A., Madrid, MCMXXI.

El sufijo -ino, regional, presta blandura y suavidad a la frase; sus funciones son múltiples y así puede estar empleado en el lenguaje activo con una finalidad captativa:

> Larrosa (un viejo que fué muy lechuguino): —Una corbata, señor, una *corbatina*, de las muchas que le sobrarán en el guardarropa.
>
> (VIII, 305).

> Olalla (un viejo que fué gran borracho): —Buenos son los dulces, señor franchute, pa los neños y las muyeres llambionas. Convídenos a *sidrina*, señor; la buena *sidrina* con *panizo* ¡Cuánto fai que non la cato...!
>
> (VIII, 304).

En todos brilla el donaire y la intención afectiva:

> «Entró Felicita: 'Niños, *loquines*, que ya es tarde. Cada mochuelo a su olivo y cada pollo a su corral'. Yo no quería separarme de Angustias ya en la vida. 'Qué súbito es don *Pedrito*. Tonto, ¿de quién es la culpa? Ya lo arreglaremos todo, y de *prisita*, para que no te consuma la impaciencia'» (VII, 261). «Sólo de raro en raro se detenía a murmurar (Felicita) con acento de quejumbre: '¡Qué envidia me dais, *tortolines*...!'» (VII, 261). «Pobre *Pedrín*, *hijito* —dijo, dándome una palmada en el cogote—; ahora, a pasear, a pescar, a cazar; distráete, embrutécete» (VII, 260). «¿Qué va a ser de mí? ¿Qué va a ser de esa pobre *neñina* inocente?» (III, 71).

El retrato adquiere más expresividad con el diminutivo: «—¿Se llama *Perico*? —Sí, *Perico* Caramanzana. ¡Y qué bien le iba el nombre! Tenía la cara fresca, *coloradina* y alegre como una manzana» (I, 33). El valor hipocorístico es siempre patente.

El diminutivo en -ito es generalmente afectivo: «Los *ancianitos*, desde hace ocho días, se relamen de gusto por anticipado, y no hablan de otra cosa que de las ricas confituras del señor Coliñón» (VIII, 297). «Revístase de fortaleza para escucharme. Le traigo un manjar amarguísimo; pero con un *granito* de dulzura y de consuelo» (VI, 233).

Sensorial e imaginativo: «Era mucho más joven que el marido, *mantecosita*, frescota y en sazón todavía de hacerles la boca agua a los aficionados a manjares suculentos y a la Venus pingüe» (V, 129).

El sufijo -uco da lugar a diminutivos despectivos sin excepción, por ejemplo compárese los siguientes, casuca y casita:

> «En aquella *casuca* amarilla, de entrada abismática, como el orificio de una boca desdentada, galería de vidrios como antiparras, y tejado redondo, negruzco y a trechos desguarnecido, como gorro mugriento, vive, sin duda, una prestamista. Aquella *casita* cenceña y larguirucha, con ventanas pobladas de macetas y pájaros, ¿qué ha de ser sino la morada de una doncella talluda?» (II, 55).

En ambos casos los diminutivos son una anticipación sintética que se desmenuza analíticamente en las palabras que les siguen.

AZORÍN

Las obras de Azorín, cuyos diminutivos hemos fichado, son: *Un pueblecito* [22], *El paisaje de España visto por los españoles* [23], *Las confesiones de un pequeño filósofo* [24] y *La Voluntad* [25].

---

[22] Azorín (J. M. R.), *Un pueblecito. Riofrío de Ávila*, Publicaciones de la Residencia de estudiantes, Madrid, 1916.

[23] Azorín (J. M. R.), *El paisaje de España visto por los españoles*, Colección Austral, Madrid, 1942.

[24] Azorín (J. M. R.), *Las confesiones de un pequeño filósofo*, Colección Austral, Buenos Aires, 1944.

[25] Azorín (J. M. R.), *La Voluntad. Novela*, Biblioteca Nueva, Madrid, 1939.

La claridad, precisión y concisión son normas que rigen la prosa de Azorín. Todos los medios expresivos están ordenados a esta finalidad. La frase es, pues, serena y mesurada; en ella resplandece el amor al detalle, a lo diminuto. En un cómputo de su léxico se aprecia gran número de adjetivos que denotan la pequeñez.

No obstante la semejanza de estilo de Azorín y Miró en muchos aspectos, la diferencia en lo expresivo es fundamental: mientras en Miró la expresividad está orientada hacia lo afectivo, en Azorín mira al lado sensorial y plástico en una reconstrucción imaginativa de la escena o del objeto. El afecto que de aquí se desprende es secundario y derivado; en Miró es esencial y primario. Comparando a los dos escritores encontramos que mientras Azorín se para en lo sensorial, Miró pasa al campo afectivo. Azorín deja que el impacto acusado por los sentidos se desenvuelva por sí mismo, lo que origina no pocas veces una mera reacción sensorial sin trascendencia alguna en el aspecto afectivo. Lo que se desprende es una imagen de la realidad «mejor que la realidad misma». Tenemos, pues, sensibilidad e imaginación, dos factores fundamentales en la prosa de Azorín. Por esta razón, el diminutivo posee fuerza descriptiva, que a veces se transforma en un hábito narrativo, como en el caso del diminutivo *pueblecito*, tan repetido. A continuación unos diminutivos:

> «La imagen del *pueblecito* de la Sierra de Ávila era mejor que el mismo *pueblecito*» (*Un pueblecito*, 163). «A prima noche, a través de los vidrios del escaparate, allá dentro en la trastienda, se ve la cabeza inclinada de un viejo. Se desgranan las sonoras campanadas de la catedral. En la callejuela suenan pasos. *Campanitas* en la madrugada. Silencio de nieve que va cayendo» (*Un pueblecito*, 69).

La misma o parecida imagen está descrita con idénticos medios: «Castilla: en una noche estrellada, pasos sonoros en una callejuela; una celosía allá, en lo alto; el tañer de una *campanita* argentina...» *(El Paisaje de España...* «Castilla», 55). A veces, se precisa un doble adjetivo para señalar el afecto: «Un labrador puede ser más inteligente que un sabio doctor; una *viejecita* del pueblo, una *viejita*, como dicen cariñosamente en la Argentina, puede tener más aguda inteligencia que la más encopetada de las preciosas ridículas» *(El Paisaje de España*, «España y África», 133).

El diminutivo es decriptivo y sensorial:

> «Una luz vaga y turbia entra por las ventanillas del coche: cae una lluvia fina, cernida, *menudita*; el tren se ha detenido en una estación; en el silencio se percibe la voz de una *viejecita* —que columbramos con sus sayas a la cabeza—, una voz que dice unas misteriosas palabras dulces, insinuantes...» *(El Paisaje de España*, «Galicia», 24). «Córdoba es un *patizuelo* empedrado de menudos guijos...» *(El Paisaje de España*, «Córdoba», 79).

En Azorín el sufijo se desprende no pocas veces de toda coloración axiológica; su papel es realzar, recalcar un vocablo para que su imagen y su significación se nos quede grabado mediante su repetición; en un par de páginas se repite seis veces el diminutivo mujercita lo que hace que tome un carácter narrativo:

> «Vivía cerca del colegio una *mujercita* que nos traía sugestionados a todos: era el espíritu del pecado. Habitaba frente a un patio exterior; su casa era pequeñita; estaba enjalbegada de cal, con grandes desconchaduras; no tenía piso bajo habitable; se subía al principal, único en la casa, por una angosta y pendiente escalerilla; arriba, en la fachada, bajo el alero del tejado, se abría una pequeña ventana. Y a esta ventana se asomaba la *mujercita*; nosotros, cuando salíamos a jugar al patio, no hacíamos más que mirar a esta ventana... Nos atraía esta *mujercita*: ya he dicho que era el espíritu del pecado. Nosotros teníamos vagas noticias de que en la ciudad había un conventículo de mujeres execrables; pero esta pecadora que

vivía sola, independiente, a orillas de la carretera, allí, bajo
nuestras ventanas, esta *mujercita* era algo portentoso e inquie-
tante... Cánovas fué el que se arriesgó a ir a casa de la *mujercita*... ¿Por qué no traía chaleco Cánovas? Este detalle es
conmovedor; me dijeron al oído que Cánovas no tenía dinero
cuando fué a ver a la *mujercita* y que apeló al recurso de
dejarse allí esta sencilla y casi inútil prenda de indumentaria...»
(*Las confesiones*, XXI, 73-75).

Como se ve ha adquirido valor nocional muy preciso,
como lo indica esa sustitución del indeterminado *una* del
primer mujercita por *la* o *esta* de los restantes.

Cuando aparece el valor activo del diminutivo es como
rasgo local y al pintar una escena viva:

«¡Señora, una *limosnica*, por el amor de Dios!» (*Las confesiones...*, XXXI, 102). «Gedeón pregunta: '¿Quién me da un
cigarrito sin pedirlo?'. Luego exclama en tono de resignación
jovial: '¡Ay qué vida esta!... ¡Esta vida no es pa llegar a viejo!'»
(*La Voluntad*, II, III, 154).

El matiz despectivo aparece rara vez, por ejemplo: «*La
Vida del Buscón D. Pablo*, exagerado, dislocado, violento,
penoso, lúgubre desfile de hambrones y *mujerzuelas*, es fiel
síntesis de toda novela» (*La Voluntad*, II, IV, 166).

El diminutivo alguna vez es sensual e imaginativo: «...El
propio Azorín, que está cansado de bullangas literarias, sería
muy feliz casándose con esta *muchachita* del manto negro...
Y yo viviría feliz siendo, aquí en Toledo, un hombre metódico
y catarroso..., con esta *niñita* apetitosa, de erguidos senos
e incitantes pudores...» (*La Voluntad*, II, IV, 162).

En el sufijo -ico está remansado el diminutivo regional:
«Yo vus digo que todo me lo he curado con agua de romero
y pedazos de sarmientos *machucaícos*...» (*La Voluntad*, I,
XXIX, 145).

El sufijo -illo, en general, da lugar a diminutivos disminuidores descriptivos.

Con este ejemplo de nombre común de lugar cerramos las palabras dedicadas a Azorín: «—Aquí pregunta este señor por don Antonio Azorín... ¿Sabe usted quién es?... ¿No es el que vive en la *placeta* del Colegio?» *(La Voluntad,* Epílogo, I, 235).

Llega un momento en que estas denominaciones corrientes de lugar (placeta, plazoleta, plazuela, etc.) pierden todo valor diminutivo y son verdaderos positivos, sobre todo seguidos de un determinativo, por ejemplo, plazuela de Santa Ana (Ávila).

Una vez más vemos qué escaso valor de diminutivo imprime el sufijo -ete a los derivados, verdaderos positivos a no ser por la oposición positivo-derivado.

GARCÍA LORCA

De Federico García Lorca hemos recogido los diminutivos de sus *Obras Completas* [26].

Para la relación de diminutivos en García Lorca no hemos tenido en cuenta aquéllos que son topónimos propios o comunes, los diminutivos de los títulos y de las dedicatorias. Tampoco hemos incluido los diminutivos de las acotaciones, ni aquellos que, como los de «Las 'Nanas' Infantiles», (Conferencia), pertenecen a la tradición popular de las distintas regiones y son ajenos a la propia creación de García Lorca; pero cuando alguna de estas composiciones está asimilada en la obra lorquiana, entonces hemos reseñado el diminutivo, por ejemplo, la nana con que comienza *Yerma.*

---

[26] Federico García Lorca, *Obras completas,* ocho volúmenes, 5.ª ed., Losada, S. A., Buenos Aires, 1946.

Los diminutivos de nombres propios de persona que son
tenidos como denominaciones corrientes tampoco han sido
incluidos.

Deseo señalar aquí la forma «Ernesti-ti-ti-ti-ti-tina» que,
si bien no es un diminutivo, por la repetición de la sílaba
ti logra una expresividad similar a los derivados con sufijos
pospuestos; implica reiteración y cierto sentido superlativo
o, mejor, ponderativo del afecto. Veamos el texto:

> AMIGO. — (...) No tengo tiempo, no tengo tiempo de nada,
> todo se me atropella. Porque figúrate. Me cito con Ernestina
> (se levanta). Las trenzas aquí, apretadas, negrísimas y luego...
> *Ernesti-ti-ti-ti-ti-tina*, tantas cosas dulces le digo con su nombre
> que se le llenan los pechos de tes, y, como la hacen daño, se
> las tengo que ir quitando con los labios, con los dedos, con los
> ojos...
>
> (*Así que pasen cinco años*, Acto I, vol. VI, pág. 25).

Tal vez haya que considerarlo como un diminutivo intencional.

Un diminutivo con doble terminación, *pajarita* de papel
y *pajaricas* de papel («Pajarita de papel», vol. VII, 186) es
más un caso de alternancia del sufijo en un positivo, en el
que todavía no se ha asimilado plenamente al tema bajo una
presión regional, que un diminutivo propiamente dicho. Es
curiosa la carencia casi total del sufijo -ico en García Lorca,
típico de Granada. Esta falta de diminutivos en -ico probablemente se deba a la concepción altamente estética de
García Lorca, quien repudiaría este sufijo por rural.

En la obra de García Lorca, granadino, el diminutivo tiene
una gran importancia. Tan importante es que para comprender algunos de los más finos matices de su obra es imprescindible un conocimiento completo de las funciones de este
derivado. Nada mejor que las palabras del propio García
Lorca sobre este tema al hablar de Granada:

«Granada ama lo diminuto. Y en general toda Andalucía. El lenguaje del pueblo pone los verbos en diminutivo. Nada tan incitante para la confidencia y el amor. Pero los diminutivos de Sevilla y los diminutivos de Málaga son ciudades en las encrucijadas del agua, ciudades con sed de aventura que se escapan al mar. Granada, quieta y fina, ceñida por sus sierras y definitivamente anclada, busca a sí misma sus horizontes, se recrea en sus pequeñas joyas y ofrece en su lenguaje su diminutivo soso, su diminutivo sin ritmo y casi sin gracia, si se compara con el baile fonético de Málaga y Sevilla, pero cordial, doméstico, entrañable. Diminutivo asustado como un pájaro, que abre secretas cámaras de sentimiento y revela el más definido matiz de la ciudad.

»El diminutivo no tiene más misión que la de limitar, ceñir, traer a la habitación y poner en nuestra mano los objetos o ideas de gran perspectiva.

»Se limita el tiempo, el espacio, el mar, la luna, las distancias, y hasta lo prodigioso: la acción.

»No queremos que el mundo sea tan grande ni el mar tan hondo. Hay necesidad de limitar, de domesticar los términos inmensos.

»Granada no puede salir de su casa. No es como las otras ciudades que están a la orilla del mar o de los grandes ríos, que viajan y vuelven enriquecidas con lo que han visto: Granada, solitaria y pura, se achica, ciñe su alma extraordinaria y no tiene más salida que su alto puesto natural de estrellas. Por eso, porque no tiene sed de aventuras, se dobla sobre sí misma y usa del diminutivo para recoger su imaginación, como recoge su cuerpo para evitar el vuelo excesivo y armonizar sobriamente sus arquitecturas interiores con las vivas arquitecturas de la ciudad.

»Por eso la estética genuinamente granadina es la estética del diminutivo, la estética de las cosas diminutas» (*Granada (Paraíso cerrado para muchos), Prosas póstumas*, vol. VIII, 143-144).

....

En efecto, estas palabras de García Lorca nos aclaran la visión del poeta acerca del diminutivo; pero las funciones y valores del derivado dentro de su obra son, en realidad, mucho más amplias e importantes de lo que quizás el mismo Lorca pudiera sospechar. Las funciones del diminutivo van desde la efusión poética, jugueteo infantil y representación imaginativa hasta la acción de la lengua oral. En cierto modo estas palabras de García Lorca encierran el contenido de un manifiesto estético basado en lo diminuto, lo próximo, lo cordial, lo doméstico, como sucede también en Azorín, el amante de las cosas chicas.

Frecuentemente, el diminutivo en Lorca pone al desnudo el alma del poeta en estas dos vertientes: lírica y trágica. Pasa a ser, pues, un elemento léxico caracterizador y expresivo de su estilo que se encuentra en el centro mismo de su obra.

Está el diminutivo de Lorca en la raíz de su creación. De la abundancia de este derivado en Andalucía ha sabido sacar el mayor partido posible. Logra ambientación regional con su repetición, pero sobre todo infunde en algunos una savia jugosa, profunda, que hace de ellos verdaderas joyas de nuestro derivado. La abundancia se da más bien como un rasgo doméstico, infantil, y por lo mismo, eterno, que está por encima de peculiaridades regionales, como pueden ser las del teatro de los Quintero, y también de Manuel Machado. Este poeta tiene composiciones enteras en las que abundan muchísimo los diminutivos; forman como el cañamazo que denota el color local y con tal intención fueron escritos. Frecuentemente estos diminutivos aparecen en el verbo: «Yo te quiero sin querer: / que te he *tomaíto* el cariño / cuando menos lo pensé» («Soleares», pág. 185). «Esperar en la experiencia / es esperanza perdía: / que, antes que llegue el saber, / s'*acabaíto* la vía». «Le he *encargaíto* a mi mare...»

(*Tonás y Livianas*, pág. 218)[27]. Son diminutivos de frase o, mejor, frases en diminutivo a causa de su expresividad.

Mientras en Manuel Machado el diminutivo es un rasgo del que se hace objeto de exhibición, en García Lorca da la impresión de que el diminutivo surge como una necesidad expresiva. Por eso es más superficial el diminutivo de Machado y más profundo el de Lorca, aun cuando se trate de casos como el citado por Amado Alonso en su conocido artículo sobre el diminutivo, al hablar de la visión poético-infantil, y no tamaño menor, de este derivado en el siguiente caso:

> Flora desnuda se sube
> por *escalerillas* de agua.
>
> (*Romancero Gitano*. «Martirio de Santa Olalla», II, vol, IV, pág. 58).

Este tipo de diminutivos se da con cierta profusión en Lorca y se acentúa el carácter poético del mismo:

> Las estrellas de la noche
> se volvieron campanillas.
>
> (*Romancero Gitano*. «San Gabriel», II, vol. IV, pág. 36).
>
> La campana gorda de la catedral vertía sobre la urbe una lluvia de *campanillas* de cobre...
>
> (*Prosas póstumas, Santa Lucía y San Lázaro*, vol. VIII, pág. 130).

En estos casos el sufijo, que diferencia positivamente dos objetos, campana y campanilla, expresa toda la cargazón poética de una manera efusiva. Con ello la imagen se hace más viva:

---

[27] Manuel Machado, *Poesía. Opera omnia lyrica*, Editora Nacional, Madrid, 1942.

> El judío empujó la verja;
> pero el judío no era un puerto
> y las barcas de nieve se agolparon
> por las *escalerillas* de su corazón.
>
> > (*Poeta en Nueva York*. «Cementerio
> > judío», vol. VII, pág. 66).

En el tipo de diminutivo que estamos viendo, el sufijo realza poéticamente lo fantástico y maravilloso:

> AMIGO 2.º. — Por eso no quiero creerte. La lluvia es hermosa. En el colegio entraba por los patios y estrellaba por las paredes a unas mujeres desnudas, muy pequeñas, que lleva dentro. ¿No las habéis visto? Cuando yo tenía cinco años..., no, cuando yo tenía dos... miento, uno, un año tan sólo. Es hermoso, ¿verdad?; un año cogí una de estas *mujercillas* de la lluvia y la tuve dos días en una pecera.
>
> (*Así que pasen cinco años*, Acto I, vol. VI, pág. 40).

Descartando la visión poética de las cosas que posee García Lorca podría percibirse cierto aspecto conceptual en el diminutivo.

> GATA. — (...) Vámonos; de casa en casa
> llegaremos donde pacen
> los *caballitos* del agua.
>
> > (*Así que pasen cinco años*, Acto I,
> > vol. VI, pág. 33).

En el *Amor de Don Ferlimplín* aparecen dos duendes que charlan un rato y luego se van. Se saludan:

> DUENDE 1.º. — Y ¿cómo te va por lo *oscurillo*?
> DUENDE 2.º. — Ni bien ni mal, *compadrillo*.

Después de unos instantes deciden irse:

> DUENDE 1.º. — ¿Vamos por lo *oscurillo*?
> DUENDE 2.º. — Vamos ya, *compadrillo*.
>
> > (*El Amor de Don Perlimplín*, Acto único,
> > vol. I, págs. 155 y 159).

En este caso lo oscurillo hace alusión imaginativamente a ese mundo misterioso lleno de malicias que habitan los duendes. Es *su mundo*, fantástico y maravilloso, pleno de las malicias juguetonas de los dos duendes que se gozan en el infortunio queratológico de Don Perlimplín. La eficacia del sufijo en este caso se comprueba fácilmente por la sustitución del diminutivo por el positivo. La escena queda entenebrecida por la presencia de una entidad misteriosa y tétrica que pesa sobre el ánimo del espectador; el diminutivo la transforma en un misterio riente y maravilloso.

Esta representación imaginativa del objeto realzado mentalmente por el diminutivo está conseguido de modo magistral en el final de las *Bodas de Sangre*; repitiendo sin cesar, como una obsesión, el diminutivo cuchillito, la madre contrasta visional e imaginativamente al hijo muerto y al objeto que le causó la herida:

MADRE.   Que la cruz ampare a muertos y vivos.
Vecinas, con un cuchillo,
con un *cuchillito*,
en un día señalado, entre las dos y las tres,
se mataron los dos hombres del amor.
Con un cuchillo,
con un *cuchillito*
que apenas cabe en la mano,
pero que penetra fino
por las carnes asombradas,
y que se para en el sitio
donde tiembla enmarañada
la oscura raíz del grito.

NOVIA.   Y esto es un cuchillo,
un *cuchillito*
que apenas cabe en la mano;
pez sin escamas ni río,
para que un día señalado, entre las dos y las tres,
con este cuchillo

> se queden dos hombres duros
> con los labios amarillos.
>
> Madre. Y apenas cabe en la mano,
> pero que penetra frío
> por las carnes asombradas
> y allí se para, en el sitio
> donde tiembla enmarañada
> la oscura raíz del grito.
>
> *(Bodas de Sangre,* Acto III, vol. I, pág. 136).

Como dice Amado Alonso, «la madre-coro insiste cada vez con cuchillito tras cuchillo apremiada por la apasionada representación visional del objeto».

Esta repetición obsesionante del objeto que causa la muerte del hijo, o la hora, o el sitio de la herida, es un lugar común en la obra lorquiana. En efecto, en el «Llanto por Ignacio Sánchez Mejías», la hora en que acaeció su muerte es repetida frenéticamente en un alarido clamoroso, como un doblar de campanas:

> A las cinco de la tarde.
> Eran las cinco en punto de la tarde.
> Un niño trajo la blanca sábana
> a las cinco de la tarde.
> Una espuerta de cal ya prevenida
> a las cinco de la tarde.
> Lo demás era muerte y sólo muerte
> a las cinco de la tarde. Etc...

Otro pensamiento repetido es el siguiente:

> Un alfiler que bucea
> hasta encontrar las *raicillas* del grito.
>
> *(Poeta en Nueva York.* «Asesinato»,
> vol. VII, pág. 34).

Un crecido número de diminutivos son debidos al lenguaje infantil de algunas de sus composiciones o de sus obras.

Las acumulaciones más frecuentes se hallan en este tipo de lenguaje:

> CRISTÓBAL. (...) ¿Tienes mucho *dinerito*?
>
> ENFERMO. Veinte *duritos* y veinte *duritos*,
> y debajo del *chalequito*
> seis *duritos* y tres *duritos*,
> y en el *ojito*
> del *culito*
> tengo un *rollito*
> con veinte *duritos*.
>
> ....
>
> MADRE. Yo soy la madre de doña Rosita
> y quiero que se case,
> porque ya tiene dos *pechitos*
> como dos *naranjitas*
> y un *culito*
> como un *quesito*,
> y una *urraquita*
> que le canta y le grita.
>
> (*Retablillo de Don Cristóbal*, vol. I,
> págs. 197 y 199).

El carácter de juego está bien claro.

Otros valores, como los que corrientemente venimos observando, tienen también cabida en García Lorca, por ejemplo:

> MÁSCARA. — (...) ¿No tienes un *pedacito* de pan para mí? ¿No tienes un *pedacito* de pan para mi hijo?
>
> (*Así que pasen cinco años*, A. III, C. I, vol. VI, pág. 83).
>
> ADELA. — (...) Vamos a dormir, vamos a dejar que se case con Angustias, ya no me importa, pero yo me iré a una *casita* sola donde él me verá cuando quiera, cuando le venga en gana.
>
> (*La casa de Bernarda Alba*, A. III, vol. VIII, pág. 118).

En estos dos casos hay un ejemplo de diminutivo activo, captativo, y otro imaginativo. En el siguiente, la adición de sufijos presta intensidad a la frase: «Yo voy a comer ahora un *poquito* pan, un *poquitirrito* pan que me han dejado los pájaros, y luego a planchar los trajes de la compañía» (*Retablillo de Don Cristóbal*, prólogo, vol. I, pág. 190).

Los diminutivos en -illo e -ito son los más importantes tanto por el número de ellos, como por sus funciones.

Con el sufijo -uelo hay algún diminutivo empleado conscientemente por el empleo tradicional que de este sufijo hicieron los clásicos, por ejemplo, en un romance en que aparece Góngora:

> —Felices, Don Luis de Góngora;
>   ¿no me conoce su garbo?
> —Ay, si es mi *colmeruela*
>   del corpiño almidonado.
>
>   («Romance apócrifo de don Luis a caballo»,
>   *Poemas póstumos*, vol. VI, pág. 190).

Despectivos en -ete, -ico , -uco e -ino, por ejemplo:

«El superior lo bendice descuidadamente así como el que da un manotazo al aire, y entonces el desdichado *vejete* se retira a comer» (*El monasterio de Silos*. «El convento», vol. VII, pág. 183). «Sí, sí, venid a verme, cascantes, *comadricas*, por vuestra culpa ha sido...» (*La Zapatera prodigiosa*, Acto I, vol. III, pág. 141). «Era una *mujeruca* encorvada, descalza, con los pelos canos...» (*Ciudad perdida*, «Baeza», vol. VII, pág. 187). «Sólo y con sarcasmo un hombre pequeñito, de esos *hombrines* bailarines que salen, de pronto, de las botellas de aguardiente...» (*Conferencias. Teoría y juego del duende*, vol. VII, pág. 146).

El diminutivo en -iño corresponde, naturalmente, a los *Seis Poemas Galegos*. (Cariña: «Romaxe de Nosa Señora da Barca», y veiriña: «Noiturnio do adoescente morto», vol. II, págs. 220 y 222, respectivamente).

En resumen: así como afirmó García Lorca que «la estética genuinamente granadina es la estética del diminutivo», nosotros podemos afirmar, después de este breve comentario, que la estética de Lorca está basada en una buena parte en este derivado, diminutivo andaluz, concretamente granadino. La prosa y verso de Lorca están esmaltados de estas piececitas deliciosas que dan a su obra una ternura y un encanto especiales. El empleo estético del diminutivo se basa principalmente en su función imaginativa, la cual despierta en nuestra mente la representación valorativa del objeto.

Los señores Muñoz Cortés y Gimeno Casalduero publicaron en *Archivum* [28] un artículo sobre el diminutivo en García Lorca siguiendo las directrices dadas por Amado Alonso, a cuya memoria está dedicado.

Para terminar nuestro estudio hemos tomado de propio intento la obra completa de Lorca y no obras parciales de varios autores por creer que de esta forma se redondeaba más este apartado; dejamos por ello de incluir a los hermanos Álvarez Quintero, algunas veces citados por A. Alonso, Arniches, también citado por nosotros, Alberti, Cela, Zunzunegui, Benavente, etc., a los cuales ampliamente hemos fichado.

Con la inclusión de estos autores quizá se hubiese ganado en variedad, pero se habría dado una extensión excesiva y se habría perdido en unidad.

---

[28] Muñoz Cortés, M., y Gimeno Casalduero, J., «Notas sobre el diminutivo en García Lorca», *Archivum*, Revista de la Facultad de Filosofía y Letras, Miscelánea Filológica en memoria de A. Alonso, enero-diciembre 1954, t. IV, Universidad de Oviedo, fascs. 1, 2 y 3, págs. 277-304.

RESUMEN

Los sufijos diminutivos en cuanto a su frecuencia en R. de la Cruz son -ito, -illo, -uelo, -ete, -ico y -ejo.

La función más importante de todos los sufijos es la activa, según corresponde al carácter de la obra estudiada, ya como simple apelación, ya apoyándose en distintos empleos como el irónico e imaginativo de los en -ito y el despectivo de los en -illo principalmente. El uso frecuente del diminutivo, en especial de los acabados en -ito, que sobrepasan en un buen número a los en -illo, es un rasgo costumbrista madrileño.

En Meléndez Valdés a los sufijos -illo e -ito aproximadamente iguales en cuanto al número, aunque más abundante el -illo, siguen el -uelo y el -ejo. Si bien por escasa diferencia se muestra superior el sufijo de tradición literaria, porque además está empleado en mayor número de palabras. La repetición constante de algunos derivados y sobre todo el exceso del diminutivo empleado con uno u otro sufijo como término de cariño da lugar a cierto amaneramiento del estilo. La efusión lírica elocuente adquiere un alto grado de expresividad al coincidir el diminutivo con el vocativo algunas veces.

En Moratín el -illo es también ligeramente superior al -ito, siguiéndoles con notable diferencia -uelo, -ico y -ete. En

Moratín el empleo del diminutivo tiene como motivo el ambiente familiar; es decir, el diminutivo usado domésticamente es el que justifica la mayoría de los casos en que aparece. El empleo más frecuente es el de la lengua oral; los en -illo designan despectivamente por lo general, y también los en -uelo y -ete. El diminutivo en -ito es más fino y delicado y expresa preferentemente los valores positivos o la ironía.

En Bretón el empleo del diminutivo, -ito preferentemente e -illo, es un rasgo costumbrista.

En Fernán Caballero adquiere el diminutivo matices especiales de ternura, sobre todo por el casi único empleo vivo del sufijo -ito; el -illo, -ete y -uelo apenas tienen importancia.

En Estébanez Calderón el sufijo -illo es el que tiene mayor frecuencia de empleo; le siguen -ito, -ete y -uelo principalmente, y después -ejo, -ico e -ino. Una de las razones del uso del diminutivo en Estébanez Calderón estriba en el empeño que pone en imitar a los clásicos; de aquí que juntamente con el carácter andaluz de su obra exista esa abundancia de -illo; el matiz afectivo o despectivo del diminutivo en -illo es manifiesto, afectivo en general -uelo, despectivo -ejo e irónico y conmiserativo -ete. El sufijo -ito expresa la máxima acentuación axiológica, por lo común de signo positivo. El valor estilístico del diminutivo en Estébanez Calderón queda rebajado por el uso imitativo que de él hace siguiendo a los modelos clásicos.

Mesonero Romanos es más natural empleando el diminutivo que Estébanez Calderón. Madrileño, emplea el -ito casi en la misma escala que el -illo; menos frecuentes son -uelo, -ete, -ejo e -ico. Los en -uelo, -ejo y -ete son casi siempre despectivos, y en los en -ico, muy escasos, se percibe una nota de humor. Los en -illo tienen las dos vertientes axiológicas, y los en -ito, por lo general, son de sentido positivo. Señalaremos un único caso en -uco.

López de Ayala tiene la habilidad de manejar el sufijo diminutivo como un rasgo regional, de aquí el crecido número de derivados en -iño puestos en boca de un personaje gallego, en frecuentes acumulaciones; en ellas sobre el sufijo -iño se intercalan otros como el -ito y el -ico. El imaginativo y activo es el oficio en que más se emplea el diminutivo. Al -iño e -ito siguen -illo, -ete e -ico.

En Pereda los sufijos diminutivos, según su frecuencia, son -illo, -ito, -uco, -uelo, -ete, -ejo, -ino e -ico. Los en -illo expresan normalmente una valoración positiva, aunque no es extraña tampoco la negativa. Los valores positivos están designados de manera especial por el -ito. El -uco es el sufijo regional de la Montaña, con el que existen también ejemplos de distinto signo axiológico; no obstante, parece haber mayoría de casos positivos en los cuales sustituye al -ito, más fino y empleado por las gentes más refinadas. Los en -uelo, -ejo y -ete son menospreciativos; -ino e -ico son de coloración menos definida.

En Galdós la abundancia del diminutivo es abrumadora. De los sufijos el más frecuente es, con mucho, el -ito; después, -illo, -ino, -uelo y -ete, y, por último, -ejo, -ico y -uco. La preferencia por el sufijo -ito es manifiesta, como rasgo del lenguaje popular, madrileño y doméstico. Dado el número de diminutivos en la obra galdosiana, encontramos numerosos ejemplos de las diversas funciones del lenguaje, aunque sobresale el empleo activo. El valor positivo de -ito es manifiesto, de donde arranca el uso irónico y humorístico no pocas veces, así como el ponderativo; el -illo tiene frecuentemente carácter disminuidor; -uelo y -ete, despectivo, e -ino, afectivo; los restantes son menos importantes.

En Miró los sufijos diminutivos, según su ordenación cuantitativa, son: -illo, -ito, -ico, -uelo, -ejo y -ete. El diminutivo en Miró es un rasgo descriptivo de afectividad y sensualidad. Apenas usa el diminutivo de valoración peyorativa; todos los sufijos acentúan en deliciosas descripciones de gran belleza el carácter dicho anteriormente. El sufijo -ico es un rasgo del regionalismo alicantino.

En Pérez de Ayala los sufijos son -ito, -illo, -ete, -ino, -uelo, -ejo, -uco, -ico, -iño. Los valores principales son el disminuidor y despectivo en -illo, afectivo en -ito y despectivo en -uco, que contrasta con la mayoría de -uco positivo en Pereda. El -ino, regional asturiano, presta suavidad y colorido a la frase así como intención afectiva. Los restantes sufijos no varían en el empleo habitual que hemos visto anteriormente.

Los sufijos diminutivos en Azorín, según su ordenación numérica, son: -ito, -illo, -ico, -uelo, -ete, -ejo e -ino. En Azorín el diminutivo es un trazo que despierta la imaginación, es un rasgo sensorial e imaginativo. El diminutivo en Azorín es fino y delicado, apoyándose sobre la descripción del objeto o de la persona menudos. No pocas veces está tomado sin ninguna coloración axiológica, sino como un rasgo que realza en nuestra imaginación el objeto descrito. Cuando aparecen los valores vivos del sufijo suele ser en escenas que retratan un hecho de la vida común, en especial con el sufijo -ico, de carácter regional; con esta finalidad es empleado, aunque menos, el -ito. El sufijo -illo lo maneja en las descripciones con valor disminuidor preferentemente; cuando a la descripción acompaña cierta complacencia, usa el -ito. Los restantes sufijos son menos importantes.

La prelación numérica de los sufijos diminutivos en García Lorca es: -ito, -illo, -uelo, -uco, -ete, -ico, -iño e -ino. Mediante el diminutivo García Lorca trae a la presencia del hablante la cosa mencionada haciéndola participar de la realidad viviente de éste. De aquí que los casos de diminutivos imaginativos tengan gran fuerza expresiva. Son notables los ejemplos de diminutivos que denuncian un jugueteo idiomático infantil; en tales casos son frecuentes las acumulaciones de los sufijos -ito e -illo, que son los realmente vivos e importantes en García Lorca, tanto por el número de derivados a que dan lugar como por las distintas funciones lingüísticas en que toman parte, nacidas primordialmente de la efusión lírica o del lenguaje activo. Los sufijos -uelo e -iño son empleados teniendo en cuenta conscientemente su carácter tradicional en la literatura clásica y su regionalismo, respectivamente. Los en -ete, -uco, -ico e -ino, despectivos, son poco importantes.

A partir del siglo XVIII los sufijos diminutivos acentúan el carácter axiológico que poseen al terminar el Siglo de Oro, pasando a ser los sufijos -ito e -illo los que señalan la máxima presencia de derivados. El sufijo -illo, aunque despectivo, pierde un tanto su energía expresiva, debido, probablemente, al corriente empleo de este sufijo formando derivados que denotan objetos distintos de los señalados por el positivo. En cambio, los sufijos -uelo y -ete subrayan el matiz despectivo, sobre todo, quizás, el primero. El -ito es el más importante de todos los sufijos diminutivos, desplazando al -illo en cuanto al empleo cuantitativo y al -ico en la preferencia que ha logrado plenamente por parte de los hablantes para la expresión axiológicamente positiva, afianzándose esta nota ya presente en el Siglo de Oro. Tanto este sufijo como -uco e -ino, por ejemplo, tienen una participación literaria dependiente de su carácter regional, dentro de cuyo ámbito desplazan en lo popular al -ito, y coexiste con él como rasgo de una diferenciación social; conjuntamente suelen emplearse también en lo familiar. El diminutivo participa en todas las funciones del lenguaje, y éste adquiere gracias a él gran belleza y ductilidad.

CUARTA PARTE

ÍNDICE DE SUFIJOS Y CUADROS
DE FRECUENCIA DE LOS ESCRITORES
ESTUDIADOS

ADVERTENCIA

La aplicación de la estadística y la consiguiente explotación de los datos que ésta suministra en los estudios estilísticos deben ser realizadas con sumo tiento. El número de veces que se emplea un sufijo, una palabra, una expresión cualquiera, no siempre está en razón directa de su expresividad, y aun habría que ver hasta qué punto esa frecuencia no erosiona su importancia «expresiva». El vocablo nuevo, aun sólo funcionalmente, tiene las aristas del guijarro arrancado de la roca; a fuerza de tumbos y roces en el río del tiempo se convertirá en canto rodado cuyo tacto no herirá la sensibilidad del hablante. Además, el empleo que el escritor hace de un mismo término está sujeto a lazos, matices y funciones tan variados, dependientes en muchos casos de motivaciones extralingüísticas, a los que habría que sumar los pertinentes del lector, que resulta sumamente difícil traducirlo a una fría cifra. Es tal vez el respeto supersticioso que profesamos a la matemática, así como el deseo de objetividad, el motivo de querernos apartar, tal vez contra toda razón, del subjetivismo inherente a la apreciación y degustación de la obra literaria. Si ésta, como cualquier objeto, puede ser sometida a la lupa de la cuantificación [1],

1 Venera Mihailescu-Urechia et Alex Urechia, «L'oeuvre littéraire peut-elle être soumise à la quantification?», *Filología Moderna,* 43-44,

frecuentemente no son bien tomados o interpretados los datos. El error más común es el denunciado ya en 1910 por Gustave Lanson:

> On se trompe communément dans le choix des *faits repré-sentatifs*. Sans parler des préférences ou des partialités qui nous égarent, une illusion ordinaire est celle qui nous fait prendre les faits *extrêmes* pour les plus *représentatifs*. Or, étant extrêmes, ils sont par conséquent exceptionnels: ils ne sont représentatifs que d'une limite, d'un maximun d'intensité... Les faits visiblement représentatifs sont les faits moyens. Rassem-blés en grand nombre, leur contenu commun sort aisément... [2].

Por no tener en cuenta principios tan claros y elementa-les, a veces aplicamos a la lengua lo que sólo pertenece al individuo, y eso incluso esporádicamente; o viceversa.

Además, siempre hay que contar con un margen de error en la recogida de datos, aunque sinceramente creemos ha-berlo reducido a límites pequeñísimos. Debe tenerse particu-larmente en cuenta el criterio funcional que hemos seguido para la detección del diminutivo, lo que nos ha llevado —es-peremos que acertadamente— a incluir unas veces y otras

---

Madrid, nov. 1971-feb. 1972, 3-34. Del volumen *Statistique et analyse linguistique*, Colloque de Strasbourg (20-22 avril 1964). P. U. F., 1966, retenemos especialmente las palabras del artículo «Linguistique quanti-tative», de Yvan Lebrun: «Là où plusieurs éléments linguistiques sont en concurrence, une étude quantitative des faits s'impose» (pág. 105). «L'analyse quantitative des faits, si elle est utile, n'est pas sans danger. Deux erreurs, en effet, peuvent être aisément commises par le linguiste qui étudie un phénomène quantitativement: prendre pour significatives des différences qui ne le sont pas et extrapoler illégitimement» (pági-na 107). «Les mathématiques et la statistique ne feront progresser la linguistique que si elles sont utilisées comme un simple instrument: le langage doit rester au centre des préoccupations» (pág. 109).

[2] Gustave Lanson, «La méthode de l'histoire littéraire», artículo recogido en el volumen *Essais de méthode, de critique et d'histoire littéraire*, rassemblés et présentés par Henri Peyre, Hachette, Paris, 1965, 50.

no determinadas formas, que habían caído de lleno en el terreno de lo nocional. Por otra parte, no cabe duda de que la recogida exhaustiva de la obra de un escritor daría una visión más completa que la forzadamente parcial que presentamos, y dentro de esos límites hay que entender nuestras palabras.

Estas y otras muchas cuestiones no caben en la escueta referencia de las cifras; de aquí nuestra llamada a la prudencia. Téngase también en cuenta que al estudiar varias obras de un escritor y dar los datos totales de ellas hemos suprimido la cifra total de las palabras, con el fin de aligerar el aparato numérico, pero de manera aproximada puede hallarse sumando las cifras parciales. Por otra parte, creemos que la relación entre diminutivos y palabras, cuando se trata de obras que pueden tener carácter muy distinto, pueden dar una impresión falsa por partir de elementos muy dispares.

Capítulo Único

PORCENTAJES

BERCEO

Milagros de Nuestra Señora

Diminutivos		Palabras		% Diminutivos
-illo . . . 34	....	20	....	70,83
-uelo . . 11	....	4	....	22,90
-ejo . . . 3	....	3	....	6,22
Total. 48		Total. 27		

Vida de Santo Domingo de Silos

Diminutivos		Palabras		% Diminutivos
-illo . . . 29	....	19	....	80,55
-uelo . . 3	....	2	....	2,33
-ejo . . . 4	....	3	....	11,11
Total. 36		Total. 24		

Vida de Santa Oria, Virgen

Diminutivos		Palabras		% Diminutivos
-illo . . . 12	....	8	....	85,71
-uelo . . 2	....	1	....	14,28
Total. 14		Total. 9		

TOTAL DE LAS TRES OBRAS

Diminutivos	Palabras	% Diminutivos
-illo . . . 75	....	76,53
-uelo . . 16	....	16,32
-ejo . . . 7	....	7,14
Total. 98		

DON JUAN MANUEL

El Conde Lucanor

Diminutivos		Palabras		% Diminutivos
-illo . . . 4	....	4	....	23,52
-uelo . . 10	....	6	....	58,82
-ejo . . . 1	....	1	....	5,88
-ete . . . 1	....	1	....	5,88
-ito . . . 1	....	1	....	5,88
Total. 17		Total. 13		

ARCIPRESTE DE HITA

Libro de Buen Amor

Diminutivos		Palabras		% Diminutivos
-illo . . . 72	....	38	....	61,53
-uelo . . 14	....	9	....	11,96
-ejo . . . 7	....	2	....	5,98
-ete . . . 20	....	13	....	17,09
-ico . . . 2	....	1	....	1,70
-ino . . . 2	....	2	....	1,70
Total. 117		Total. 65		

ALFONSO MARTÍNEZ DE TOLEDO

El Corbacho

Diminutivos		Palabras		% Diminutivos
-illo . . . 51	....	38	....	50,49
-uelo . . 14	....	13	....	13,86
-ejo . . . 4	....	3	....	3,98
-ete . . . 11	....	9	....	10,89
-ico . . . 11	....	5	....	10,89
-ino . . . 1	....	1	....	0,99
-ito . . . 9	....	2	....	8,91
Total. 101		Total. 71		

MARQUÉS DE SANTILLANA

Canciones y Decires, y el «Proemio» al Condestable de Portugal

Diminutivos		*Palabras*		*% Diminutivos*
-illo . . . 1	. . . .	1	. . . .	25,00
-uelo . . 2	. . . .	2	. . . .	50,00
-ete . . . 1	. . . .	1	. . . .	25,00
Total. 4		Total. 4		

«ROMANCES VIEJOS»

Diminutivos		*Palabras*		*% Diminutivos*
-illo . . . 12	. . . .	7	. . . .	42,85
-ico . . . 16	. . . .	8	. . . .	57,14
Total. 28		Total. 15		

«LA CELESTINA»

Diminutivos		*Palabras*		*% Diminutivos*
-illo . . . 46	. . . .	33	. . . .	54,11
-uelo . . 5	. . . .	5	. . . .	5,88
-ejo . . . 3	. . . .	3	. . . .	3,52
-ete . . . 2	. . . .	2	. . . .	2,35
-ico . . . 17	. . . .	15	. . . .	20,00
-ito . . . 12	. . . .	8	. . . .	14,11
Total. 85		Total. 66		

GARCILASO DE LA VEGA

O b r a s

Diminutivos		Palabras		% Diminutivos
-illo . . . 7	....	7	....	70,00
-uelo . . 3	....	2	....	30,00
Total. 10		Total. 9		

JUAN DE VALDÉS

Diálogo de la Lengua

Diminutivos		Palabras		% Diminutivos
-illo . . . 20	....	10	....	57,14
-uelo . . 3	....	2	....	8,57
-ejo . . . 6	....	2	....	17,14
-ico . . . 6	....	6	....	17,14
Total. 35		Total. 20		

JORGE DE MONTEMAYOR

La Diana

Diminutivos		Palabras		% Diminutivos
-illo . . . 11	....	8	....	42,30
-uelo . . 8	....	5	....	30,76
-ete . . . 7	....	1	....	26,92
Total. 26		Total. 14		

«EL LAZARILLO»

Diminutivos		Palabras		% Diminutivos
-illo . . . 26	....	17	....	63,41
-uelo . . 4	....	2	....	9,75
-ete . . . 4	....	4	....	9,75
-ico . . . 5	....	3	....	12,19
-ito . . . 2	....	2	....	4,87
Total. 41		Total. 28		

SANTA TERESA DE JESÚS

Las Moradas

Diminutivos		Palabras		% Diminutivos
-illo . . . 25	....	18	....	42,37
-ico . . . 13	....	6	....	22,03
-ito . . . 21	....	10	....	35,59
Total. 59		Total. 34		

Libro de las fundaciones

Diminutivos		Palabras		% Diminutivos
-illo . . . 22	....	15	....	46,80
-uelo . . 1	....	1	....	2,12
-ico . . . 3	....	3	....	6,38
-ito . . . 21	....	13	....	44,68
Total. 47		Total. 32		

TOTAL DE LAS DOS OBRAS

Diminutivos	Palabras	% Diminutivos
-illo . . . 47	....	44,33
-uelo . . 1	....	0,94
-ico . . . 16	....	15,09
-ito . . . 42	....	39,62

Total. 106

FRAY LUIS DE GRANADA

Guía de Pecadores

Diminutivos	Palabras	% Diminutivos
-illo . . . 6	6	33,33
-uelo . . 7	4	38,88
-ico . . . 1	1	5,55
-ito . . . 4	4	22,22

Total. 18   Total. 15

Introducción del Símbolo de la Fe

Diminutivos	Palabras	% Diminutivos
-illo . . . 180	55	56,96
-uelo . . 39	13	12,34
-ejo . . . 6	1	1,89
-ete . . . 3	1	0,94
-ico . . . 46	25	14,55
-ito . . . 42	20	13,29

Total. 316   Total. 115

TOTAL DE LAS DOS OBRAS

Diminutivos	*Palabras*	*% Diminutivos*
-illo . . . 186	....	55,68
-uelo . . 46	....	13,77
-ejo . . . 6	....	1,79
-ete . . . 3	....	0,89
-ico . . . 47	....	14,07
-ito . . . 46	....	13,77

Total. 334

CERVANTES

El Quijote

Diminutivos	*Palabras*	*% Diminutivos*
-illo . . . 114	 69	 47,80
-uelo . . 27	 16	 11,30
-ejo . . . 2	 2	 0,80
-ete . . . 14	 8	 5,80
-ico . . . 49	 23	 20,50
-ito . . . 32	 25	 13,40

Total. 238   Total. 143

El Licenciado Vidriera

Diminutivos	*Palabras*	*% Diminutivos*
-illo . . . 2	 2	 66,66
-ito . . . 1	 1	 33,33

Total. 3   Total. 3

El Laberinto de Amor

Diminutivos		Palabras		% Diminutivos
-illo . . .	3	 2	....	21,42
-uelo . .	1	 1	....	7,14
-ico . . .	2	 2	....	14,28
-ito . . .	8	 4	....	57,14

Total. 14   Total. 9

La elección de los alcaldes de Daganzo

Diminutivos		Palabras		% Diminutivos
-illo . . .	2	 2	....	33,33
-ico . . .	2	 2	....	33,33
-ito . . .	2	 2	....	33,33

Total. 6   Total. 6

TOTAL DE LAS OBRAS DE CERVANTES [3]

Diminutivos		Palabras	% Diminutivos
-illo . . .	302	....	41,20
-uelo . .	75	....	10,20
-ejo . . .	7	....	0,90
-ete . . .	52	....	7,00
-ico . . .	167	....	22,70
-ito . . .	128	....	17,40
-in	2	....	0,20

Total. 733

[3] Tomamos las cifras y los porcentajes dados para la obra completa de Cervantes según nuestro artículo «El Diminutivo en Cervantes».

GÓNGORA

Las Soledades

Diminutivos		Palabras		% Diminutivos
-illo . . .	12	7		50,00
-uelo . .	10	5		41,66
-ejo . . .	1	1		4,16
-ete . . .	1	1		4,16
Total.	24	Total. 14		

El Polifemo

Diminutivos		Palabras		% Diminutivos
-uelo . .	1	1		100
Total.	1	Total. 1		

Romances, letrillas, sonetos y canciones

Diminutivos		Palabras		% Diminutivos
-illo . . .	28	14		58,33
-uelo . .	7	3		14,58
-ico . . .	6	3		12,50
-ito . . .	7	4		14,58
Total.	48	Total. 24		

Total de las obras de Góngora

Diminutivos		*Palabras*	*% Diminutivos*
-illo . . .	40	....	54,79
-uelo . .	18	....	24,65
-ejo . . .	1	....	1,36
-ete . . .	1	....	1,36
-ico . . .	6	....	8,21
-ito . . .	7	....	9,58
Total.	73		

LOPE DE VEGA

La Dorotea

Diminutivos		*Palabras*		*% Diminutivos*
-illo . . .	53	....	36	60,22
-uelo . .	13	....	5	14,77
-ete . . .	6	....	4	6,81
-ico . . .	4	....	3	4,54
-ito . . .	12	....	12	13,63
Total.	88	Total.	60	

El mejor alcalde, el rey

Diminutivos		*Palabras*		*% Diminutivos*
-illo . . .	3	....	3	37,50
-uelo . .	4	....	1	50,00
-ito . . .	1	....	1	12,50
Total.	8	Total.	5	

Fuente Ovejuna

Diminutivos		*Palabras*		*% Diminutivos*
-illo . . .	2	2		33,33
-uelo . .	1	1		16,66
-ico . . .	3	2		50,00
	—		—	
Total.	6	Total. 5		

El perro del hortelano

Diminutivos		*Palabras*		*% Diminutivos*
-illo . . .	1	1		33,33
-ito . . .	2	2		66,66
	—		—	
Total.	3	Total. 3		

El arenal de Sevilla

Diminutivos		*Palabras*		*% Diminutivos*
-illo . . .	4	4		66,66
-ico . . .	2	2		33,66
	—		—	
Total.	6	Total. 6		

Poesías

Diminutivos		*Palabras*		*% Diminutivos*
-illo . . .	17	12		36,17
-uelo . .	9	6		19,14
-ico . . .	5	2		10,63
-ito . . .	16	9		34,04
	—		—	
Total.	47	Total. 29		

TOTAL DE LAS OBRAS DE LOPE DE VEGA

Diminutivos		Palabras	% Diminutivos
-illo . . .	80	....	50,63
-uelo . .	27	....	17,08
-ete . . .	6	....	3,79
-ico . . .	14	....	8,86
-ito . . .	31	....	19,62
Total.	158		

QUEVEDO

Los Sueños: El Sueño de las Calaveras, El Alguacil Alguacilado, Las zahurdas de Plutón y La visita de los Chistes

Diminutivos		Palabras		% Diminutivos
-illo . . .	26	....	22	....	66,66
-uelo . .	1	....	1	....	2,56
-ete . . .	1	....	1	....	2,56
-ico . . .	4	....	4	....	10,25
-ito . . .	7	....	7	....	17,94
Total.	39	Total.	35		

Obras Satíricas y Festivas

Diminutivos		Palabras		% Diminutivos
-illo . . .	54	....	35	....	52,94
-uelo . .	13	....	4	....	12,74
-ejo . . .	1	....	1	....	0,98

Diminutivos		Palabras		% Diminutivos
-ete . . .	9	....	7	 8,82
-ico . . .	10	....	10	 9,80
-ito . . .	15	....	14	 14,70
Total.	102	Total.	71	

El Buscón

Diminutivos		Palabras		% Diminutivos
-illo . . .	32	....	28	 39,02
-uelo . .	8	....	6	 9,75
-ejo . . .	1	....	1	 1,21
-ete . . .	8	....	5	 9,75
-ico . . .	15	....	10	 18,29
-ino . . .	1	....	1	 1,21
-ito . . .	17	....	17	 20,73
Total.	82	Total.	68	

TOTAL DE LAS OBRAS DE QUEVEDO

Diminutivos		Palabras	% Diminutivos
-illo . . .	112	....	50,22
-uelo . .	22	....	9,86
-ejo . . .	2	....	0,89
-ete . . .	18	....	8,07
-ico . . .	29	....	13,00
-ino . . .	1	....	0,44
-ito . . .	39	....	17,47
Total.	223		

CALDERÓN

TOTAL DE LAS OBRAS ESTUDIADAS DE CALDERÓN

Diminutivos		Palabras		% Diminutivos
-illo . . . 8	....	7	....	53,33
-uelo . . 1	....	1	....	6,66
-ito . . . 6	....	6	....	40,00
Total. 15		Total. 14		

TOTAL DE 75 OBRAS DE CALDERÓN (55 COMEDIAS Y 20 AUTOS SACRAMENTALESI [4]

Diminutivos		Palabras		% Diminutivos
-illo . . . 125	....	85	....	57,90
-uelo . . 10	....	5	....	4,60
-ejo . . . 1	....	1	....	(sic)
-eta (sic). 1	....	1	....	(sic)
-ico . . . 22	....	17	....	10,20
-in 2	....	1	....	(sic)
-ito . . . 55	....	32	....	25,50
Total. 216		Total. 142		

DON RAMÓN DE LA CRUZ

Sainetes

Diminutivos		Palabras		% Diminutivos
-illo . . . 75	....	49	....	29,88
-uelo . . 12	....	6	....	4,78

---

[4] Vid. nota 44, pág. 256.

Diminutivos		Palabras		% Diminutivos
-ejo . . . 3	....	2	....	1,19
-ete . . . 10	....	6	....	3,98
-ico . . . 6	....	6	....	2,39
-ito . . . 145	....	74	....	57,76
Total. 251		Total. 143		

MELÉNDEZ VALDÉS

Poesías

Diminutivos		Palabras		% Diminutivos
-illo . . . 48	....	25	....	38,09
-uelo . . 33	....	8	....	26,19
-ejo . . . 5	....	1	....	3,96
-ito . . . 40	....	13	....	31,74
Total. 126		Total. 47		

MORATÍN

El Viejo y la Niña

Diminutivos		Palabras		% Diminutivos
-illo . . . 19	....	17	....	32,20
-uelo . . 11	....	8	....	18,64
-ete . . . 1	....	1	....	1,69
-ico . . . 4	....	3	....	6,77
-ito . . . 24	....	16	....	40,67
Total. 59		Total. 45		

La Comedia Nueva

Diminutivos		Palabras		% Diminutivos
-illo . . . 20	....	12	....	60,60
-uelo . . 1	....	1	....	3,03
-ete . . . 1	....	1	....	3,03
-ito . . . 11	....	11	....	33,33
Total. 33		Total. 25		

El Sí de las Niñas

Diminutivos		Palabras		% Diminutivos
-illo . . . 18	....	17	....	54,54
-ito . . . 15	....	13	....	45,45
Total. 33		Total. 30		

TOTAL DE LAS OBRAS DE MORATÍN

Diminutivos	Palabras	% Diminutivos
-illo . . . 57	....	45,60
-uelo . . 12	....	9,60
-ete . . . 2	....	1,60
-ico . . . 4	....	3,20
-ito . . . 50	....	40,00
Total. 125		

BRETÓN DE LOS HERREROS

Muérete ¡y verás...!

Diminutivos		*Palabras*		*% Diminutivos*
-illo . . . 2	....	1	....	18,18
-ito . . . 9	....	7	....	81,81
Total. 11		Total. 8		

FERNÁN CABALLERO

Un servilón y un liberalito

Diminutivos		*Palabras*		*% Diminutivos*
-illo . . . 7	....	5	....	9,85
-uelo . . 1	....	1	....	1,40
-ete . . . 2	....	2	....	2,81
-ito . . . 61	....	24	....	85,91
Total. 71		Total. 32		

ESTÉBANEZ CALDERÓN

Escenas andaluzas

Diminutivos		*Palabras*		*% Diminutivos*
-illo . . . 136	....	95	....	62,67
-uelo . . 11	....	9	....	5,06
-ejo . . . 4	....	4	....	1,83
-ete . . . 26	....	12	....	11,95
-ico . . . 3	....	2	....	1,35

Diminutivos		Palabras		% Diminutivos
-ino . . . 1	. . . .	1	. . . .	0,46
-ito . . . 36	. . . .	31	. . . .	16,58
Total. 217		Total. 154		

MESONERO ROMANOS

Escenas Matritenses

Diminutivos		Palabras		% Diminutivos
-illo . . . 89	. . . .	58	. . . .	44,27
-uelo . . 14	. . . .	6	. . . .	6,96
-ejo . . . 4	. . . .	2	. . . .	1,99
-ete . . . 6	. . . .	5	. . . .	2,98
-ico . . . 3	. . . .	2	. . . .	1,49
-ito . . . 84	. . . .	52	. . . .	41,79
-uco . . . 1	. . . .	1	. . . .	0,49
Total. 201		Total. 128		

LÓPEZ DE AYALA

Consuelo

Diminutivos		Palabras		% Diminutivos
-illo . . . 3	. . . .	3	. . . .	8,10
-ete . . . 1	. . . .	1	. . . .	2,70
-ico . . . 1	. . . .	1	. . . .	2,70
-iño . . . 19	. . . .	16	. . . .	51,35
-ito . . . 13	. . . .	13	. . . .	35,13
Total. 37		Total. 34		

PEREDA

El Sabor de la Tierruca

Diminutivos		Palabras		% Diminutivos
-illo . . .	45	34		37,81
-uelo . .	6	5		5,04
-ejo . . .	3	3		2,52
-ete . . .	5	4		4,20
-ico . . .	2	2		1,68
-ino . . .	4	2		3,36
-ito . . .	17	15		14,28
-uco . . .	37	11		31,09
Total.	**119**	**Total.**	**76**	

Sotileza

Diminutivos		Palabras		% Diminutivos
-illo . . .	91	42		33,82
-uelo . .	17	6		6,31
-ejo . . .	6	5		2,23
-ete . . .	14	10		5,20
-ino . . .	4	4		1,48
-ito . . .	84	55		31,22
-uco . . .	53	23		19,70
Total.	**269**	**Total.**	**145**	

Total de las obras de Pereda

Diminutivos	Palabras	% Diminutivos
-illo . . . 136	....	35,05
-uelo . . 23	....	5,92
-ejo . . . 9	....	2,31
-ete . . . 19	....	4,89
-ico . . . 2	....	0,51
-ino . . . 8	....	2,06
-ito . . . 101	....	26,03
-uco . . . 90	....	23,19
Total. 388		

GALDÓS

Gloria

Diminutivos	Palabras	% Diminutivos
-illo . . . 47	39	30,51
-uelo . . 9	6	5,84
-ejo . . . 3	3	1,94
-ete . . . 4	3	2,59
-ico . . . 2	1	1,29
-ino . . . 1	1	0,64
-ito . . . 88	47	57,14
Total. 154	Total. 100	

Marianela

Diminutivos		Palabras		% Diminutivos
-illo . . .	60	39		38,70
-uelo . .	14	4		9,03
-ete . . .	6	3		3,87
-ico . . .	1	1		0,64
-ino . . .	6	4		3,87
-ito . . .	67	39		43,22
-uco . . .	1	1		0,64

Total. 155   Total. 91

Fortunata y Jacinta

Diminutivos		Palabras		% Diminutivos
-illo . .	206	105		15,35
-uelo .	36	16		2,68
-ejo . .	4	3		0,29
-ete . .	23	15		1,71
-ico . .	3	3		0,22
-ino . .	60	19		4,47
-ito . .	1.008	374		75,11
-uco . .	2	1		0,14

Total. 1.342   Total. 536

TOTAL DE LAS OBRAS DE GALDÓS

Diminutivos		Palabras	% Diminutivos
-illo . .	313		18,95
-uelo .	59		3,57

Diminutivos		*Palabras*	*% Diminutivos*
-ejo . .	7	....	0,42
-ete . .	33	....	1,99
-ico . .	6	....	0,36
-ino . .	67	....	4,05
-ito . .	1.163	....	70,44
-uco . .	3	....	0,18

Total. 1.651

MIRÓ

Figuras de la Pasión del Señor

Diminutivos		*Palabras*		*% Diminutivos*
-illo . . .	34	 24	....	53,12
-uelo . .	5	 5	....	7,81
-ejo . . .	2	 2	....	3,12
-ete . . .	1	 1	....	1,56
-ico . . .	7	 6	....	10,93
-ito . . .	15	 6	....	23,43

Total. 64   Total. 44

PÉREZ DE AYALA

Belarmino y Apolonio

Diminutivos		*Palabras*		*% Diminutivos*
-illo . . .	35	 31	....	26,51
-uelo . .	8	 7	....	6,06
-ejo . . .	6	 4	....	4,54
-ete . . .	13	 9	....	9,84
-ico . . .	2	 1	....	1,51

Diminutivos		Palabras		% Diminutivos
-ino . . . 12	....	10	....	9,09
-iño . . . 1	....	1	....	0,75
-ito . . . 49	....	36	....	37,12
-uco . . . 6	....	3	....	4,54

Total. 132   Total. 102

AZORÍN

La Voluntad

Diminutivos		Palabras		% Diminutivos
-illo . . . 52	....	39	....	46,84
-uelo . . 7	....	6	....	6,30
-ejo . . . 1	....	1	....	0,90
-ete . . . 5	....	2	....	4,50
-ico . . . 13	....	5	....	11,71
-ito . . . 33	....	19	....	29,72

Total. 111   Total. 72

Las confesiones de un pequeño filósofo

Diminutivos		Palabras		% Diminutivos
-illo . . . 25	....	15	....	28,40
-uelo . . 9	....	7	....	10,22
-ejo . . . 1	....	1	....	1,13
-ico . . . 13	....	6	....	14,77
-ito . . . 40	....	27	....	45,45

Total. 88   Total. 56

Un pueblecito

Diminutivos		Palabras		% Diminutivos
-illo . . .	4	....	3	....	8,88
-uelo . .	1	....	1	....	2,22
-ejo . . .	1	....	1	....	2,22
-ico . . .	1	....	1	....	2,22
-ito . . .	38	....	15	....	84,44

Total. 45   Total. 21

El paisaje de España visto por los españoles

Diminutivos		Palabras		% Diminutivos
-illo . . .	8	....	6	....	11,59
-uelo . .	4	....	3	....	5,79
-ejo . . .	1	....	1	....	1,44
-ico . . .	1	....	1	....	1,44
-ino . . .	1	....	1	....	1,44
-ito . . .	54	....	35	....	78,26

Total. 69   Total. 47

TOTAL DE LAS OBRAS DE AZORÍN

Diminutivos		Palabras	% Diminutivos
-illo . . .	89	....	28,43
-uelo . .	21	....	6,70
-ejo . . .	4	....	1,27
-ete . . .	5	....	1,59
-ico . . .	28	....	8,94

Diminutivos	Palabras	% Diminutivos
-ino . . . 1	....	0,31
-ito . . . 165	....	52,71

Total.   313

GARCIA LORCA

Obras completas

Diminutivos	Palabras	% Diminutivos
-illo . . . 126	 78	 25,14
-uelo . . 8	 4	 1,59
-ete . . . 5	 3	 0,99
-ico . . . 2	 2	 0,39
-ino . . . 1	 1	 0,19
-iño . . . 2	 2	 0,39
-ito . . . 351	 143	 70,00
-uco . . . 6	 3	 1,19

Total. 501   Total. 236

RESUMEN

El sufijo -illo, que arroja en Berceo un porcentaje aproximado de 76,5, disminuye paulatinamente, con oscilaciones diversas: Don Juan Manuel, 23,5; Hita, 61,5; Arcipreste de Talavera, 50,5; Santillana, 25; *Romances Viejos*, 43, y *Celestina*, 54. Tomando comparativamente los datos proporcionados por las cifras más altas y las más bajas se observa la disminución en el empleo de dicho sufijo. Sin duda, una de las causas que originan este declive es la aparición de otros sufijos que complican la simplicidad primitiva de Berceo, que prácticamente sólo posee tres sufijos diminutivos.

El gráfico del sufijo -uelo es el siguiente: Berceo, 16; Don Juan Manuel, 59; Hita, 12; Arc. Talavera, 14; Santillana, 50; *R. V.*, 0; *Celestina*, 6. La línea que señala las oscilaciones de este sufijo resalta puntos de grandes diferencias. Una vez más recomendamos la presencia total de datos para la apreciación particular de uno de ellos. No obstante, parece destacarse claramente la presencia de -uelo en los autores más cultos. D. J. Manuel y Santillana de manera más decisiva; por el contrario, es menor su empleo en los escritores más populares.

El sufijo -ejo sigue una línea más uniforme dentro de su escaso porcentaje: Berceo, 7; D. J. Manuel, 6; Hita, 6; Arc.

Talavera, 4; Santillana, 0; *R. V.*, 0; *Celestina*, 3,5. Se observa cierto descenso en su empleo.

Del sufijo -ete, tenemos: Berceo, 0; D. J. Manuel, 6; Hita, 17; Arc. Talavera, 11; Santillana, 25; *R. V.*, 0; *Celestina*, 2,5. Hita y el Arcipreste de Talavera señalan el máximo índice de empleo del sufijo -ete, aunque hay que tener en cuenta que Santillana sólo posee un ejemplo en dicho sufijo, que, dado el escasísimo número de diminutivos que posee en total, causa ese elevado tanto por ciento.

Los índices del sufijo -ico son: Berceo, 0; D. J. Manuel, 0; Hita, 2; Arc. Talavera, 11; Santillana, 0; *R. V.*, 57; *Celestina*, 20.

La línea ascendente es manifiesta, pues la cumbre señalada por los *Romances Viejos* hay que verla en función del número total de diminutivos en relación con todas las restantes calas, así como en función del número de sufijos. El predominio de -ico es debido a su efusión en el empleo lírico en los romances, a su empleo formando hipocorismos en el Arc. de Talavera y a la valoración positiva en la *Celestina*.

El tanto por ciento del empleo de -ino es: Berceo, 0; D. J. Manuel, 0; Hita, 2; Arc. Talavera, 1; Santillana, 0; *R. V.*, 0; *Celestina*, 0. Prácticamente el sufijo -ino es inexistente, sobre todo teniendo en cuenta el carácter de especialización de los derivados a que da lugar.

El gráfico de -ito está señalado por los puntos siguientes: Berceo, 0; D. J. Manuel, 6; Hita, 0; Arc. Talavera, 9; Santillana, 0; *R. V.*, 0; *Celestina*, 14. Hay, pues, un primer momento en que no existe presencia práctica del sufijo -ito, pues el tanto por ciento en D. J. Manuel está representado por un solo diminutivo; Santillana, rechazaría el diminutivo en -ito probablemente a causa del matiz popular que tenía el sufijo; aunque, en realidad, existe el diminutivo en -ito en algunos romances viejos es en escaso número, de manera que no haría variar mucho su porcentaje; nos queda, pues, el diminutivo en -ito como un rasgo popular en el Arcipreste de Talavera y en *La Celestina*. Obsérvese, por otra parte, la pluralidad de sufijos en ambos.

Así, pues, los dos principales sufijos parecen ser -illo y -uelo, percibiéndose una tendencia ascendente de los sufijos -ico e -ito si bien más acentuada en el primero que en el segundo. Pronto adquieren los dos primeros un merecido prestigio literario por lo que su posterior empleo, en muchos casos, se explica por el peso de la tradición convirtiéndose en auténticos tópicos.

En el Siglo de Oro, los porcentajes de los diversos sufijos dan lugar a los siguientes datos:

El tanto por ciento de empleo del sufijo -illo en los escritores y obras estudiadas es: Garcilaso, 70; J. Valdés, 57; Montemayor, 42,5; *Lazarillo*, 63,5; Santa Teresa, 44,5; L. De Granada, 55,5; Cervantes, 41; Góngora, 55; Lope, 50,5; Quevedo, 50; Calderón, 58. Como puede verse el índice de empleo del sufijo -illo es muy elevado; ello es debido a que posee, como acabamos de decir, juntamente con el sufijo -uelo, el prestigio de una tradición literaria; ésta es, precisamente, la que determina ese elevado tanto por ciento en Garcilaso, quien solamente emplea el sufijo -illo y el -uelo. En realidad Montemayor también emplea solamente esos dos sufijos, pues el -ete aparece en una sola palabra, aunque esté repetido siete veces, y tiene, además, una significación casi especializada. En cambio Santa Teresa, que desconoce esta tradición culta, no lo emplea tanto porque da entrada a elementos más populares, lo que la lleva a manejar otro sufijo más vivo y más popular, el -ito; se observa un ligero aumento de -illo en el *Libro de las Fundaciones* en relación a *Las Moradas*, lo cual parecería indicar cierto pulimiento en el gusto literario posterior de la Santa, si no existiese la razón en contra del aumento del sufijo -ito de manera más decisiva; así, mientras en *Las Moradas* tenemos -illo 42,5 e -ito 35,5, en el *Libro de las Fundaciones* hay 47 por ciento de -illo y 44,5 de -ito, es decir, mientras el supuesto refinamiento literario señalado por la preferencia del sufijo -illo arroja un aumento del 4,5 por ciento, se afirma el gusto por -ito en un 9 por ciento.

En otros escritores, como Fr. Luis de Granada, el aumento tan notable del índice del sufijo -illo en la *Introducción del Símbolo de la Fe* en comparación al de la *Guía de Pecadores*, se debe más que a la distancia temporal en que fueron escritas —lo cual indicaría una preferencia posterior mayor por el sufijo -illo— a la índole diferente de asuntos tratados: un libro ascético en la *Guía* y un libro sobre la bondad y amor divinos reflejados en las criaturas en la *Introducción del Símbolo de la Fe*. Así, en la *Guía de Pecadores*, sobre un total de 18 diminutivos hay 6 en -illo, 6 palabras y un 33,5 por ciento, y en la *Introducción del Símbolo de la Fe*, sobre un total de 316 hay 180 en -illo, 55 palabras y un 57 por ciento. Por el contrario hay un descenso en -ito, de 22 por ciento en la *Guía* a 13,5 en la *Introducción del Símbolo de la Fe*; pero debe tenerse en cuenta para la apreciación justa de este punto que mientras en la primera obra hay cuatro diminutivos en -ito y cuatro palabras del total de diminutivos señalados, en la segunda hay 42 diminutivos y 20 palabras. Por otra parte, para explicar preferencias de empleo de sufijos no debe perderse de vista la región de origen del escritor.

La parquedad de diminutivos que suele darse en las obras teatrales, como en las de Cervantes y Lope, es la causa de que existan esas diferencias tan notables entre unas y otras, ya que la presencia de unos exiguos ejemplos de un sufijo es suficiente para inclinar la balanza de parte de este sufijo de manera ostensible, sin dar lugar a la presencia de otros a causa de la limitada extensión de la obra teatral.

Por el contrario, en Calderón, la causa principal de que existan o no diminutivos en una u otra obra se debe al tema de ésta, pues en aquellas piezas de asunto alegórico y abstracto, como los autos, son escasos o nulos los ejemplos de diminutivos, en tanto que en las comedias o en aquellas partes de una obra en que se da de lado la abstracción aparecen los diminutivos con más frecuencia. No obstante, ésta es tan exigua que en 75 obras sólo han sido considerados 216 diminutivos, es decir, menos de 3 diminutivos por obra.

El índice de empleo del sufijo -illo es el más alto de todos. Sin embargo, dentro de un mismo autor se da el caso de que sea otro sufijo el que tenga el mayor tanto por ciento en una obra, por ejemplo en Fr. Luis de Granada en la *Guía de Pecadores*, el sufijo de mayor exponente es -uelo con un 39 por ciento, frente a 33,5 de -illo, o en Lope en *El mejor alcalde, el rey*, con un 50 por ciento de -uelo frente a un 37,5 de -illo. Todo ello quiere decir que debemos tener muy presente el corpus sometido a investigación: cuanto más extenso sea tanto mayores serán las probabilidades de lograr resultados exactos. Pero un trabajo exhaustivo difícilmente puede ser acometido por una sola persona.

Los tantos por ciento de -uelo son: Garcilaso, 30; Valdés, 8,5; Montemayor, 31; *Lazarillo*, 10; Santa Teresa, 1; L. de Granada, 14; Cervantes, 10; Góngora, 24,5; Lope, 17; Quevedo, 10; Calderón, 4,5. La frecuencia de empleo señala una decidida tendencia a la disminución. El alto nivel que posee, por ser un sufijo de tradición literaria, en Garcilaso, Montemayor y aun en Góngora, es por el contrario muy inferior en los demás, incluso en Lope; en éste, de todos los restantes sufijos, es el de índice superior. Una vez más mediante la frecuencia de los distintos sufijos, podemos observar el rasgo culto o popular de un autor; así este último en Santa Teresa. Se pone de manifiesto en la comparación con los restantes sufijos de modo semejante a como hemos operado con -illo el carácter culto o popular de un escritor.

Los porcentajes que arroja el sufijo -ejo son: Garcilaso, 0; Valdés, 17; Montemayor, 0; *Lazarillo*, 0; Santa Teresa, 0; L. de Granada, 2; Cervantes, 1; Góngora, 1,5; Lope, 0; Quevedo, 1; Calderón, 0. Excepto el tanto por ciento señalado para Valdés, en el resto es prácticamente nulo. Para la consideración precisa sobre el dato proporcionado sobre Valdés deben tenerse presentes los siguientes extremos: número total de diminutivos, 35, diminutivos en -ejo 6, palabras 2, que se distribuyen los 6 diminutivos en dos grupos: uno de cinco y otro de uno. Podría ser debida la aparición de tan crecido tanto por ciento a un hábito lingüístico regional de su patria, Cuenca. No obstante creemos que esta explicación es menos probable.

Las cifras que da el uso del sufijo -ete son las siguientes: Garcilaso, 0; Valdés, 0; Montemayor, 27; *Lazarillo*, 10; Santa Teresa, 0; L. de Granada, 1; Cervantes, 7; Góngora, 1,5; Lope, 4; Quevedo, 8; Calderón, 0. Estos datos hay que juzgarlos a la luz de las siguientes advertencias: aunque Montemayor da un porcentaje tan subido, en realidad es mínimo si se tiene en cuenta que -ete posee un alto grado de especialización del significado en la única palabra en que aparece el sufijo; esta especialización de sentido próximo al de mero positivo se observa asimismo en *Lazarillo* y también en Cervantes, Lope y Quevedo, en los cuales se nota un creciente empleo del sufijo como señal axiológica humorística y burlona. Exceptuados estos tres últimos escritores, en los demás se puede decir que no se da el diminutivo en -ete.

Los porcentajes del sufijo -ico son: Garcilaso, 0; Valdés, 17; Montemayor, 0; *Lazarillo*, 12; Santa Teresa, 15; L. de

Granada, 14; Cervantes, 23; Góngora, 8; Lope, 9; Quevedo, 13; Calderón, 10.

Una vez más mediante la comparación de un sufijo con otro lograremos obtener datos concretos acerca del carácter popular o culto o predominio de una valoración positiva o negativa en un escritor o en una obra; en primer lugar por la comparación de este sufijo con -illo y -uelo, de modo semejante a como se ha hecho con -illo e -ito; y, en segundo lugar, por la oposición entre los sufijos -ico e -ito para designar los valores positivos. En el lenguaje cortesano de Garcilaso y en la novela pastoril no tiene cabida el -ico, pero sí en la obra de Valdés, de distinto carácter a los anteriores. Inferior en Valdés el -uelo al -ico (8,5 y 17, respectivamente), es ligeramente superior el -ico en el *Lazarillo*, 10 y 12, y en Fr. Luis de Granada, son aproximadamente iguales, 14 por ciento. En cambio en Santa Teresa -uelo es casi inexistente frente a -ico, y en Cervantes ocupa el segundo lugar por su frecuencia, 23 por ciento de -ico frente a 1 de -uelo; el alto porcentaje de -ico es un rasgo manchego, que sobresale todavía más si se compara con -ito, 17,5 por ciento. El predominio de -ico en Cervantes en perjuicio de -ito es a causa de un indudable regionalismo. Góngora y Lope señalan un alto grado de -uelo sobre -ico; en Calderón este último sufijo se da en 22 casos en 17 palabras. Por el contrario, Quevedo muestra predominio de -ico sobre -uelo, aunque el oficio que desempeñan ambos es, por lo general, axiológicamente peyorativo, si bien existen algunos ejemplos de -ico positivo, pero escasos. En no pocos casos el empleo de este sufijo corresponde a diminutivos tradicionales.

Los porcentajes de -ito son: Garcilaso, 0; Valdés, 0; Montemayor, 0; *Lazarillo*, 5; Santa Teresa, 39,5; L. de Granada, 14; Cervantes, 17,5; Góngora, 9,5; Lope, 19,5; Quevedo, 17,5; Calderón, 25,5. Primero hay un momento en que no aparece el diminutivo en -ito en el lenguaje culto y cortesano, y un segundo momento señalado por *El Lazarillo* en el que se dan los sufijos -ico e -ito con predominio del primero, 12 por ciento de -ico contra cinco de -ito. Santa Teresa afianza con su feminidad deliciosa el empleo del diminutivo en -ito del que hace un uso del 39,5 frente a 15 de -ico. En Fr. Luis de Granada es aproximadamente igual, y si en Cervantes es menor -ito que -ico es debido a regionalismo, según se ha dicho. A partir de este momento la separación de ambos sufijos se hace notar por la inclinación ascendente que toma la línea que representa al sufijo -ito. Las oscilaciones del sufijo -ito dentro de un mismo escritor son notables; así en Santa Teresa en *Las Moradas* tenemos 22 por ciento de -ico y 35,5 de -ito por 6,5 de -ico y 44,5 de -ito en el *Libro de las Fundaciones*; es decir, existe una correspondencia entre la disminución del sufijo -ico y el aumento de -ito, que pone de manifiesto el progresivo afianzamiento del diminutivo en -ito. En cambio, en Fr. Luis de Granada se tiende hacia un equilibrio o disminución, y así en la *Guía* hay 5,5 de -ico y 22 de -ito frente a 14,5 y 13,5 en la *Introducción*; debe tenerse en cuenta que en la primera existe un solo diminutivo en -ico en un total de 18, contra 4 en -ito y 4 palabras, y en la segunda hay 46 diminutivos con 25 palabras de un total de 316 diminutivos, y 42 en -ito con 20 palabras. También debe tenerse en cuenta el número de sufijos que aparece en una obra: a menor número de sufijos mayor porcentaje.

El notable porcentaje de -ito en Calderón se justifica sabiendo que de 216 diminutivos, 125 son en -illo, 22 en -ico, 10 en -uelo y 55 en -ito. Los restantes sufijos ofrecen cantidades despreciables.

Así, pues, a lo largo de los siglos XVI y XVII sobre una línea de elevado porcentaje con ligera inclinación hacia el descenso que señala el sufijo -illo, y sobre otra rama descendente más pronunciada que la anterior, de -uelo, el sufijo -ito se abre camino en oposición con -ico, su equivalente axiológico. A medida que -ito asciende en el horizonte de la frecuencia de uso y multiplicidad de funciones, el empleo de -ico se hace tópico. Si el empleo de -ito parte del ambiente popular hasta extenderse a todos los ámbitos sociales, el de -ico se restringe poco a poco al empleo tradicional y se refugia en la pintura rústica y regional. Los sufijos -ejo y -ete dan lugar a un número mínimo de derivados; -ino es inexistente prácticamente. El descenso de -uelo es más pronunciado que el de -illo.

Los porcentajes de los distintos sufijos después del Siglo de Oro son:

En el sufijo -illo: R. de la Cruz, 30; Meléndez Valdés, 38; Moratín, 45,5; Bretón, 18; Fernán Caballero, 10; Estébanez Calderón, 62,5; Mesonero, 44,5; López de Ayala, 8; Pereda, 35; Galdós, 19; Miró, 53; Pérez de Ayala, 26,5; Azorín, 28,5; Lorca, 25. La conclusión más inmediata que se obtiene después de comparar estos datos con los porcentajes dados para el sufijo -illo en los siglos XVI y XVII es la de que ha disminuido considerablemente el empleo de tal sufijo. El sufijo -illo ha perdido el prestigio literario que le abonaba anteriormente y ha decrecido la frecuencia de su empleo, ya que el sufijo que ha adquirido el antiguo predicamento de -illo, en cuanto al número se refiere, es ahora -ito, no sin algunos titubeos, ciertamente. Estas vacilaciones o cambios en el gusto por el uso de un sufijo con el detrimento subsiguiente de otros es fácilmente observable en aquellos escritores de quienes damos varias obras; así, si vemos según la ordenación cronológica las obras de Moratín, observaremos que en *El Viejo y la Niña* se da un 32 por ciento de -illo, en *La comedia Nueva* un 60,5 y en *El Sí de las Niñas* un 54,5, que representado por un gráfico sería una línea quebrada, un ángulo cuyo vértice ocuparía la parte superior. Ahora bien, si comparamos estos datos con los porcentajes de -ito se perfila con más nitidez el movimiento de -illo, del cual es su lado opuesto. En efecto, en *El Viejo y la Niña* tenemos un 40,5 por ciento, en *La Comedia Nueva* un 33,5 y en *El Sí de las Niñas* un 45,5, lo cual representado gráficamente equivaldría a un ángulo con el vértice abajo, y que se opondría al dibujado por el -illo.

En Galdós el porcentaje de -illo es en *Gloria* 30,5, *Marianela* 38,5 y *Fortunata y Jacinta* 15,5, y de -ito 57, 43 y 75, respectivamente, que se corresponden de modo análogo a como hemos visto en Moratín.

En Azorín el tanto por ciento de -illo es en *La Voluntad*, 47, en *Las confesiones de un pequeño filósofo*, 28,5, en *Un pueblecito*, 9 y en *El paisaje de España visto por los españoles*, 11,5; y de -ito, 29,5, 45,5, 84,5 y 78,5, respectivamente. Es decir, hay un progresivo descenso de -illo y un aumento de -ito; no obstante esa pequeña regresión del porcentaje de -illo de la cuarta obra respecto a la tercera, pero completamente superada por el amplio aumento del porcentaje de -ito en la cuarta. Es decir, en Azorín hay un creciente predominio de -ito que denuncia la predilección del escritor por el diminutivo de la forma más viva.

En otros escritores como Meléndez Valdés el predominio de -illo sobre -ito se justifica por el carácter de sus poesías.

Observando los datos de Estébanez Calderón y de Mesonero Romanos se percibe el distinto carácter del costumbrismo en uno y otro por lo que al empleo de este derivado se refiere, es decir, un uso preferente de -illo en el primero con 62,5 por ciento frente a 44,5 del segundo, frente a un predominio del -ito madrileño del segundo con un 42 por ciento contra un 16,5 del primero.

En las obras de un escritor de fuerte sabor regional, como Pereda, este juego entre los sufijos se extiende también a los sufijos típicos, no sólo a los más comunes como -illo e -ito. En efecto, en *El Sabor de la Tierruca* tenemos -illo, 38, -ito, 14,5 y -uco, 31, frente a estos datos de *Sotileza*: -illo, 34, -ito, 31 y -uco, 20. Es decir, en oposición al aumento de -ito tenemos el consabido descenso de -illo, e incluso del regional -uco, lo que parece indicar cierta preferencia por el empleo de la forma -ito, más elegante y plenamente impuesta, y por la estilización y disminución de los rasgos regionales.

El porcentaje de -uelo es: R. de la Cruz, 5; Meléndez, 26; Moratín, 9,5; Bretón, 0; Fernán Caballero, 1,5; Estébanez, 5; Mesonero, 7; López de Ayala, 0; Pereda, 6; Galdós, 3,5; Miró, 8; Pérez de Ayala, 6; Azorín, 6,5; Lorca, 1,5. Este sufijo sufre una disminución muy considerable en su empleo al pasar del Siglo de Oro al siglo XVIII, semejantemente al descenso de -illo. Sólo aparece con un índice bastante elevado en Meléndez Valdés, lo cual se justifica por el carácter amanerado de su poesía ya que toma el sufijo de la tradición literaria culta acentuando su uso.

En Moratín el declive del sufijo -uelo es violento.

En Galdós, en cambio, origina una línea con una rama ascendente y otra descendente: *Gloria*, 6, *Marianela*, 9 y *Fortunata y Jacinta*, 2,5.

La oscilación sin tendencia fija es más ostensible en Azorín; así, en *La Voluntad*, 6,5, en *Las confesiones de un pequeño filósofo*, 10, en *Un pueblecito*, 2 y en *El paisaje de España visto por los españoles*, 6.

Los porcentajes de -ejo son: R. de la Cruz, 1; Meléndez, 4; Moratín, 0; Bretón, 0; Fernán Caballero, 0; Estébanez, 2; Mesonero, 2; L. de Ayala, 0; Pereda, 2,5; Galdós, 0,5; Miró, 3; P. de Ayala, 4,5; Azorín, 1,5; Lorca, 0. El tanto por ciento del sufijo -ejo es, como se ve muy pequeño o nulo, pues aun en los casos de nivel de empleo más elevado hay que tener en cuenta que en Meléndez Valdés sólo aparece bajo una sola palabra, y en Pérez de Ayala, así como en los restantes, roza el sentido de pleno despectivo.

Las cifras que dan los porcentajes en los en -ete son: R. de la Cruz, 4; Meléndez, 0; Moratín, 1,5; Bretón, 0; Fernán Caballero, 3; Estébanez, 12; Mesonero, 3; L. de Ayala, 2,5; Pereda, 5; Galdós, 2; Miró, 1,5; P. de Ayala, 10; Azorín, 1,5; Lorca, 1. Es notable este sufijo en Estébanez por ser el tercero cuantitativamente con un total de 26 diminutivos con 12 palabras, aunque el oficio que desempeña es la significación próxima a la de positivo, y la valoración predominante es la despectiva. En general, ésta y la conmiserativa es la matización más extendida en el empleo de este sufijo.

Porcentajes de -ico: R. de la Cruz, 2,5; Meléndez, 0; Moratín, 3; Bretón, 0; Fernán Caballero, 0; Estébanez, 1,5; Mesonero, 1,5; L. de Ayala, 2,5; Pereda, 0,5; Galdós, 0,5; Miró, 11; P. de Ayala, 1,5; Azorín, 9; Lorca, 0,5. Los dos índices superiores, el de Miró y Azorín señalan el carácter regional de este sufijo; en ambos ocupa el tercer puesto por su frecuencia. Esta nota de regionalismo levantino del sufijo -ico se percibe por el alto nivel de *La Voluntad*, 11,5 por ciento, y de *Las confesiones de un pequeño filósofo*, 15 por ciento, en tanto que disminuye considerablemente en las otras dos obras, *Un pueblecito*, 2 por ciento, y *El paisaje de España visto por los españoles*, 1,5.

Los datos del sufijo -ino son: R. de la Cruz, 0; Meléndez, 0; Moratín, 0; Bretón, 0; Fernán Caballero, 0; Estébanez, 0,5; Mesonero, 0; L. de Ayala, 0; Pereda, 2; Galdós, 4; Miró, 0; P. de Ayala, 9; Azorín, 0,5; Lorca, 0. La cifra más alta corresponde a Pérez de Ayala, en el que el diminutivo en -ino aparece como una nota regional. En Galdós ocupa el tercer lugar con 67 diminutivos de un total de 1.651, con un cariz afectivo.

Porcentaje de -iño: R. de la Cruz, 0; Meléndez, 0; Moratín, 0; Bretón, 0; Fernán Caballero, 0; Estébanez, 0; Mesonero, 0; López de Ayala, 51,5; Pereda, 0; Galdós, 0; Miró, 0; P. de Ayala, 0,5; Azorín, 0; Lorca, 0,5. El diminutivo en -iño gallego, no castellano, aparece en un único diminutivo, un nombre propio, en P. de Ayala, y en dos diminutivos de un total de 501 en Lorca en las composiciones gallegas. El elevado porcentaje en López de Ayala se debe a que pone esos diminutivos en boca de un personaje gallego, lo cual es una nota que contribuye a caracterizarlo.

Porcentaje de -ito: R. de la Cruz, 58; Meléndez, 31,5; Moratín, 40; Bretón, 82; Fernán Caballero, 86; Estébanez, 16,5; Mesonero, 42; L. de Ayala, 35; Pereda, 26; Galdós, 70,5; Miró, 23,5; P. de Ayala, 37; Azorín, 52,5; Lorca, 70. Como demuestran estos porcentajes el sufijo -ito ha pasado a ser el de uso más frecuente y a tener, por consiguiente, la posibilidad de ejercer los más variados empleos. No obstante los índices de Bretón y Fernán Caballero son más elocuentes las cifras de Galdós y Lorca, pues mientras en los dos primeros se da el -ito con uno o tres sufijos más respectivamente, en cambio en los dos últimos se da conjuntamente con otros siete sufijos, y con un número de 1.163 diminutivos de un total de 1.651 en Galdós, por ejemplo, lo que le presta una mayoría abrumadora. Al hablar de -illo hemos visto ya la correspondencia de -ito con otros sufijos. No cabe duda de que el prestigio de la villa y corte intervino decisivamente en la enorme difusión alcanzada por el sufijo -ito.

Porcentaje de -uco: R. de la Cruz, 0; Meléndez, 0; Moratín, 0; Bretón, 0; Fernán Caballero, 0; Estébanez, 0; Mesonero, 0,5; L. de Ayala, 0; Pereda, 23; Galdós, 0; Miró, 0; P. de Ayala, 4,5; Azorín, 0; Lorca, 1. El único índice notable es el señalado para Pereda, en el que aparece como un rasgo regional, aunque con tendencia descendente, según hemos dicho al hablar del sufijo -ito. Si bien en Pereda tiene las dos valoraciones con predominio de la afectiva, en P. de Ayala el matiz despectivo es el más subrayado.

Siguiendo las tendencias señaladas en el Siglo de Oro para los sufijos -illo y -uelo, se acentúa el descenso de ambos y pasa el sufijo -illo a ocupar el segundo puesto, detrás de -ito, a una distancia considerable de éste, y el -uelo llega a tener un índice muy pequeño de frecuencia. El porcentaje más elevado lo ostenta el sufijo -ito al seguir la tendencia ascendente señalada en el Siglo de Oro. Los restantes sufijos poseen porcentajes muy pequeños, que se acrecientan en el ambiente regional.

QUINTA PARTE

CONCLUSIONES

Llegado el momento de plasmar en unas conclusiones el resultado de nuestras lecturas desearíamos no caer en posturas radicales y excluyentes, defecto de no pocos estudios sobre el tema que nos ocupa. Muchos de estos trabajos pretenden encontrar la explicación de todos los problemas en lo que creen que fue la razón de ser originaria del sufijo: significación individualizadora frente a la denominación genérica o colectiva, expresión de disminución de tamaño, relieve de una apreciación de cariño y ternura, semejanza con el positivo sobre el que se forma el derivado, dependencia y participación de sus cualidades, etc., etc. Estos trabajos, con petición de principio, o poco menos, se esfuerzan en atribuir al sufijo un determinado empleo del que van surgiendo los demás: el empequeñecimiento originó un sentimiento de protección y ternura, de aquí se pasó a otro valor, y así sucesivamente. O bien la protección concedida a un ser origina una visión empequeñecida con lo que tenemos ya un primer eslabón de una nueva cadena de efectos y causas.

En realidad, este debatido y probablemente insoluble tema de si lo axiológico precede o sigue a la noción de pequeñez es para nosotros una cuestión marginal. Ni siquiera es lícito suponer que este problema arqueológico pudiera llegar a encontrar una solución basada en un recuento de datos; con ello no tendríamos más que un conocimiento de porcentajes de empleo tal como lo podemos obtener hoy, pero ciertamente no sería justo deducir de aquí que la función más frecuente fuera la básica, como tampoco sería lógico sacar en consecuencia lo contrario. Por mucha importancia que pueda tener encontrar la solución de este problema no pasará de tener un interés histórico, pues tal como nos parece ver dicho tema en el momento actual el primer eslabón diacrónico no deja sentir su influencia hoy: tan alejado se encuentra. Por ello, repetimos, esta cuestión es considerada por nosotros con un interés muy secundario, e incluso cae fuera de nuestros objetivos.

Basándonos en los miles de ejemplos sorprendidos en su medio ambiente, es decir, en la Lengua y en el Habla, en el Sistema de que forma parte y en la Actualización de ese Sistema, el DIMINUTIVO se nos muestra como lo que es, como un mero signo lingüístico, todo lo complejo que se quiera pero a la vez uno e indivisible. Por obvio que parezca, forzoso es repetir hasta la saciedad algo tan evidente como que el diminutivo es el término entero en el que distinguimos un tema y un formante sufijal. El haber concedido a uno de los elementos un papel desmesuradamente preponderante sobre el otro ha motivado posturas encontradas y, por supuesto, parciales.

Por otra parte, tal como se nos aparece, lo verdaderamente definitorio del diminutivo es participar, lejos de toda visión parcial, tanto del carácter disminuidor como del valorativo. Cuando se subraya lo primero hasta el punto de alzarse con exclusividad en el complejo del significado eliminando toda relación o referencia con el segundo aspecto, el signo diminutivo se convierte en un signo meramente nocional que no tiene de diminutivo más que su partida de nacimiento; cerilla, por ejemplo. Cuando es la segunda nota la que prevalece excluyendo toda referencia a la primera el diminutivo ha pasado a ser un signo de exclusiva significación apreciativa, positiva o negativa; por ejemplo, mujerzuela. En ambos casos el resultado es idéntico: la aparición de un nuevo signo, puesto que tenemos un significado distinto, o si se quiere una nueva valencia de ese signo, cuya significación sólo a título diacrónico tiene alguna relación con el original. Bien claro se ve con el primer ejemplo y aun con el segundo, término éste que podemos aplicar a un varón.

Otra cosa es saber hasta qué punto participan los dos caracteres, aunque de manera general se afirma el predominio de lo axiológico sobre la aminoración o menor tamaño. En relación con esto opinamos que en esas «combinaciones redundantes» que cita don Salvador Fernández Ramírez (cabritas enanas, exigua sillita, partecitas tan menudas) la presencia del adjetivo sólo se puede explicar precisamente por haber desaparecido o pasado a segundo término el significado nocional de menor tamaño del sufijo, mientras que de rechazo se confirma la expresión axiológica del formante.

El diminutivo es un rasgo individualizador mediante el cual el hablante pone de relieve el objeto en el que fija la atención, como acercándolo a sí al propio tiempo que subraya la postura que adopta frente al objeto o el oyente.

Es también expresión de concretidad, por lo que no es frecuente hallarlo en temas alegóricos y abstractos, como puede comprobarse en obras de tales características, así en algunas de Calderón. Esta inclinación del diminutivo por lo concreto, limitado, doméstico, por todo lo que puede tener fácil relación con lo sensible, es quizá la causa de la escasez de términos abstractos.

En español encontramos numerosos casos de especialización de primitivos diminutivos debida, más que a la propia
diferenciación o especialización del objeto, a un rebasamiento de la afectividad hacia las cosas, de modo muy
particular en el lenguaje infantil, doméstico y amoroso.
Comienzan, ciertamente, siendo auténticos diminutivos funcionales que por uso excesivo llegan a perder su primitivo
carácter y tienen que ser considerados como meros positivos.
En los ambientes mencionados se crea, por decirlo así, un
clima diminutivo, un tono o temperatura tonal que lo envuelve todo, como sucede también en el mundo poético.

La causa, sin embargo, más frecuente y notoria de especialización es aquella en que partiendo del significado disminuidor del sufijo se pasa a nombrar el objeto a que se refiere
como una variedad del objeto designado por el positivo.
Los sufijos que más frecuentemente se emplean en este tipo
de especializaciones son -illo y -ete, seguidos de -ino, y los
demás. Existe una relación inversa entre la vigencia expresiva y vitalidad expansiva de un sufijo y el número de
lexicalizaciones. Cuanto más actuante sea un sufijo, menor
será la cifra de sus términos lexicalizados, y viceversa. Lógicamente las lexicalizaciones se dan con más abundancia en
los sufijos más antiguos y, por consiguiente, más gastados.

La acumulación de sufijos en parte se debe también a
esta causa: pérdida de valor del sufijo por cualquier tipo
de especialización, y deseo, por lo tanto, de recuperar la
expresividad perdida o en trance de perder o intento de
alcanzar mayor expresividad; en este último caso parece
que se llegó a pensar si existiría cierta relación entre las
veces que se repetía el sufijo y la «disminución» o ponderación del objeto o de la afectividad.

Otra causa de acumulación es la que tiene su razón de
ser en el refuerzo fónico de la palabra, tomado a veces como

un simple juego fonético sin incremento o ponderación de la expresividad; suele existir en estos casos cierto sentido de juego estético e infantil que toma la expresión como mera categoría sonora que se lanza al aire una y otra vez por simple placer acústico.

Otras veces el deseo de obtener expresividad da lugar a un alargamiento del «tempo» que, a su vez, se traduce en una repetición del elemento sonoro característico, produciendo así una acumulación del sufijo.

Este mismo motivo unido al intento de evitar la anfibología puede conducir al empleo del sufijo largo (solecito en vez de solito), aunque de hecho se puedan dar los dos; los términos menos corrientes suelen refugiarse en el uso regional.

Volviendo a la presencia de lo nocional y lo valorativo en nuestro derivado, opinamos que lo característico del diminutivo consiste en participar de ambas nociones, la pequeñez, real o fingida, y lo axiológico, en dosis distintas, y fundamentalmente lo definitorio del diminutivo radica en su carácter funcionalmente camaleónico; por otra parte, se pliega como ningún otro signo a las exigencias de las funciones del lenguaje gracias a la facilidad con que vierte la intencionalidad del hablante. Para nosotros, pues, diminutivo es toda forma que tradicionalmente es conocida como tal y funciona como signo lingüístico de acuerdo con los elementos que apreciamos en la indivisibilidad de su entidad. Obsérvese a este respecto que cuando un diminutivo español es traducido a otro idioma generalmente se hace referencia a esa dualidad, al tamaño y al afecto.

Así, pues, si el diminutivo es un término como cualquiera de los miles de ejemplos que hemos visto (fuentecilla, mentirosilla, hijuelo, vejete, durito, calentito, tempranito, fresquita, casuca, etc.) y no uno de los elementos que entran en su formación (raíz o sufijo) forzoso será tomarlo en toda su integridad, con todo el poso que la tradición haya ido acumulando independiente y conjuntamente en cada elemento más el resultante de la interacción, refuerzo u oposición, entre dichos elementos, así como la tensión establecida entre el término y la frase en que se halla incurso. Por ello el papel desempeñado por cada término depende de la aplicación concreta en un contexto determinado. Si agrupamos los diminutivos de una serie por funciones o valores obtendremos unos datos estadísticos relativos a los distintos aspectos de un sufijo, el -illo, el -ito, etc. Habida cuenta de las particularidades de ambiente, localización y demás circunstancias extralingüísticas propiamente hablando, llegamos a la conclusión de que cualquier sufijo, y un mismo sufijo, es parte integrante de diminutivos de apreciación disminuidora y axiológica con toda la gama posible de valores y matices. Lo que dicho de otra forma, según el modo usual de expresión, un mismo sufijo puede designar el empequeñecimiento objetivo o subjetivo, la ponderación, el interés, la ternura, la ironía, el desprecio, el amor, el regusto imaginativo, la admonición, la aminoración cortés de un deber penoso, etc., etc. Es decir, el sufijo puede poner de relieve tantas y tantas nociones, tantos y tantos valores, similares o encontrados, que sólo un recuento podrá darnos un orden estadístico de preferencia o empleo. En este punto convendrá siempre distinguir entre el dato representativo y el extremo, según terminología de Lanson. Por este camino podremos averiguar lo que compete a la Lengua, al Habla, al Estilo. Si tomamos como punto de partida el lenguaje de las cifras podremos atribuir la máxima importancia a la función o valor más alto, pero en determinado orden de cosas, porque en otro, repetimos, el dato estadístico, con ser muy importante por su influencia en una posible especialización (de función o valor) carecerá de interés. Pero aunque la importancia estuviera en razón directa del uso no podría negarse un hecho cierto: la multiplicidad y variedad de funciones y empleos, lo que equivaldrá a decir que en sí y por sí el sufijo en cuestión a fuerza de expresar tantos y tan variados valores, en sí y por sí, repetimos, no expresa ninguno, es un significante transparente que toma el color, el significado, que la intencionalidad del hablante en consonancia con las motivaciones del lugar, momento y demás circunstancias, le señala. De aquí ese carácter camaleónico del sufijo, como hemos dicho. De aquí lo huidizo de su entidad, lo inasible e irreductible que se ha mostrado en presencia de estudios magníficos, aunque generalmente parciales en cuanto al enfoque y radicalmente equivocados por el punto de partida o arranque. Se le ha estudiado como elemento integrante de un término principalmente desde el punto de vista de la tradición, de su masa fónica y aspecto gráfico, se le ha separado y aislado del tema, en una palabra, se le ha sometido a una disección y se ha olvidado que para realizar semejante operación es forzoso que se parta de un ser muerto. El sufijo (-illo, -ito, etc.), es y actúa en tanto en cuanto es parte integrante y viva (sacristanillo, amorcito, etc.), es decir, en cuanto nos hallamos en presencia de un signo (complejo significante, complejo significado), algo muy elemental que parece haber pasado desapercibido. Se han estudiado funcionamientos y valores y se ha pasado por alto el hecho tan simple de que si algo tenía un funcionamiento o valor dados es porque poseía la entidad que correspondía a dicho funcionamiento o valor. Es condición humana que muchas veces no reparemos en aquello que tenemos continuamente delante de los ojos, precisamente por estar habituados a su presencia. Es, pues, forzoso que en cualquier estudio que se lleve a cabo del diminutivo se parta radicalmente de su entidad como signo antes de someterlo a cualquier análisis, que podrá ser todo lo interesante que se quiera, pero siempre limitado a un aspecto histórico y circunstancial, de donde procede la variedad abrumadora de problemas abordados; por ejemplo, las opiniones encontradas sobre lo que parece evidente: abundancia o escasez del diminutivo en español, problema que, a primera vista, se nos antoja superfluo y cuya solución debería imponerse a todos por igual.

La afirmación en uno u otro sentido exige un término de comparación o una época, obra o autor de referencia. Así, un Herrera o un Capmany afirmarán la escasez de diminutivos en español frente al parecer de la mayoría que considera esta cuestión en niveles de lengua y ámbitos literarios más amplios y con relación a otros idiomas, ya que surge nuestro derivado espontáneo, fácil y abundantemente, aunque con altibajos, en todas las épocas. Puede decirse que la facilidad que posee el español para formar estos derivados no encuentra más limitación que el buen gusto, que el uso confirmará transformándolo en hábito enriquecido por la tradición. Ésta irá dejando en las orillas del devenir las formas lexicalizadas mientras que las vivas seguirán manteniendo su fuerza analógica.

Los gramáticos proponen o han pretendido descubrir las reglas que presiden la formación de los diminutivos. Estas reglas no son generales y presentan en algunos casos excepciones casi tan abundantes como el número de ejemplos que abarcan, sobre todo si se tienen en cuenta períodos, autores o regiones determinados. El diminutivo es más bien un problema de lexicografía que de morfología. Cada diminutivo vale más por su propio significado concreto que por la significación aplicada generalmente al sufijo, que en parte debe a la tradición. La pluralidad de formas y tipos de conexión del sufijo al tema, acumulaciones, etc., son debidas a veces a esas causas sociales y geográficas.

En la soldadura del sufijo al tema la estructura sonora de ambos, con ser importante, no lo es tanto para la configuración del diminutivo como comúnmente se ha creído; así puede explicarse el crecido número de excepciones y la perplejidad de quienes han deseado ver en aquellas «reglas» una rigidez matemática, a causa del criterio normativo con que miraban los hechos lingüísticos. En la formación del diminutivo la estructura del tema y del sufijo mantiene, pues, una importancia secundaria. Son especialmente tendencias rítmicas, difíciles de precisar, las que rigen la formación del diminutivo, distintas según las peculiaridades regionales y sociales sobre todo, hábitos lingüísticos o el genio individual que las creó; así, desde este punto de vista, son igualmente legítimas las formas piececillos y piecillos, cochecito y cochito, altarito y altarcito, jardincito y jardinito, solecito y solito, etc., y carece de sentido afirmar que se debe preferir una u otra. Después, ciertamente, una tendencia uniformadora, cuyo origen y fuerza son muy varios, tiene propensión a reducir a un tipo general estas particularidades, aunque jamás lo logra a causa del ritmo que, como elemento más íntimo del lenguaje, es más difícil de someter a regla uniforme. Otras veces es como si desde el fondo de nuestra conciencia lingüística un duendecillo travieso, sorprendiéndonos a nosotros mismos, se complaciese en actualizar una forma casi olvidada.

Volviendo al tema de la abundancia del diminutivo en español, no cabe duda de que se debe a la facilidad de empleo que, como signo lingüístico y, por lo tanto, sintético en comparación con los términos que deben emplear otras lenguas para expresar lo mismo, posee en las distintas funciones del lenguaje, lo cual se traduce en diminutivos de características diferentes según la función que desempeñen, y permite lo mismo el juego lingüístico vigente en la colectividad qué el rasgo personal característico y extremo.

Hemos visto que este derivado no es patrimonio exclusivo de una región, una época o un medio social, aun con las fluctuaciones lógicas y normales. Se da en todas las circunstancias, regiones y clases sociales, y así lo mismo se presenta en un medio culto que popular, con la misma espontaneidad se muestra como rasgo regional que como característica de la expresión infantil, amorosa, doméstica, etc. Sin embargo, en todo caso cada término lleva el sello del lugar y ambiente en que se produce, lo cual le convierte en nota evocadora sumamente característica de la infancia, región de origen o de adopción posterior, influencia cultural, etc., etc.

Ni los reivindicadores de la nota empequeñecedora del diminutivo, ni los defensores de que ésta sea la característica básica del mismo, ni mucho menos los defensores a ultranza de lo axiológico en este derivado pueden negar el predominio de lo valorativo sobre lo nocional disminuidor. Pero el hecho de que el diminutivo sea preferentemente un signo de afecto no quiere decir que todo sufijo esté forzosamente ligado a una significación axiológica determinada, positiva o negativa; cada caso hay que estudiarlo en concreto y en toda su complejidad, aunque el predominio de formas de uno y otro signo lógicamente termine por conferir en virtud del peso del uso y de la tradición una determinada coloración axiológica positiva o negativa al sufijo, y ha ido originando, con el desgaste, mayor número de lexicalizaciones en unos sufijos, generalmente en los más antiguos, y permite mantener en todo su vigor a los más recientes.

La variedad de sufijos a causa de la diversa procedencia regional ha obligado a todos y a cada uno de ellos a mantenerse en una actitud combativa y les ha forzado a sostener enhiesta y actuante toda su expresividad. En América y allí donde no existe un intercambio tan activo han desaparecido algunos sufijos.

Hemos podido comprobar cómo en la Península, según las épocas, sobre un fondo de comparsas se han destacado generalmente dos sufijos: el -illo y el -uelo, el -illo y el -ico, el -illo y el -ito. En América el predominio de -ito ha sido tal que prácticamente ha eliminado a los restantes. Las consecuencias que de este hecho se deriven pueden ser transcendentales para la existencia de este derivado. Mientras que en la Península las petrificaciones de derivados se producen preferentemente en los sufijos más antiguos y se mantiene la actividad expresiva en los más modernos, en América no podrá existir esta posibilidad. Las lexicalizaciones que se produzcan serán forzosamente a costa del único sufijo en acción, el -ito, por lo que la expresividad habrá de buscarse a base de acumulaciones que acaben por ahogarla, o por otros procedimientos. En ambos casos peligrará la supervivencia del último sufijo.

Al tomar como significación básica la pequeñez, ciertos gramáticos, desorientados por aferrarse a la definición etimológica, han incluido bajo la misma denominación otras palabras derivadas que significaban objetos pequeños o más pequeños que los positivos (ventorro), o crías de animales (cachorro, lobato, lobezno, palomino, etc.), pero en realidad se refieren a seres perfectamente diferenciados objetivamente. No obstante dichos términos tenían en común con el diminutivo un indudable contenido afectivo, lo mismo que sucede con ciertos hipocorismos apreciativos (Paco, Pepe, etc.) por lo que en ambos casos dichas formas han sido puestas bajo el mismo denominador común: el diminutivo. Mantener tales afirmaciones sería tan arriesgado como si hoy, desusado el término cigoñino, pretendiéramos que cigüeño por designar a la cría de la cigüeña fuese el diminutivo de este vocablo. Con ser esto importante, la consecuencia más interesante que se extrae de lo arriba enunciado es que se siente lo axiológico con tal fuerza como carácter inherente al diminutivo que se concede este apelativo a palabras que preferentemente expresan afecto o predisponen a él.

Por esta razón a veces se han incluido otros sufijos en la lista de los diminutivos, a causa de esa proximidad de significación (-istrajo, bebistrajo; -uza, gentuza, etc.), con manifiesta desorientación.

Desde un punto de vista histórico, el criterio que los gramáticos han manifestado acerca del diminutivo no ha coincidido en muchos casos con la realidad, bien por obstinarse en una apreciación latinista y normativa (Nebrija, por ejemplo), bien por un deseo de ennoblecimiento purista (Herrera). Pero, en general, el juicio que el diminutivo ha merecido a los gramáticos ha sido favorable. El aprecio consciente y valoración creciente del diminutivo corresponde desde muy pronto y muy principalmente a quienes por vivir o enseñar la lengua española fuera de la patria (Miranda, Martínez de Morentín entre otros) tuvieron en el idioma de la nación en que se encontraban un instrumento valioso de comparación. Al compulsar las dos lenguas para verter lo más fielmente de una en otra, forzosamente hubieron de ahondar en el estudio del diminutivo. En tal sentido sobresale Martínez de Morentín, quien se adelanta, lógicamente con otra terminología, a Amado Alonso en no pocos aspectos y atisbos, si bien éste no lo cita, aunque debió de conocerlo.

Sería tarea punto menos que imposible pretender dar un resumen del apretado manojo de opiniones de los estudiosos de nuestro tema. Forzosamente habría de ser parcial y engañoso. Precisamente por la variedad, y a veces disparidad,

de opiniones podremos hacernos una idea de la complejidad
de tal cuestión en la que todo parece girar en torno a estos
dos polos: lo axiológico y lo conceptual.

El análisis diacrónico de las calas literarias que hemos
llevado a cabo permite seguir las fluctuaciones de uso desde
distintos puntos de vista, así, por ejemplo, el sufijo -uelo
desde el siglo XIII al XVII ha expresado más corrientemente
valores positivos que negativos, sobre todo en los tres primeros siglos, pues aunque expresaba también valores negativos
o eran menos numerosos o eran menos característicos. A
partir del siglo XV fue tomando cada vez mayor auge la valoración negativa hasta convertirse en excepción los casos
positivos desde el siglo XVII en adelante. Si en este largo
proceso un término como mujerzuela podía ser empleado, a
pesar de la idea general de desprecio, excepcionalmente con
valoración positiva según afirma Manuel Martínez de Morentín en 1857, difícilmente hoy podríamos crear una situación
que permitiera el uso de dicho término sin el sambenito que
hoy lleva. Cuando la tradición se apodera de un vocablo y
deposita el poso del tiempo sobre él, únicamente el purga-
torio del olvido podrá hacerle revivir con nueva valencia.
Entre las causas de empleo de algunos sufijos diminutivos
no es de las menos importantes la tópica debida a una
tradición literaria.

Como ya hemos dicho, un sufijo no está forzosamente
unido a la expresión axiológica y de un solo valor. En general
todos los sufijos han poseído y poseen, en más o en menos,
según las condiciones regionales, sociales e históricas de
un grupo lingüístico las mismas posibilidades expresivas
respecto a la manifestación de distintos valores. Los sufijos
-illo, -ejo y -ete, por ejemplo, han significado valores negativos, pero también han participado en la expresión disminui-

dora, y de aquí han pasado a ser simples derivativos que señalan objetos similares a los positivos.

Cuanto más común es el hábito de emplear un sufijo dado para la expresión de un valor concreto tanto más enérgica y abiertamente se manifiesta, en los casos excepcionales, la afectividad de signo contrario, como por ejemplo el empleo frecuente del sufijo -ico y, sobre todo hoy, del -ito en términos peyorativos o irónicos.

Para concluir afirmaremos una vez más que el sufijo es un significante más, aunque principalísimo, del complejo significante del término, según dijimos en su lugar. Sólo así, considerando al sufijo en la complejidad del diminutivo, signo lingüístico, creemos que puede hallar sentido el estudio del mismo en la unidad de su entidad en un triple enfoque: el Estilo, el Habla y la Lengua.

SUPLEMENTOS

SUPLEMENTOS

I. ACOPIOS DE DIMINUTIVOS

Capítulo I

EL DIMINUTIVO HASTA EL SIGLO XVI

B E R C E O

Milagros de Nuestra Señora

Sufijo -illo (-iello) 34: apostiella, asperiella, boniella, brabiello, cartiella 3, cerquiella, cosiella 3, cristianiello, filiello, flaquiella 2, golliella, Madreziella, maliello 3, mancebiello, oriella 2, palonbiella 2, poquiello 3, ratiello 3, reconciello, ropiella 2.

Sufijo -uelo 11: compannuela, fijuelo 4, ninnuelo 5, romeruelo.

Sufijo -ejo (-ijo) 3: cuchellijo, logareio, poquelleio.

Vida de Santo Domingo

Sufijo -io 29: baguiliello 2 (baguiliello y blaguiello), cartiella, casiella, çerbiguiello, cosiella, estaquiello, labriello, libriello, maliello, mançebiello 3 (un caso ya reducido, mançebillo, 214 c. en la ed. consultada), mesquiniello 6, nomneçiello, oriella, pastorciello 2, peonçiello, poquiello, quediello, ratiello 2, vestidiellos.

Sufijo -*uelo* 3: ninnuelo 2, romeruela.

Sufijo -*ejo* 4: capelleja, logarejo, poquillejo 2.

Vida de Santa Oria

Sufijo -*illo* 12: casiella, cosiella, fabiella, labriello, mançebiella, poquiello 4, portaleyo, serraniella 2.

Sufijo -*uelo* 2: fijuela 2.

DON JUAN MANUEL

El Conde Lucanor

Sufijo -*illo* 4: fabiellas, perriellos, ramiellas, telliella.

Sufijo -*uelo* 10: corderuelos, herbizuelas, pañizuelos 2 (pañizuelos, pañizuellos), pequeñuelo 3 (pequeñuelo 2, pequeñuela), pobrezuelos, veguzuela 2 (begizuela, veguzuela).

Sufijo -*ejo* 1: señaleja.

Sufijo -*ete* 1: librete.

Sufijo -*ito* 1: arquita.

EL ARCIPRESTE DE HITA

El Libro de Buen Amor

Sufijo -*illo* 72: agrillo, agudillos, alvillo, angostillos, apretadillos, beserrillo, boquilla 2, cabrilla, canastillo 2 (canas-

tiello y canistillo), cantarillo, casilla, çestilla, cortiella, chiquillo 4 (chiquiella, chiquilla, chiquillo, chiquillos), esportilla, fablilla 3 (fabliella, fablilla, fabrilla), fermosillos, gordi-
lla, magrillo 2 (magrilla, magrillo), manadilla 2 (manadiella,
manadilla), mançebillo 9 (mançebiello, mançebilla, mançebillo 5, mençebillo, mançebillos), menudillo (a menudillo), menudillos, moresillo y murisillo, odreçillo 3 (odreçillo 2, odre-
sillo), oriella, palabrillas, parlylla, pasillo, perrillo, poquillo
14 (poquillo 8, poquyllo, poquiello, poquilla 3, poquillas), po-
trillo, quedillo, rraposilla, rratiello, sonbriella, soguilla, tortolilla 2.

Sufijo *-uelo* 14: çedaçuelo, fijuelo 3 (fijuelo, fijuelos 2),
moçuelo 3 (moçuelo 2, moçuela), neçuelo, oruela, pequeñuelas, quesuelos, vejezuela 2 (vejezuela y vigisuela), verçuelas.

Sufijo *-ejo* 7: poquillejo 2, vallejo 5 (vallejo 4, vallejos).

Sufijo *-ete* 20: ancheta 2, chançonetas 3, chufetas, juguete 2 (juguete, juguetes), librete 2, menoretas, moçetas, mo-
tete, panderete, risete 2 (risete, rrisetes), sonete 2 (sonete,
sonetes), tabletas, taborete.

Sufijo *-ico* 2: çatico 2.

Sufijo *-ino* 2: çigoñinos, parlinas.

ALFONSO MARTÍNEZ DE TOLEDO

En el libro del Arcipreste de Talavera hemos señalado
los siguientes diminutivos:

Sufijo *-illo* 51: Alonsillo, alvaneguillas 2, bolsyllas 2, bre-
vezilla, cabrilla, candelyllas, cantarillos 2, Catalnilla, cosyllas,
crispillos, cruzadillos, chiquillo 3 (chiquillo y chiquilla 2),
delgadilla, dolorçillo, echandillos, estiradillas, fablillas, fembrezillas, Françisquilla, grityllo, Juanillo 4 (Juanillo y Jua-

nilla 3), mantillo, ollillas, ombrezillo, onçillas, pardillo, paxarilla, pelillo 2, perrilla, pobrezillos, potecillos, puntillas (de puntillas), rençonçillos, soguilla, sorbillo, symplezilla 2 (symplezillos, symplezilla), texillo, tordilla 4.

Sufijo *-uelo* 14: consejuelas, corderuela, fojuela, joyuelas, Menciyuela, moçuelos, ovejuela, pañezuelos 2, pucheruelos, salseruelas, sayuela, tenazuelas, Teresuela.

Sufijo *-ejo* 4: capillejos, lencereja 2 (lencereja, lençarejas), mugereja.

Sufijo *-ete* 11: ampolletas, blanquete, camareta 3, filetes, lunetas, menoretas, muleta, puñetes, retronchetes.

Sufijo *-ico* 11: Marica 5, monico 3 (monico, monicas 2), Perico, Ynesyca, Ysabelica.

Sufijo *-ino* 1: palomina.

Sufijo *-ito* 9: chiquita, poquita 8 (poquito 6 y poquita 2).

EL MARQUÉS DE SANTILLANA

Canciones y Decires

Sufijo *-illo* 1: serranillas.
Sufijo *-uelo* 2: moçuela, vegüela.

En el Proemio uno, según hemos dicho:
Sufijo *-ete* 1: obretas.

«ROMANCES VIEJOS»

Romances

Sufijo *-illo* 15: aguililla 3 (aguililla 2, aguilillas), avecilla, carillo, esportilla, Hernandillo 3, Jacobillo, morilla, Mudarrillo 3, rabelillo.

Sufijo *-uelo* 2: hijuelos, ojuelos.

Sufijo *-ico* 36: agudicas, avecicas, campanicas, esposica, ganadico 11, Gonzalvico 4, mañanica 2, menudicos, morico 8 (morico, moricos 2, morica 5), romerica 2, teticas, tortolica, varicas, vestidica.

Sufijo *-ino* 2: delgadina, infantina.

Sufijo *-ito* 28: altita, campanitas, condesita 2, cotarrito, chiquita 2, chiquitita, delgadita, mañanita 2, pasito, poquito, puentecito 2, ramitas, serranitas, sirenita 2, soñito, vaquerito 6, varita, viudita.

Separamos de estos diminutivos los que creemos auténticamente pertenecientes a los romances viejos, que son:

Sufijo *-illo* 12: aguililla 2, avecilla, carillo, Hernandillo 3, Jacobillo, morilla, Mudarrillo 3.

Sufijo *-ico* 16: avecicas, campanicas, esposica, Gonzalvico 3, menudicos, morico 7 (morico, moricos, morica 5), tortolica, varicas.

«LA CELESTINA»

Sufijo *-illo* 46: asnillo, bovilla, cadenilla 3, camarilla, candelillas, cerillas, cosillas, cuytadillas, dolorcillos, florezilla, furtillos, gallillo, gentezilla, hablilla 2 (hablilla y hablillas), jarrillo 2 (jarrillo y jarrillos), lagrimillas, landrezilla, loquillo 6 (loquillo 3, loquillos, loquilla y loquillas), llamillas, palabrilla, paradillas, partezillas 3 (partezilla 2, partizilla), polvillos, poquillo, putillo 2 (putillo y putillos), questioncillas, redomilla 2 (redomilla y redomillas), sosegadilla, tabladillo, tablilla, unturillas, vellaquillo, ventanilla.

Sufijo *-uelo* 5: boyzuelo, calderuela, grosezuelos, neciuelo, tenazuelas.

Sufijo *-ejo* 3: barrilejos, cordelejos, señaleja.

Sufijo *-ete* 2: bragueta, faldetas.

Sufijo *-ico* 17: angelico, corderica, cozquillosicas, fontezica, gestico, pajezico, partezica, perlica, putico, simplezico, templadico, tenazicas 2, tinajica, Tristanico 2, verduricas.

Sufijo *-ito* 12: chiquito, lobitos, loquito 2, madexitas, pollitos, poquito 4 (poquito 3, poquitas), quedito, sesito.

CAPÍTULO II

EL DIMINUTIVO EN LOS SIGLOS XVI Y XVII

GARCILASO

Sufijo *-illo* 7: avecillas, cestillos, corcillo, florecillas, navecilla, partecilla, tortolilla.
Sufijo *-uelo* 3: hijuelos 2, pedrezuelas.

JUAN DE VALDÉS

Diálogo de la Lengua

Sufijo *-illo* 20: asperilla, cantarcillo, cosilla 2 (cosilla y cosillas), durillo 3 (durillo 2, durillos), librillos 2, mugercillas, palabrillas 2, partezillas 3, rasguillo 4 (rasguillo 2, rasguillos 2), sentencillas.
Sufijo *-uelo* 3: contezuelo 2 (contezuelo, contezuelos), rayuela.
Sufijo *-ejo* 6: refranejo 5, señaleja.
Sufijo *-ico* 6: cantarcico, clavicos, primorcicos, punticos, raíca, çatico.

JORGE DE MONTEMAYOR

La Diana

Sufijo *-illo* 11: bezerrillos 2, cantarcillos, cordoncillo, navezillas, pradezillo 3, redezilla, telillas, tetilla.

Sufijo *-uelo* 8: baxuelas, ovejuela 4 (ovejuela 1, ovejuelas 3), pequeñuelos, plaçuela, sayuelo.

Sufijo *-ete* 7: isleta 7.

«EL LAZARILLO DE TORMES»

Sufijo *-illo* 26: bolsilla, canastillo, casilla 2, cosilla 3 (cosilla 1, cosillas 2), costanilla, fuentezilla 2, golpezillo, huessezillo, jarrillo, larguillo, mugercillas 3, pelillo (de pelillo), pobrecilla, puntillos, tablillas 3, tortilla, trampilla 2.

Sufijo *-uelo* 4: moçuelo 3, sospechuela.

Sufijo *-ete* 4: camareta, concheta, sayete, silleta.

Sufijo *-ico* 5: hermanico 3, mañanicas, peccadorcico.

Sufijo *-ito* 2: negrito, quedito.

SANTA TERESA DE JESÚS

Las Moradas

Sufijo *-illo* 25: boquillas, capuchillo 2 (capuchillo, capuchillos), contentillos, cosillas, chinillas, gusanillo 2, lagartijillas, mariposilla 5, motillas, obrillas, pajarillos, palomilla, pastorcillos, pensamentillos, poquillo, ramillas, suspencioncilla, trabajillo 2 (trabajillo, trabajillos).

Sufijo -*ico* 13: arroíco 2 (arroíco, arroícos), mariposica 5, navecica, palomica 3, pobrecica, tantico.

Sufijo -*ito* 21: cosita 2, faltita, fuentecita, gusanitos, hormiguita, mariposita 3, palabrita, partecita, poquito 9 (poquito 8, poquitas), tortolito.

Libro de las Fundaciones

Sufijo -*illo* 22: blanquillas, camarilla 2, campanilla 2, casilla, cocinilla, cosillas 2, ermitillas, hortecillo, lugarcillo 3, mujercilla 3, patiecillo, pobrecillas, trabajillo(s), tortillas, ventanillas.

Sufijo -*uelo* 1: covezuela.

Sufijo -*ico* 3: frailecico, librico, pastorcico.

Sufijo -*ito* 21: casita 2, corderitos, cosita, hacecito, ilesita 2, labradorcita, mujercitas 2, ovejitas, palomarcitos, pequeñitos, pobrecita, poquita 6 (poquito 5, poquita 1), portalito.

FRAY LUIS DE GRANADA

La Guía de Pecadores

Sufijo -*illo* 6: asillas, gatilla, gusanillo, hombrecillo, palabrilla, rancorcillo.

Sufijo -*uelo* 7: corpezuelo, hijuelos, migajuelas, pequeñuelo 4 (pequeñuelo 2, pequeñuelos 2).

Sufijo -*ico* 1: versico.

Sufijo -*ito* 4: chiquitos, pelito, poquito, versito.

Introducción del Símbolo de la Fe

Sufijo *-illo* 180: aguijoncillo 2, agujerillo 3, alillas 2, animalillo 44 (animalillo 18, animalillos 26), arbolillo, arquilla 2, avecilla 15 (avecilla 6, avecillas 9), barbillas, barriguillas, becerrillo 2 (becerrillo, becerrillos), boquilla 6 (boquilla 3, boquillas 3), cabritillo 3 (cabritillo 2, cabritillos 1), cachorrillo 3 (cachorrilla 2, cachorrillos 1), camilla, campanilla, caracolillo, casillas, celdilla 2 (celdilla, celdillas), colillas, corderillos, criaturillas 2, cubillo, cuernecillos, cuerpecillo 3 (cuerpecillo 2, corpecillos 1), dientecillos 2, gatillos, grandecillos, gusanillo 8 (gusanillo 2, gusanillos 6), gusarapillo 3 (gusarapillo 1, gusarapillos 2), hociquillo, hormiguilla 3 (hormiguilla 2, hormiguillas 1), lobillos, manecillas 3, morecillos 2, muslillos, ombliguillo 2, pajarillo 5 (pajarillo 4, pajarillos 1), paletilla, paredilla, pececillo 15 (pececillo 9, pececillos 6), pedrecilla, pelillos, perrillo 3 (perrillo 1, perrillos 2), piececillos, piecillos 2, piñoncillo 2, piquillo, plumillas 5, pulguilla, rabillo, ramillo 2, tejadillo, tripilla, vejiguilla 3, ventrecillo 5 (ventrecillo 3, ventrecillos 1, vientrecillos 1).

Sufijo *-uelo* 39: arañuelas, arroyuelo, callejuelas, corpezuelo 6 (corpezuelo 2, corpezuelos 1, cuerpezuelos 3), dentezuelos, hijuelos 20, ojuelo 3 (ojuelo 2, ojuelos 1), ovezuelo, pajuelas, pedazuelo, pellejuelo, pequeñuelos, piojuelo.

Sufijo *-ejo* 6: animalejo 6 (animalejo 5, animalejos 1).

Sufijo *-ete* 3: isleta 3 (isleta 2, isletas 1).

Sufijo *-ico* 46: agujericos, animalico 2, arbolico 2, atabalico, avecicas 2, becerricos, briznica 3, casicas, cuerecico, granico 3 (granico 2, granicos 1), gusanico, hilico 4 (hilico 3, hilicos 1), hojicas, hovecico 6 (hovecico 3, hovecicos 1, ovecico 1, huevecico 1), huesecico 3 (huesecico 1, huesecicos 1, hosecico 1), niervecico, pajarico 3, partecica, pastorcico, pezoncico 2, plumicas, pollicos, potricos, ramalicos, vainicas 2.

Sufijo -*ito* 42: animalito 4 (animalito 2, animalitos 2) casita, cestitos, cucharita, cuernecitos, cuerpecito 2 (cuerpecito, cuerpecitos), chiquita 4 (chiquita 1, chiquitos 3), hijitos, huevecitos, jilguerito 2, nerviecito, ollita 2, pajarito, pedacito 2 (pedacito, pedacitos), pequeñita 5 (pequeñita 1, pequeñito 1, pequeñitos 3), perritos, poquito 9 (poquito 8, poquitos 1), tiernecitos, vainitas, vejiguita.

CERVANTES

El Quijote

Sufijo -*illo* 114: albondiguillas, altillo, artesillas 2, artesoncillo, atadillo, atrevidillo, birretillo, bolsilla, bonetillo, botecillo, cadenilla, cantarillo, cañutillos, casillas 2 (sacar a uno de sus casillas; salir uno de sus casillas), cedulilla, celillos, cofrecillo 2, corazoncillo, corderilla, corrillo 3 (corrillo 1, corrillos 2), cosillas, dinerillo, Escotillo, figurillas, florecillas, fontecilla, gigantillo, Ginesillo 7, gusanillos, hombrecillo, horquilla, juntillas (a pie juntillas), librillo 7, licenciadillo, maletilla 2, Minguilla, montoncillo, morillo 3 (morillo 2, morillos 1), mujercilla 3 (mujercilla 1, mujercillas 2), olorcillo, pajarillos 6, pajecillo 2 (pajecillo, pajecillos), panecillo, pastorcillo, pelillos, Periquillo, perrilla, personilla, picadillo, pobrecilla, pradecillo 4, pradillo, puntillos, revoltillos, ronquilla, soguilla 4, so' inilla, telilla, tendillas, terradillo 2, titulillos, Tomasillo, tordilla 3 (tordilla 2, tordillo 1), tortolilla, vaquilla 4, varilla 5, ventanilla 2 (ventanilla, ventanillas), vinagrillo, volandillas (en volandillas).

Sufijo *-uelo* 27: aldegüela, arroyuelo 4 (arroyuelo 2, arroyuelos 2), bellacuelo, bestezuela 2, callejuela 6 (callejuela 2, callejuelas 4), ceguezuelo 2, corpezuelo, costezuela, mañeruelas, montañuela 2 (montañuela, montañuelas), mozuela, netezuelos, pedrezuelas, portezuelo, Sanchuelo, serrezuela.

Sufijo *-ejo* 2: animalejo, zagalejas.

Sufijo *-ete* 14: arqueta, caleta, chufeta, Guisopete, madrigalete, paleta 5 (de..., 1; en dos..., 4), pobretes 2, triguete 2.

Sufijo *-ico* 49: bolsico, bonico 2, callandico, corridica, folloncicos, gaznatico, gemidicos, graciosico, latinicos, lloramicos, medrosica, pajaricas, palmadicas, pastorcico, perrica 2 (perrica 1, perricos 1), refrancico, Sanchica 22 (Sanchica 21, Sanchico 1), señoricos, sermoncico, tajadicas, tantica 4 (tantica 1, tantico 3), trotico, zapaticos.

Sufijo *-ito* 32: amiguita, avecitas, bonitos, cajita, coplitas, deditos, frailecito 2 (frailecito, frailecitos), gobiernito, hijitos, hombrecito, ladito 2, leoncitos 2, mancebito, palmaditas, pasito 3, perritas, pinganitos, pobrecito, poquito 2, pucheritos, quedito 2, rajitas, tablitas, tortolitas, traguito.

El Licenciado Vidriera

Sufijo *-illo* 2: redomilla, sonetillo.
Sufijo *-ito* 1: angelitos.

El Laberinto de amor

Sufijo *-illo* 3: angostillas, pastorzillo 2 (pastorzillo, pastorzillos).
Sufijo *-uelo* 1: moçuelo.

Sufijo *-ico* 2: carticas, tantico.

Sufijo *-ito* 8: mancebito 3 (mancebito 2, mancebitos 1), mocito, pagezito, poquito 3.

Elección de los alcaldes de Daganzo

Sufijo *-illo* 2: gitanillas, jontillas (a pies jontillas).

Sufijo *-ico* 2: menudico, polvico.

Sufijo *-ito* 2: bonito, passito.

GÓNGORA

Las Soledades

Sufijo *-illo* 12: avecilla, barquilla 6 (barquilla 4, barquillas, barquillo), corcillo, corderillos, lugarillo, montecillo, quesillo.

Sufijo *-uelo* 10: aldehuela 2, arroyuelo 3, conejuelo 2 (conejuelo, conejuelos), hijuelos, ternezuela 2 (ternezuela, ternezuelo).

Sufijo *-ejo* 1: zagalejas.

Sufijo *-ete* 1: vallete.

Polifemo

Sufijo *-uelo* 1: arroyuelo.

Los diminutivos de los 11 romances, 14 letrillas, 16 sonetos y 6 canciones son los siguientes:

Sufijo *-illo* 28: airecillos 3, Barbolilla, candelillas, corcilla, corrillo, cupidillos, guitarrilla, loquillas, mesilla, Minguilla, portalillo, primillas, sotillo 11, tortolilla 3.

Sufijo -*uelo* 7: Anorehuela, ceguezuelo 4, plazuela 2.
Sufijo -*ico* 6: Marica 2, tardecica, trompeticas 3.
Sufijo -*ito* 7: caballito, cabritas, campanitas 4, galeritas.

LOPE DE VEGA

La Dorotea

Sufijo -*illo* 53: afeitadillas, arenillas, bachillerillas, bailadorcillas, barquilla 6, bobilla 3 (bobilla 1, bobillo 2), bolsilla 2, botilla, cadenillas, calcillas, costanilla, Cupidillo, desconfiadilla, enojadillo, escritorillo, Fernandillo 6, gestillos, jarrillo, lagrimillas 2, librillo, matadorcillo, moradillas, muletilla, negrillo, pajarillos, pajecillo, papelillo, pasamanillos, plumillas, rapacilla, tablilla, tocinillo, torreznillos, traguillo, trencillas, zapatillos 4.

Sufijo -*uelo* 13: arroyuelo 7 (arroyuelo 3, arroyuelos 4), joyuelas, Marigüela 2. mozuelo, ojuelos 2.

Sufijo -*ete* 6: broqueletes, cadeneta 2, melindroseta, naveta 2 (naveta y navetas).

Sufijo -*ico* 4: Dorotica 2, estrellica, Juanico.

Sufijo -*ito* 12: angelito, capita, celitos, enojadito, mocitos palabritas, papelito, pobrecito, poquito, refrancito, traguecito, vanditas (por banditas).

El mejor alcalde, el rey

Sufijo -*illo* 3: casilla, espadilla, pavillo.
Sufijo -*uelo* 4: arroyuelo 4 (arroyuelo 2, arroyuelos 2).
Sufijo -*ito* 1: chiquito.

Fuente Ovejuna

Sufijo -*illo* 2: corcillo, ganadillo.
Sufijo -*uelo* 1: mozuelo.
Sufijo -*ico* 3: moricos, Fuente Ovejunica 2.

El perro del hortelano

Sufijo -*illo* 1: pajarillo.
Sufijo -*ito* 2: celitos, mudancita.

El arenal de Sevilla

Sufijo -*illo* 4: bolsillo, cardillo, cosillas, gitanilla.
Sufijo -*ico* 2: gitanica, limosnica.

Poesías líricas

Sufijo -*illo* 17: avecilla 2, barquilla, cabritillos, canastilla, corderilla, florecillas, librillos, Mudarrilla, pajarillos 4, ramillos, tortolilla 2, vientecillos.

Sufijo -*uelo* 9: abejuelas, arroyuelos 2, hijuelos 2, mozuela 2, ojuelos, yerbezuelas.

Sufijo -*ico* 5: mañanicas 4, montecico.

Sufijo -*ito* 16: abejitas 2, campanitas, carreritas 4, Mariquita 2, morito, naranjitas 3, pasito, quedito, riberitas.

QUEVEDO

El Sueño de las Calaveras

Sufijo *-illo* 1: cuernecillos.

El alguacil alguacilado

Sufijo *-illo* 6: endechillas, maltrapillo 2, puntillas (de puntillas), sastrecillo, varilla.
Sufijo *-ito* 1: escribanito.

Las Zahurdas de Plutón

Sufijo *-illo* 7: barberillos, capilla, casilla, cocherillo, hidalguillo, tablillas, tallecillo.
Sufijo *-ico* 3: coplica, pradicos, romancico.
Sufijo *-ito* 1: chiquito.

La visita de los chistes

Sufijo *-illo* 12: calaverillas, candelilla, hombrecillo 3, muertecilla 2 (muertecillas, muertecillo), mujercilla, mundecillo, retacillo, tejadillo, tonillo.
Sufijo *-uelo* 1: mozuelos.
Sufijo *-ete* 1: galancetes.
Sufijo *-ico* 1: guitarricas.
Sufijo *-ito* 5: achaquito, contadorcito, doncellita, licenciadito, poquito.

Diminutivos de las *Obras Satíricas y Festivas* incluidas en el vol. 56 de Clásicos Castellanos:

Sufijo *-illo* 54: barquillo, bocadillo, bufoncillo, campanilla 2 (campanilla, campanillas), canastillo, cantarcillo, causecilla, cintillos, diablillo, dinerillo 2, garitillo, gentecilla, granillo, hermanillo 8, hombrecillos 2, jaboncillo, jilguerillos (gilguerillos), juntillas (a pie juntillas), Malsabidillo, maridillo 4, molinillos, muertecilla, mujercilla 2, pastilla, pelillos 2, perrillos 2, picarillo, polvillo 2, puntillas (de puntillas), sotanillas, telilla, terminillo, tonillo 3 (tonillo 1, tonillos 2), traguillo, tratadillo.

Sufijo *-uelo* 13: demoñuelo, hoyuelo, joyuelas, mozuela 10 (mozuela 6, mozuelo 4).

Sufijo *-ejo* 1: plateja.

Sufijo *-ete* 9: menorete (al menorete), nariguetas, pobreta 3 (pobreta 1, pobrete 2), porreta (en porreta), puñete, tenderete, tijeretas.

Sufijo *-ico* 10: angelico, bacinica, billetico, gatica, menudico, mojigaticos, refrancico, ventanicas, vientecicos, viudica.

Sufijo *-ito* 15: boquita, cegarritas (a ojos cegarritas), corderito 2 (corderito, corderitos), escarolitas, esposita, figuritas, lindito, mañanita, poquito, praditos, pucheritos, razoncitas, tantita, viejecitas.

El Buscón

Sufijo *-illo* 32: avisillo, bobillo, cajilla, camilla, campanilla, cortecilla, cosilla, dormidillos, escudillos, gentecilla, honrilla, lanilla, letradillo, librillo, mujercilla 3 (mujercilla 2, mujercillas 1), Pablillos, pajecillo, panecillo, pecadillo, picarillo, prisioncilla, quinolillas, retacillos, soguilla, tablilla 3 (tablilla 1, tablillas 2), torrecilla, trabajillos, trompetilla.

Sufijo *-uelo* 8: cajuela, callejuela, lacayuelo, mozuela, plazuela, vejezuela 3 (vejezuela, vejezuelas, vejezuelo).

Sufijo *-ejo* 1: sacristanejo.

Sufijo *-ete* 8: Alonsete, cajeta 2, chanzonetas, pobrete 3, varetas.

Sufijo *-ico* 15: angelico, Anica, bonico, caballico 2, candelicas, cartica, frasecicas, Pablicos 4, paloteadico, romanico 2.

Sufijo *-ino* 1: rosarino.

Sufijo *-ito* 17: bocaditos, caballerito, camita, cantarcitos, chiquito, Dieguito, doncellitas, familiarcito, grandecitos, hermanitas, juguetoncita, pedacito, pobrecito, quedito, tardecita, vasito, zazosita.

CALDERÓN

El gran teatro del mundo y *La vida es sueño:* ninguno.

La cena del rey Baltasar

Sufijo *-illo* 1: fuentecillas.

La vida es sueño

Sufijo *-ito* 3: cadenita, enmascaraditos, poquito.

La dama duende

Sufijo *-illo* 7: bovedillas, Cosmillo, duendecillo 2, golpecillo, lamparilla, mujercillas.

Sufijo *-uelo* 1: plazuela.

Sufijo *-ito* 3: frailecito, tamañito, viuditas.

CAPÍTULO III

EL DIMINUTIVO DESDE EL SIGLO XVIII HASTA EL MOMENTO ACTUAL

DON RAMÓN DE LA CRUZ

I. *La Comedia de Maravillas*

Sufijo *-illo* 4: dudosilla, tardecillo, tonadilla, vinagrillo.
Sufijo *-uelo* 1: plazuela.
Sufijo *-ito* 4: ladito, poquito 2, tabladito.
Nombres propios: Alonsillo y Manolillo.

II. *El Café de máscaras*

Sufijo *-ito* 3: cenita, pobrecita, quietecitas.
Nombres propios: Frasquita.

III. *La duda satisfecha*

Sufijo *-illo* 6: campanilla, fandanguillo, temporadillas, tintillo, tonadilla 2.

Sufijo -*ito* 1: cabalito.
Nombres propios: Paquillo, Juanita.

IV. *Manolo*

Sufijo -*illo* 1: tetilla.
Sufijo -*uelo* 2: callejuela, plazuela.
Sufijo -*ete* 1: calcetas.
Sufijo -*ito* 2: capita, primerito.
Nombres propios: Braguillas, Manolillo, Zurdillo, Pateta.

V. *La Maja majada*

Sufijo -*illo* 1: tonadilla.
Sufijo -*uelo* 1: gentuzuela.
Sufijo -*ito* 10: caballerito, chitito, gomita, manita, mocita
2 (mocita, mocito), poquita 3 (poquita, poquitas, poquito),
vecinita.

VI. *La presumida burlada*

Sufijo -*illo* 3: cestilla, maestrillo, morenilla.
Sufijo -*ito* 3: hermanita, modito, poquito.
Nombres propios: Parrilla, Tonilla, Marica, Mariquita.

VII. *El casamiento desigual*

Sufijo -*illo* 1: puntillas (de puntillas).
Sufijo -*uelo* 1: mozuela.
Sufijo -*ete* 1: conchufleta.

Sufijo *-ito* 6: alegrita, alhajita, chito 2, criadita, fresquita, madrecita, recadito.

Nombres propios: Juanillo, Perico.

VIII.   *Los bandos del Avapiés*

Sufijo *-illo* 3: conventillos, chiquilla, tonadilla.
Sufijo *-ito* 4: aspacito 2, cordelito, toítas.
Nombres propios: Tiñosilla, Zurdillo.

IX.   *El petimetre*

Sufijo *-illo* 2: nubecilla, pintorcillos.
Sufijo *-ete* 1: calcetas.
Sufijo *-ito* 4: alhajita, carrerita, frasquitos, horita.
Nombres propios: Marquesita, Pepito.

X.   *El fandango de candil*

Sufijo *-illo* 2: fandanguillo, puntillo.
Sufijo *-ejo* 1: candilejo.
Sufijo *-ito* 2: poquita, sobrinito.
Nombres propios: Majillo.

XI.   *Las tertulias de Madrid*

Sufijo *-illo* 1: ejemplillo.
Sufijo *-ito* 8: coplita, llavecitas, malillita, poquitas 2 (poquitas y poquitos), quedito 2, tajadita.

Nombres propios: Periquillo, Perico, Anita, Juanita, Laurita.

XII. *El muñuelo*

Sufijo *-illo* 4: mujercillas, tardecillo, trocadilla, varillas.
Sufijo *-ito* 4: caballerito, chiquita, pelitos, todito.
Nombres propios: Josilla.

XIII. *La Petra y la Juana*

Sufijo *-illo* 7: chiquillo, criadilla, manolillas 2 (manolillas, manolillos), satirilla, vecinilla 2 (vecinilla, vecinillas).
Sufijo *-uelo* 3: chicuelo 2, mozuela.
Sufijo *-ejo* 1: papelejo.
Sufijo *-ito* 5: caballerito, cuartito, personita, poquito, tempranito.
Nombres propios: Juanilla, Juanita.

XIV. *El sarao*

Sufijo *-illo* 4: contradancillas, cosilla, flatillo, tonadillas.
Sufijo *-ito* 5: amiguita 3 (amiguita 2, amiguito), cositas, ladito.
Nombres propios: Periquito.

XV. *El reverso del sarao*

Sufijo *-illo* 1: duendecillo.
Sufijo *-ico* 1: todicos.

Sufijo *-ito* 11: hijita 2, jicaritas, madamitas, malita, mejorcito, mesita, poquito, seguidillitas, sentadito, toditos.
Nombres propios: Luisito, Mariquita, Periquitos.

XVI. *La pradera de San Isidro*

Sufijo *-illo* 1: jamoncillo.
Sufijo *-ito* 11: cazolita, colchita, fresquita, llenita, merendita, poquito, pradito, quedito, sastrecito, solito 2.
Nombres propios: Julianita.

XVII. *Las majas vengativas*

Sufijo *-ito* 6: amiguito, aseñoradito, horita, palabritas, poquito 2.
Nombres propios: Julianita, Paquita, Papitas (La Juliana Papitas).

XVIII. *El deseo de seguidillas*

Sufijo *-illo* 4: gentecilla, tonadilla 3 (tonadilla 2, tonadillas).
Sufijo *-ejo* 1: candilejo.
Sufijo *-ico* 1: ratico.
Sufijo *-ito* 3: capita, ladito, varita.
Nombres propios: Alonsillo, Manolillo, Marica.

XIX. *Las frioleras*

Sufijo *-ito* 4: cuidadito, chiquita, mocita, solito.

XX. *La comedia casera*

Sufijo -*illo* 2: ojillos, tonadillas.
Sufijo -*ete* 2: bailete, chufletas.
Sufijo -*ito* 3: amiguita, solita, zagalejito.
Nombres propios: Blasito, Juanito, Lopito, Pepito.

XXI. *La comedia casera* (2.ª parte)

Sufijo -*illo* 3: chiquillos, tabladillo, tonadillas.
Sufijo -*uelo* 1: mozuelo.
Sufijo -*ico* 1: seguidillicas.
Sufijo -*ito* 8: fandanguito, guisaditos, madamitas 2 (madamitas, madamitos), madrecita, padrecito, sentaditos, tamañita.
Nombres propios: Joaquinillo, Joaquinito.

XXII. *El careo de los majos*

Sufijo -*illo* 3: cochinillo, ojillos, tonadillas.
Sufijo -*ito* 5: presonita, personita, quedito, todita 2 (todita, todito), vecinita.
Nombres propios: Gorito.

XXIII. *La visita de duelo*

Sufijo -*illo* 6: congojilla, tonadilla 5 (tonadilla 3, tonadillas 2).
Sufijo -*ito* 3: madrecita, mejorcito, quedito.
Nombres propios: Miguelillo, Ignacita, Juanito.

XXIV. *Las castañeras picadas*

Sufijo *-illo* 4: chismecillos, cocherillo, fresquilla, pajecillo.
Sufijo *-uelo* 1: plazuela.
Sufijo *-ito* 6: chiquito, ladito, madamitas, mocita, poquito, vecinitas.
Nombres propios: Pintosilla, Josillo, Gregorillo, Gorillo, Estefanilla, Gorito.

XXV. *El majo de repente*

Sufijo *-illo* 3: entradilla, escribanillo, hurtadillas (a hurtadillas).
Sufijo *-ico* 2: cuarticos, parentico.
Sufijo *-ito* 7: hombrecito, madamita, mocito, solterito, todita 2, vecinita.
Nombres propios: Periquillo, Perico, Geromita.

XXVI. *La cena a escote*

Sufijo *-illo* 4: entradilla, esparterillo, platillos, pesetillas.
Sufijo *-ete* 1: silletas.
Sufijo *-ico* 1: toditica.
Sufijo *-ito* 1: pasitos.
Nombres propios: Alfonsillo, Blasillo, Gorito, Pepita, Piñitos.

XXVII. *La Plaza Mayor*

Sufijo -*illo* 1: dinerillo.
Sufijo -*uelo* 1: callejuelas.
Sufijo -*ete* 3: cubetas, chufletas, silletas.
Sufijo -*ito* 4: mocitas, prestito 2, solitos.

XXVIII. *Las escofieteras*

Sufijo -*illo* 1: cordoncillo.
Sufijo -*ito* 2: poquitos, toditos.
Nombres propios: Perico.

XXIX. *Inesita la de Pinto*

Sufijo -*illo* 3: chiquillos 2, olorcillo.
Sufijo -*ete* 1: chufletas.
Sufijo -*ito* 4: abelito, abuelito, hijitos, gazmoñita.
Nombres propios: Inesilla, Pipito (por Pepito).

XXX. *Los majos vencidos*

Sufijo -*uelo* 1: majuelo.
Sufijo -*ito* 7: chiquita, chupaderitos, forasterita, huerfa-
nita, poquita, quietecitas, ratito.
Nombres de personas: Manolito.

MELÉNDEZ VALDÉS

Sufijo *-illo* 48: airecillos 3, arterillo 2, avecilla 10 (avecilla 4, avecillas 6), bosquecillo, cabritillo, carrerillas, cefirillo 5 (cefirillo 4, cefirillos 1), corderillo, cuitadilla, Cupidillo 3 (Cupidillo 1, Cupidillos 2), florecillas, fuentecilla, hacecillo, hierbecilla, mariposilla 2, nubecillas, pajarillos 2, pajilla, parlerillas, pastorcillo, pececillos, simplecilla 3, soplillo, vientecillo 2 (vientecillo, vientecillos), vivillo.

Sufijo *-uelo* 33: arroyuelo 9, ceguezuelo, hoyuelo 5 (hoyuelo 4, hoyuelos 1), ojuelos 11, pequeñuela 2 (pequeñuela y pequeñuelos), rapazuelo, ternezuelos, yerbezuela 3.

Sufijo *-ejo* 5: zagaleja 5 (zagaleja 3, zagalejas 1, zagaleja 1).

Sufijo *-ito* 40: alitas 2, Amorcitos, besito, bracitos 2, cadejito, hoyitos, lunarcito 2, palomita 10, patitas, queridita, ricito 11, tortolitas 4 (tortolita 1, tortolitas 3), vuelito 3 (vuelito 2, vuelitos 1).

DON LEANDRO FERNANDEZ DE MORATÍN

La Comedia Nueva

Sufijo *-illo* 20: autorcillos, coplillas 3, chiquillo, equivoquillos, hacendosilla, marisabidilla, pastorcilla, picarillos, piquillo, pobrecillo, tonadilla 7, ventorrillo.

Sufijo *-uelo* 1: plazuela.

Sufijo *-ete* 1: chufletas.

Sufijo *-ito* 11: angelitos, arroyito, frasquitos, introducioncita, mayorcito, miguitas, pobrecita 4 (pobrecita 3, pobrecito 1), poquito.

El Sí de las Niñas

Sufijo *-illo* 18: albondiguillas, asustadillo, barberillo, boquilla, campanilla, cuidadillo, chiquillo 2 (chiquillo y chiquillos), empleíllo, fiestecillas, hurtadillas (a hurtadillas), morenillo, papelillo, pililla, pobrecilla, tosecilla, ventanilla, vueltecilla.

Sufijo *-ito* 15: angelito, caballitos, caldositas, delicadita, ladito, pajaritas, pobrecita 3, poquito, sanito, seguidillitas, sobrinito, tempranito, viejecita.

El Viejo y la Niña

Sufijo *-illo* 19: amiguillas, Bigotillos (Vigotillos), Blasilla 3, cansadillo, cerrojillo, grandecillas, Isabelilla, lagrimilla, lamparilla, papelillo, picarilla, pobrecilla, ratillo, remusguillo, sabidilla, tranquillas, travesurillas.

Sufijo *-uelo* 11: callejuela 2, chicuelo, monuelo, mozuelo 2, picaruela 2, plazuela, soplonzuelo, tacañuelo.

Sufijo *-ete* 1: vejete.

Sufijo *-ico* 4: billetico 2 (billetico y billeticos), secreticos, trasticos.

Sufijo *-ito* 24: Blasita 2, chiquito 2 (chiquito y chiquitos), dijecito, Isabelita 4, Juanito, Manolita 2, mimito, mocita 2 (mocita, mocitos), pasito 2 (pasito a pasito), pobrecita, polvito, risitas, Rosita, sopitas, viudita, vivarachito.

BRETÓN DE LOS HERREROS

Los diminutivos de *Muérete ¡y verás...!* de Bretón de los Herreros son los que siguen:
Sufijo *-illo* 2: pobrecilla 2 (pobrecilla, pobrecillo).
Sufijo *-ito* 9: cuidadito, Ferminito, hermanitas, Isabelita 3, Pablito, poquito, recibito.

FERNÁN CABALLERO

Un servilón y un liberalito

Sufijo *-illo* 7: casilla, chiquillo 2, loquillo, sabonetilla 2, ventorrillo.
Sufijo *-uelo* 1: reyezuelos.
Sufijo *-ete* 2: plazoleta, salmonetes.
Sufijo *-ito* 61: angelito, animalitos, cabecitas 2, conejitos, cotorrita 2, derechitos, hijita, jovencito, junquito, liberalito, libritos, mamaíta 11, manitas, mocito 12, ojitos, pajarito, papelito, pasitos 2, perlita, piececita, pobrecita 14 (pobrecita 3, pobrecito 11), vocecita, viguitas, zangoncita.

ESTÉBANEZ CALDERÓN

Escenas andaluzas

Sufijo *-illo* 136: aceitunillas, airecillo, agachadillas 2, alcachofillas, arponcillos 3, autillo, avecilla 3, banquillo 2, barrilillos, blandurilla, bobilla, braserillo 2 (braserillo, braserillos), brinquillos, cabritillo 2, caleserillos, camaradilla, canastillos, capilla 2, capotillo 4, caracolillos, carnecilla, carrerilla 3 (carrerilla 1, carrerillas 2), cascabelillos, cascadilla, cefirillo, chiquillos, chupilla, cinturilla 2, colmenilla, comezoncilla 2, compasillo, coplilla 2 (coplilla, coplillas), cordoncillos, cosilla, cuellecillo, cuerpecillo 4 (cuerpecillo 3, cuerpecillos 1), diablillo 2 (diablillo, diablillos), escalerilla, escolarillo, figurilla 2, frasquillos, fumadorcillo, gitanilla 6 (gitanilla 3, gitanillas 3), golpecillo, gordifloncillo, gorrilla 2, gozquecillos, hermanillos, hurtadillos, huesecillos, juntillas (a pie juntillas), loquilla, macillo, maldicioncilla, mancebillo 5 (mancebillo 3, mancebillos 2), mesilla, mosquilla, mostillo, mudillas, mundillo, pajecillo, pajolilla, palabrillas, pañolillo 2 (pañolillo, pañolillos), pecadillo 3 (pecadillo, pecadillos 2), pececillo, peinecillo, pellejillo, perillas, personilla, picarillo 2, plantillas, puertecilla 2, pulpitillo, puntilla 2 (puntilla, puntillas), puñaladillas, regalillos, rejoncillos, rubilla 2, sabidillo, salivilla 2, soguilla, sombrerillo 2, tabletilla, tajadillas, tardecilla, tiranilla, torillo, tosecilla, trenzadillo, vaquilla, varilla, ventorrillo, zapatillos.

Sufijo *-uelo* 11: entrañuelas, lacayuelo, mozuelas 2, nietezuela, ovejuela, pequeñuelo, picaruela 2, plazuela, pontezuelo.

Sufijo *-ejo* 4: analejos, articulejo, centelleja, librejo.

Sufijo *-ete* 26: burletas, caballerete 3, escudete, juguetes 3, molinete, ojete, placeta, pobrete 4, romancete 2, sombrerete 2, tejolete, vejete 6.

Sufijo *-ico* 3: refrancicos, tantico 2.

Sufijo *-ito* 36: angelitos, animalito, calladito, caminito, condesita, culebrita, curtidito, dinerito, espumita, gustito 2, hornito, manitas, mismito, muditas (por mulitas), mundito, ojito 3, orillita 2 (orillita, orillitas), padrinito, pasito, pastorcito, pavitas, personita, pollitos, poquito, quebradito, rechiquetita, seriecitos, talluditas, tamañito, vaquerito 2, zapatito.

Sufijo *-ino* 1: parlerín.

MESONERO ROMANOS

Escenas Matritenses

Sufijo -*illo* 89: balconcillo 6 (balconcillo 5, balconcillos 1), banquillo 2, barquilla, bastoncillo, bigotillos, blandoncillos, cabrillas, cabritillos, Cacasenillo, cantarillas, celdilla 2, chaquetilla, chiquillos 3, chiquitillo, colorcillo, copillas, cortinillas 2, cuadernillo, Currillo, dudilla 3, escalerilla, estanquillo 3 (estanquillo 2, estanquillos 1), faldillas, Farinatillo, farolillo 2 (farolillo, farolillos), frasquillos, habitacioncilla, Juanilla 3 (Juanilla 2, Juanillo 1), lamparilla, levitilla, mantecadillos, mariposilla, marranillo, nietecilla, nubecilla, obrilla 2, olorcillo 2, palabrillas, papelillo, partidilla, pastorcillo, pececillo, pecorilla, Periquillo 2, persianillas, ratoncillo, rejilla 2, saquillo 2, sombrerillo 5 (sombrerillo 3, sombrerillos 2), taleguillo 3, tintillo, titulillo, tosecilla, trampilla, trapillos, ventanillo 4, zamarrilla, Zurdillo.

Sufijo -*uelo* 14: arroyuelo, callejuela 3 (callejuela 2, callejuelas), mozuela, picaruela 3 (picaruela 2, picaruelo), pilluelos, plazuela 5.

Sufijo -*ejo* 4: caballejo 2 (caballejo, caballejos), pollinejos 2.

Sufijo -*ete* 6: burletas, caballerete 2, galancete, plazoleta, saborete.

Sufijo -*ico* 3: medrosica, tantico 2.

Sufijo -*ito* 84: abogadito, amiguito, caballerito 3, cadenitas, calorcito, callandito, Carlitos, chiquita 2 (chiquitas, chiquito), clavadito, condesita 6 (condesita 3, condesito 3), copita, decentito, derechita 2 (derechita, derechito), despacito, frasquito, Fulanita 5 (Fulanita 4, Fulanito 1), gabinetito, gentecita, golpecitos 2, hermanito 2, hombrecito, jovencitos, Juanita

2 (Juanita, San Juanitos), leccioncita, librito, lorito, lugar-
cito, manecitas, Manolito, mañanita 4, Mariquita, Matildita,
Menganita, minutita, moneditas, palmadita 2 (palmadita,
palmaditas), placita, pobrecito 3 (pobrecitas 1, pobrecito 2),
pomito, poquito 6 (poquito 4 y poquito a poquito), prontito,
ratito, realitos, rengloncitos, solito 2 (solito, solitu), sombrerito 2 (sombrerito, sombreritos), valencianita 3, viajecito,
viudita 2, vivitos, vueltecita, Zutanita.

Sufijo *-uco* 1: pajaruco.

ADELARDO LÓPEZ DE AYALA

Consuelo

Sufijo *-illo* 3: gustillo, trapillo, secretillo.
Sufijo *-ete* 1: blanquete.
Sufijo *-ico* 1: pasicos.
Sufijo *-iño* 19: angeliños, arrugadiñas, carrapucheiriña,
coitadiña, cordeiriña, emboubadiña, encogidiñas, fontiñas,
hortiña, juntiñas 2 (juntiñas, juntiños), justadiña 2 (justadiña,
justadiño), pajariños, prancadiña, rapaciña 2 (rapaciña, rapa-
ciñas), Ritiña, vaquiñas.
Sufijo *-ito* 13: brinquito, cartitas, echadita, galleguito, jun-
titas, mamita, manitas, pobrecita, pouquita, ratito, solitas,
vecinita, vestidita.

PEREDA

El Sabor de la Tierruca

Sufijo *-illo* 45: armarillo, arrempujoncillo (arrempujonsiyo), becerrillo 3 (becerrillo 2, becerrillos), bigotillo, braseri-

llo, calorcillo 3, cefirillo, cencerrillos, cestilla, corderillo, cordoncillo, cuerpecillo, diablillo 2 (diablillo, diablillos), discursillo, dolorcillo, entradillo, espejillo, gusanillo, hierbecillas, horquilla, paredilla 5 (paredilla 3, paredillas 2), polvillo, poquillo 2, pueblecillos, puntillas (de puntillas), rabillo, resmilla, respetillo, ronquilla, sonrisilla, taleguillo, tejadillos, ternerillos, ventanillas.

Sufijo *-uelo* 6: bestezuela, jovenzuela, mozuelos, tiranuelo 2 (tiranuelo, tiranuelos), traidorzuelo.

Sufijo *-ejo* 3: caballejo, diablejo, librejo.

Sufijo *-ete* 5: caballeretes, caldereta, plazoleta, pucherete 2.

Sufijo *-ico* 2: cinturica, tantico.

Sufijo *-ino* 4: chiquitines, corajina 3.

Sufijo *-ito* 17: caballerito, casita 3 (casita 2, casitas 1), cerquita, cuñadito, hebrita, manojito, mejorcito, mesita, palmaditas, parejita, pequeñita, ratito, solitos, poquito, varita.

Sufijo *-uco* 37: campuco 3, casuca 3, cestuco, enanuco 20, mujerucas 3, pajucas, papelucos, patucas, santuco, tierruca 2, vacuca.

Sotileza

Sufijo *-illo* 91: Andresillo 12, antojillo, aparejillo, bocadillo, cacerolilla, cadenilla 2, calorcillo 2, carpetilla, chiquilla 9, corazoncillo, cordelillo, cortinilla 5 (cortinilla 1, cortinillas 4), cosillas, dejillo, dolorcillo, escalerilla 6, espejillo, gestecillo, gigantillas, gusanillo, haldillas, honorcillo, lechoncillo, Luisilla 8, manecilla, miradilla, orejillas, paredilla 3 (paredilla 2, paredillas 1), pecadillos, pececillos, poquillo, puntillas 3 (de puntillas), rendijilla 2, respetillo, saborcillo, salsilla, tabladillo, tejadillo, trapillos 3, tufillo 6, ventanillo, Zapaterillo.

Sufijo -*uelo* 17: chicuela 6 (chicuela 2, chicuelo 2, chicuelos 2), jovenzuelo 2 (jovenzuelo, jovenzuelos), mozuela 2 (mozuela, mozuelo), muchachuela 5 (muchachuela 4, muchachuelos), plazuela, trastuela.

Sufijo -*ejo* 6: animalejo 2, bigotejo, castillejo, papelejos, parrafejos.

Sufijo -*ete* 14: bracete, caballerete, castillete, pillete 3 (pillete 2, pilletes), plazoleta 2, pobrete, pucherete, tabletas, vejete 2, volteretas.

Sufijo -*ino* 4: chiquitín, escupitinas, poquitín, pinturines.

Sufijo -*ito* 84: alfombrita, aliñadita, amiguita 2 (amiguitas, amiguitos), Andresito, arrimadito, arropadita, bajita 5 (bajita, bajito 4), barquito, barrilito, borreguito, burbujitas, cachito, calladita 5 (calladita 2, calladitas 1, calladito 2), callandito 2, camisita, casitas, cerquita 2, cestito, cuadritos, delgadita 2 (delgadita, delgadito), estampita, finquita, ganchito, golpecito, hacendosito, hermanita, jornadita, juiciosita, ligerita, mejorcito, mesita, muchachita, pañolito 2, papuchadita, patadita, pedacitos, pegadita, poquito 3, preparadito, puntitos, puñadito, queditos, ratito 2, restregoncitos, rinconcito, ropitas, salita 13, sentadita, serenitas 2 (por sirenitas), solitos, tacita, tarimita, temporadita, vueltecita, zoquetito.

Sufijo -*uco* 53: angeluco 5, barriguca, camisucas, carreruca 2, cuerucos, finuca 4 (finuca 2, finuco 2), hijuca 16, manucas 3, miajuca, miseriucas, papelucos, piojucos, pitorruca, pobretuca 2 (pobretuca, pobretuco), ratuco 2, rinconuco, saleruca 3 (saleruca 1, saleruco 2), soluca, tablucas, tiernuca, trapuco 2 (trapuco, trapucos), venturaúca, vestiducos.

DON BENITO PÉREZ GALDÓS

Fortunata y Jacinta

Sufijo *-illo* 206: ahoguillo, apurillos, arenilla, arrogantillo, atrevidilla, aventurillas, balconcillo, baquetilla, calorcillo, canastillas, cochecillo, cocinilla 2, cortinilla, cosillas 6, cuadernillos 2, dedillo 5, descuidillos, desmejoradillo, destinillo 2, diablillos, dientecillos, dificilillo 3, dispuestilla, escalerilla 4, escopetilla, escozorcillo, estudiantillo, facilillo 2, fierecilla, flojilla 2, francesilla, frasecilla, fuentecillas, fuertecilla 3 (fuertecilla 1, fuertecillo 2), gacetilla, gitanilla, guapillas, gusanillo 4, hablillas 2, hermanillo, hilillos, hormiguilla, hornillo, hurtadillas 2 (a hurtadillas), imaginacioncilla, jardinillo, juiciosillo, juntillas (a pie juntillas), leoncillo, locurilla, loquilla, maridillo 2, marisabidilla, mentirijilla 2 (mentirijilla, mentirijillas), mentirilla, mesilla 10, modistilla, molinillos 2, monilla, naricillas, olorcillo 3, pajarillos 2, palabrilla 2 (palabrilla, palabrillas), pandillas, papelillo, patadillas, pecadillos 2, pececillos, pelotillas, pendoncillo, perrillo, pianillo, picadillo, picorcillo, plantilla, platillo 3 (platillo 2, platillos), pobrecilla 21 (pobrecilla 15, pobrecillas 1, pobrecillo 5), poquillo 5, propinilla, puertecilla, puntillas 6 (de puntillas), ratoncillo, rejilla 2, rencorcillo, risilla 2, rumorcillo 2, secretillo, sobrinillo 2, sonrisilla 5, sortijillas 4, sueñecillo, tardecillo, temporadilla 2 (temporadilla, temporadillas), tonadilla 2, tonillo 5, torrecilla, trabajillo 3 (trabajillo 2, trabajillos 1), trapillo, trompetilla 6 (trompetilla 5, trompetillas 1), tufillo 3, ventanilla 2 (ventanilla, ventanillas), ventorrillo, viejecillos, vocecilla.

Sufijo *-uelo* 36: ceguezuelo, chicuela 2, farsantuelo, hojuelas, ingratuelo, intrigüelas, jovenzuela 2 (jovenzuela, jovenzuelas), mozuela, muchachuelas, mujerzuela 2, ojuelos 4, pequeñuela 12 (pequeñuelas 1, pequeñuelos 3, pequeñuelo 8), pilluelos, polluela 3 (polluela 1, polluelo 2), rapazuelo, tontuela 2.

Sufijo -*ejo* 4: credencialeja, palabreja, papelejo 2 (papelejo, papelejos).

Sufijo -*ete* 23: bracete, caballerete, casetas, durete 2 (durete, duretes), grillete, pillete 5 (pillete 4, pilletes 1), pobrete (probete), realetes, regordete, señorete, sereta 3 (sereta 1, seretas 2), silleta, tenderete, trompeta, volteretas 2.

Sufijo -*ico* 3: medrosica, momentico, señoriticas.

Sufijo -*ino* 60: berrinchín 3, boticarín, caspitina, chiquillín, chiquirrininas, chiquitín 6, figurines, guapín 2 (guapín, guapines), monín, nenín 3, parlanchín, pianino (ir pián pianino), pillín 10 (pillín 9, pillines 1), piojín 7, pobretín 2, poquitín 6, rabietina 3 (rabietina 2, rabietinas 1), simplín, tontín 9.

Sufijo -*ito* 1.008: abajito, abracitos, abrigadita 4 (abrigaditas, abrigadito 2, abrigaditos 1), abuelita 9 (abuelita 4, abuelito 5), acabadita 4, afeitadito, agasajaditos 2, aguardientito, agujerito 8 (agujerito 4, agujeritos 1, aujeritos 2, ujerito 1), ahorita 2, ajito, ajumaíto, alfombrita, alhajita, almendrita, alpargatitas, altarito 2, amiguita 21 (amiguita 16, amiguitas 2, amiguito 1, amiguitos 2), amito, amorcito, angelito 8 (angelito 6, angelitos 2), animalito 5 (animalito 4, animalitos 1), antojito 2 (antojito, antojitos), apañadita 4 (apañadita 1, apañaditas 2, apañaditos 1), aplicaditos, aprisita 3, argollitas, arregladita 4 (arregladita 1, arregladitas 1, arregladito 2), arreglito, arribita 2, atrasaditos, bajita 9 (bajita 1, bajito 8), bajoncito, banderita, barquito 2 (barquito, barquitos), barrilitos, batallitas, batita, bichito, bigotito, billetito, bizcochito 2 (bizcochito, bizcochitos), bobito 2, boquita 4, borlita, botellita 2, boticarito, botita 3 (botita 1, botitas 2), bracitos, bromitas 3, cabalitos, caballerito 10, cabecita 2, cajita 7 (cajita 6, cajitas 1), caldito, calentita 3 (calentita, calentitas, calentito), calladita 9 (calladita 4, calladito 3, calladitos 1, callaíto 1), callandito 3, camaraíta 3, cansadita, cañamoncito, capita, capitalito 2, capuchoncitos, caracolitos, carambita 4, carcajadita, cariñitos, carita 8, carnecitas, cartita 3 (cartita 1, cartitas 2), casadita 2 (casadita, casaditas), casita 4 (casita 3, casitas 1), caudalito, celitos, chachito, chafalditas 2, chambritas, chinita 6 (chinita 3, chinitas 3), chiquita 5 (chiquita 1, chiquito 3, chiquitos 1), chiquitita 5 (chiquitita 1, chiquititas 2, chiquitito 2), chispita 2, chitito 2, chocolatito 2, chulapito, chuletita 4, chulita 23 (chulita 22, chulito 1), cielito, circulito, citita, clarita 13 (clarita 2, claritas 3, clarito 8), cleriguito 2, cocinerita 2, cogiditos, cojita 5, coloradita 3, comiquito, composicioncita, copita 2, coplitas, corazoncito, corito, cortadito, corriendito, cosita 4 (cosita 2, cositas 2), crecidita 3 (crecidita 1, creciditas 1, crecidito 1), criadita 2, criaturita 2, cristalitos, croquetita, cuadrito 4 (cuadrito 2, cuadritos 2), cuantito 4, cuartito 6, cuchillito, cuentecita 2, cuidadito 3, culito, cunita 2 (cunita, cunitas), cuñadita, curita 4, dedito 3, (dedito 2, deditos 1), delantito, delicadito, derechita 6 (derechita 3, derechito 2, derechitos 1), descalcitos, despacito 3, Diosecito, distraidita, dobladitos, dobloncito, dormidito 2, dramita, duelitos, durito 3 (durito 2, duritos 1), echadito, educadito, embozadito, empleíto, enamoradito, enanita, encerradita 2, enfadadito, enterita 2, envueltitos, escenita, escudito, Españita, espigadita, esquelita 5 (esquelita 4, esquelitas 1), estampitas, esteritas, estrellitas, estuchitos, fajita, faltoncito, favorcito 3, feíto, fierecita 2, figurita 2 (figurita, figuritas), finita 2 (finitas, finito), flojita, folletito, formalita 2 (formalita, formalito), fresquecita 2 (fresquecita, fresquecito), gabinetito 2, galapaguito 2, ganita 6 (ganita 2, ganitas 4), gatito 7 (gatito 2, gatitos 5), golpecito 3 (golpecito 1, golpecitos 2), gordita 2 (gordita, gordito), gorrita 2 (gorrita, gorritas), gotita 3 (gotita 1, gotitas 2), grandecita 3 (grandecita, grandecitas, grandecitos), granujita, grupito, guapito, guardadito 2, guasitas 2, guasoncita 2, hermanita 4 (hermanita 2, hermanitas 2), hijita 14 (hijita 5, hijito 7, hijitos 2), hiladito, hilito, hociquitos, hojitas, honguito, honradito, horita, hornito, huerfanito 6 (huerfanito 4, huerfanitos 2), hueverito, huevitos, ideítas, ilusioncita, jarrito, jormiguita (por hormiguita), jorobadita, jovencito, juntitos, lagrimita 5 (lagrimita 4, lagrimitas 1), laminitas, lavadita, lengüecita, libritos 2, limosnita, loquito, lorito, lucecita, machito, madrecita 4, maestrita, malita 6 (malita 2, malito 4), mamaíta, manecita, mañanita 4, mañosito, mariposita 2, marquesito, matitas, mejorcito 2, mesita, metidita, miajita 3 (miajita 2, miajitas 1), mimadita 2 (mimadita, mimadito), mimitos, miniaturita, misita 3 (misita 2, misitas 1), mismito 5, modelito, modestita 2, moditos, modosita, momentito 3 (momentito 2, momentitos 1), montoncitos, moquito, morritos, mosquita, muertecito 2, mujercita, muslito, negrito 3, nenita 4 (nenita 1, nenito 3), nietecito, niñita 7 (niñita 4, niñito 3), nochecita, nuevecitas, ochavito, ojitos 3, ordinarita, orejita 2 (orejita, orejitas), paginitas, pajarita 5 (pajaritas 2, pajarito 3), pajita, palabrita 8 (palabrita 4, palabritas 4), palito 3 (palito 1, palitos 2), palmadita, palmitas 2, pantaloncitos, pañolito 2, papaíto, papeletitas 2, papelito 5 (papelito 4, papelitos 1), paquetito 5 (paquetito 4, paquetitos 1), parrafito 4, partidita, pasadita, paseíto 8 (paseíto 7, paseítos 1), pasita, pasito 7 (pasito 6, pasitos 1), pataditas 3, patita 6 (patita 3, patitas 2, patito 1), pedacito 7 (pedacito 1, pedacitos 6), pelito 4 (pelito 2, pelitos 2), penita 4 (penita 3, penitas 1), peorcito 2, pequeñita 4 (pequeñita 1, pequeñitas 1, pequeñito 2), perrito 3, pesadita 4 (pesadita 1, pesadito 3), pianito 9 (pianito 6, pianitos 3), pichoncitos, piececita 3 (piececita 2, piececitas 1), piedrecita, pildoritas 2,

pillincito, pinchacitos, piquito, placita, platito 2, plieguecitos
2, pobrecita 44 (pobrecita 10, pobrecitas 1, pobrecito 29, pobrecitos 4), pollita, poquita 33 (poquita 1, poquito 31, poquitos 1), poquitito 3, preguntita 4 (preguntita 3, pregunti-
tas 1), primerito 6, primita 2 (primita, primito), prontito 5,
pucherito 2 (pucherito, pucheritos), pueblecitos, puntadita 2,
purito, quedito 2, quesitos, quietecito 3, rabiosito, rabito, ra-
meaditas, ratito 40, rayaditas, realito, recadito 6 (recadito 5,
recaditos 1), regalito 7 (regalito 2, regalitos 5), rengloncito,
rentita, risita 3 (risita 2, risitas 1), ropita 4, ruedecita, ruidi-
to, salidita 4 (salidita 3, saliditas 1), salivita, salvajita 2 (salvajita, salvajito), santito 2, saquito 2 (saquito, saquitos), se-
cretito, seguidita 2 (en seguidita 2), sellaíto, sentadita, ser-
moncito, sillita 4, sobrinita 14 (sobrinita 2, sobrinito 10, so-
brinitos 2), soldaditos, solita 5 (solita 3, solito 1, solitos 1),
sombrerito 4 (sombrerito 3, sombreritos 1), sorpresita, suel-
tecito, sueñecito, suscricioncita, tablitas, tacita, talcualita,
talludito 2 (talludito, talluditos), tamañita 5 (tamañita 2, ta-
mañitas 1, tamañitos 2), tapadita, tapujito, templadita, tempranito 4, ternerito, tetita, tiíta 7 (tiíta 5, tiíto 2), tirito 3
(tirito 2, tiritos 1), todita 12 (todita 2, todito 5, toditos 3,
toíto 2), tonito, tontita 3 (tontita 1, tontito 2), toquecito, tor-
neadito, tortillita, tortolitos, tostadita, trajecito 5 (trajecito
3, trajecitos 2), trapitos 4, trompetitas, vaporcito, varita 2
(varita, varitas), varoncitos, vasito, velito, verruguita, vestidita 2 (vestidita, vestidito), viajecito, vidita, viudita 2, vivito,
vueltecita, zapatito.

Sufijo *-uco* 2: moñuca 2.

Marianela

Sufijo *-illo* 60: airecillo, atrasadilla 2, avecilla, bigotillo, brotecillo, cabritillos 2, calorcillo, carillas, Celipillo, Celipinillo, cosillas 2, cuerpecillo 3, dientecillos, doctorcillo, espejillo, estanquillo, figurilla, florecillas 2, Florentinilla 2, huerfanilla, Mariquilla 7, mesilla, miradilla, montoncillo, naricilla 2, Nelilla 6, nietecillos, pajarillos, pasioncilla, patiecillo, patillas, personilla, picudilla, polvillo, poquillo 2, puertecilla, rumorcillo 2, sonrisillas, vientecillo.

Sufijo *-uelo* 14: chicuela 4 (chicuela 3, chicuelos 1), jovenzuela, ojuelos 6, tontuela 3.

Sufijo *-ete* 6: sombrerete, toretes, vagonetes 4.

Sufijo *-ico* 1: puestecico.

Sufijo *-inõ* 6: Celipín 3, chiquitín, Pepina, poquitín.

Sufijo *-ito* 67: amiguito 2, amito 3, animalito, bajito 2, calladita 2 (calladita, calladitos), cieguecito, clarito, conchitas, corderito, cositas 2, cristalitos, cuartito, despacito, estrellitas, feíta, fierecita, florecitas, gabancito, galguito, guardadito, hermanito 2, hijita 5 (hijita 2, hijito 3), manchitas, mantita 2, Mariquita 2, michita, mismito, monita, Pablito, pajaritos, palito, patita, pequeñitos 3, piquito, pobrecitas, poquito 3, primita 8 (primita 4, primito 4), semanita, solito.

Sufijo *-uco* 1: Mariuca.

Gloria

Sufijo *-illo* 47: airecillo, asuntillo, avecillas, banquillo, bosquecillo 4, cajoncillo, cancioncilla, casilla, comezoncilla, diablillo, discursillo, dudillas, escalerilla, farolillo, figurillas 2, florecillas 2, gacetilla, hurtadillas (a hurtadillas), loquilla, medianillo, mesilla, pandillas, parchecillos, papelillos, patiecillo, pececillos, piececillos, pobrecilla 2, puertecilla 2, puntillas (de puntillas), ratoncillo, sonrisilla, tarjetoncillo, tonillo 2, ventanilla, ventorrillo, viejecillas, vientecillo, vocecilla.

Sufijo -*uelo* 9: chicuelo 2 (chicuelo, chicuelos), jovenzuela, ojuelos 2, ovejuela, pequeñuela 2, rapazuelos.

Sufijo -*ejo* 3: animalejos, articulejo, papelejo.

Sufijo -*ete* 4: anisete 2, pillete, regordetes.

Sufijo -*ico* 2: tantico 2.

Sufijo -*ino* 1: sofoquinas.

Sufijo -*ito* 88: amita, animalito 2, arbolito, asnito, barquitos, borriquito 10, cabecitas, capillita, casitas, corriendito, cosita, deditos, formulita, ganitas, gatito, golpecito 3 (golpecitos 2, golpecito 1), gotita, gusanito, hermanitos 5, hijita 6, judiíto, manecita 2 (manecita, manecitas), mimitos, moneditas, muchito, mueblecitos, niñita 2, ojitos, orgullito, parrafito, pasitos, patitas, pedacito 3 (pedacito 1, pedacitos 2), pequeñitos 3, personitas, pobrecita 8 (pobrecita 4, pobrecitas 1, pobrecito 2, pobrecitos 1), pollinito 2, poquito 2, primitas, pucherito, queridita, ramitas, ratito 3, sobrinita 4, torrecita, trocitos, viejecita.

MIRÓ

Los diminutivos de las *Figuras de La Pasión del Señor* son:

Sufijo -*illo* 34: alillas, anforillas, aposentillos, arquilla, bosquecillos, braserillos, cabritillo 2 (cabritillo, cabritillos), cerquillo 2, cestillas, esterillas, frutillas 2, gradilla 5 (gradilla 4, gradillas 1), hombrecillo, horquillas, hortalillo 2 (hortalillo, hortalillos), islillas, lancillas, mielecillas, ojillos, pececillo, platillo, tablilla 2, toquecillos, varilla.

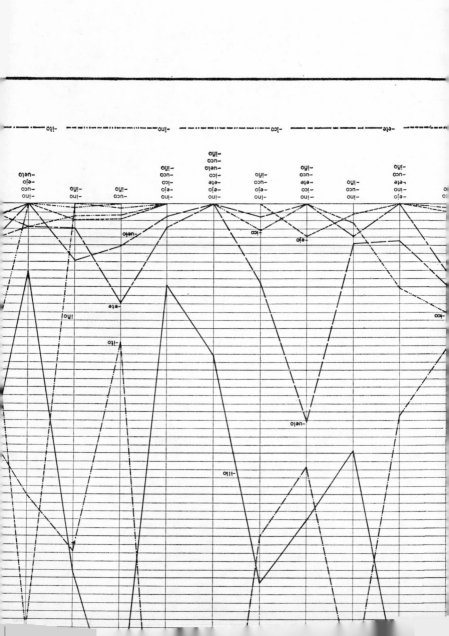

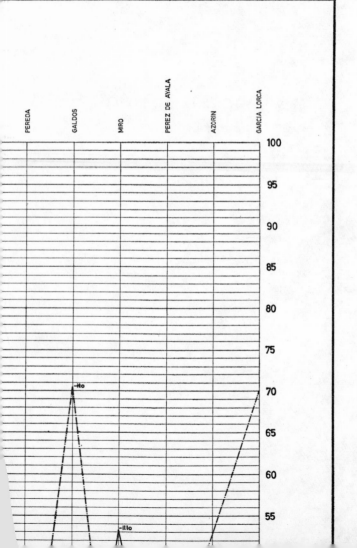

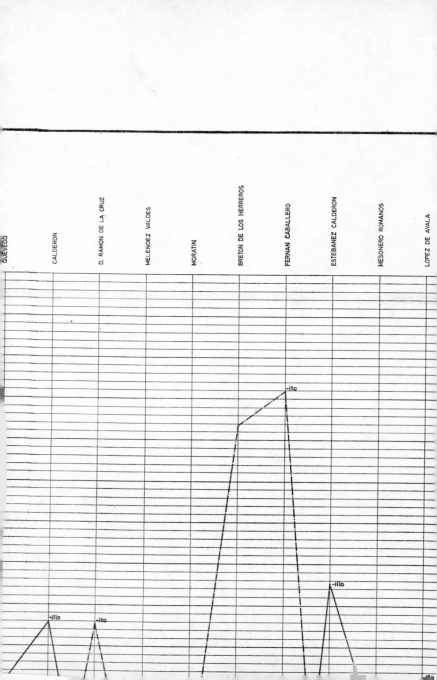

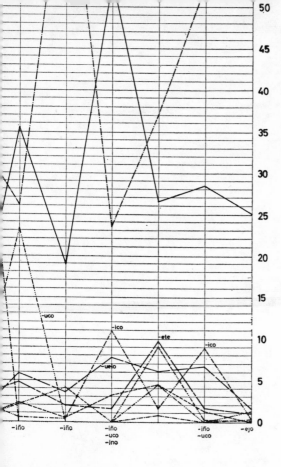

GRAFICA DE PORCENTAJES DE SUFIJOS DIMIN

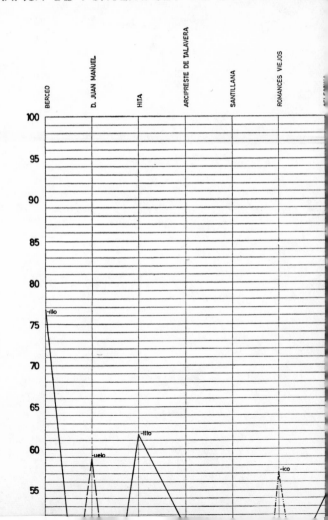

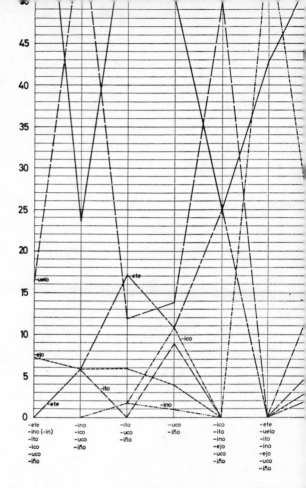

NOMENCLATURA GRAFICA DE LOS DIFERENTES DIMIN

GARCILASO

JUAN DE VALDES

JORGE DE MONTEMAYOR

LAZARILLO

SANTA TERESA

FRAY LUIS DE GRANADA

CERVANTÉS

GONGORA

LOPE DE VEGA

-illo

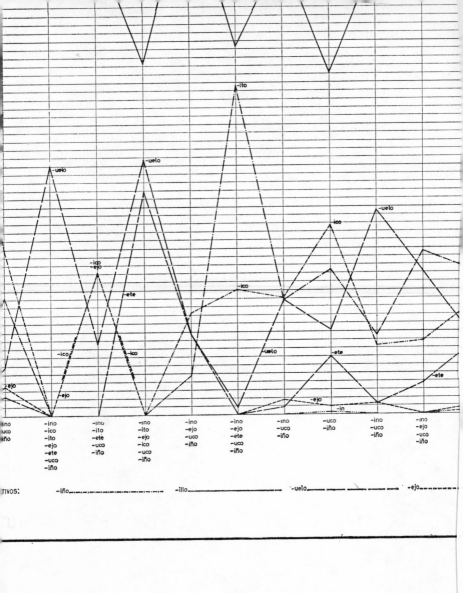

	-ino	-ino	-ino	-ino	-ino	-ino	-uco	-ino	-ino
-ino	-ico	-ito	-ito	-ejo	-ejo	-uco	-iño	-uco	-ejo
-uco	-ito	-ete	-ico	-uco	-ete	-iño		-iño	-uco
-iño	-ejo	-uco	-uco	-iño	-uco				-iño
	-ete	-iño	-iño		-iño				
	-uco								
	-iño								

TIVOS: -iño ·–·–·–·–·–·–·–·–·–·–·–·   -illo ——————————   -uelo — — — — — →   -ejo – – – – – –

Sufijo *-uelo* 5: cajuelas, corpezuelo, gordezuela, pedrezuelas, vejezuelo.

Sufijo *-ejo* 2: sartalejo, torzalejos.

Sufijo *-ete* 1: lunetas.

Sufijo *-ico* 7: cadenicas 2, dijecicos, insecticos, osecicos,
perrico, potecico.

Sufijo *-ito* 15: avecita 2 (avecita, avecitas), chiquita 7 (chiquita 1, chiquitas 2, chiquito 3, chiquitos 1), desnudita, doncellita 3, esquilitas, tiendecita.

RAMÓN PÉREZ DE AYALA

Los diminutivos en Pérez de Ayala son:

Sufijo *-illo* 35: avecilla, chiquilla, corralillo, cosillas, cuadernillo, cuerpecillo, curilla, dedillo (saber al dedillo), dinerillo, estatuilla, estudiantillo 4 (estudiantillo 3, estudianti-
llos 1), fenomenillos, figurilla, frasecilla, gabancillo, genieci-
llo, huesecillo, mantelillo 2, nubecillas, ojillos, pajarillos,
pecadillo, personilla, pesetillas, polvillo, respingadilla, secretillo, tapadillo, telilla, trompetilla, visitilla.

Sufijo *-uelo* 8: aldehuelas, bestezuelas, callejuelas, chicuelos, mozuelo 2, ojuelos, plazuela.

Sufijo *-ejo* 6: caballejo, cuartejos, palabrejas, rapacejo 3.

Sufijo *-ete* 13: barbeta 2, caballerete 3, caballete, coloradete, gorrete, pilletes, sombrerete, silleta 2 (silleta, silletas),
vejete.

Sufijo *-ico* 2: Perico 2.

Sufijo *-ino* 12: coloradina, corbatina, loquines, Manolín,
neñina 2, Pedrín, perrina, picarín, sidrina 2, tortolines.

Sufijo *-iño* 1: Pedriño.

Sufijo *-ito* 49: acabadito, ancianitos, añitos, botito, Cara-
manzanita, casita, copita 3 (copita 2, copitas), cuadernito 2,

cuartito 3, encarguito, frasquito, golpecitos, granito, guapito, hijita 3 (hijita 2, hijito), horita, malito, Manolito, mantecosita, marquito, mesitas, monjita 2 (monjita, monjitas), mujercita 2, nietecitos, papelito, Pedrito 3, pinceladita, poquito 3, prisita, rechonchita, regalitos, risitas, rollitos, santito, saquito, zapatitos.

Sufijo *-uco:* 6: casuca 4 (casuca 2, casucas 2), mujerucas, viejucos.

AZORÍN

Diminutivos de *Un pueblecito:*
Sufijo *-illo* 4: animalillos, pueblecillo 2, tiendecilla.
Sufijo *-uelo* 1: arroyuelos.
Sufijo *-ejo* 1: caminejo.
Sufijo *-ico* 1: tántico.
Sufijo *-ito* 38: aldeíta, bastoncitos, campanitas, fondita, librito 3 (librito 2, libritos 1), lucecita, mesita, montañita, perrito 2, poquito, pueblecito 19 (pueblecito 17, pueblecitos 2), risita, ruedecitas, sonrisita 3, tomitos.

Diminutivos de *El paisaje de España visto por los españoles:*
Sufijo *-illo* 8: camarillas, canastillas, cendolillas, puertecilla, tiendecilla 3 (tiendecilla 1, tiendecillas 2), venillas.
Sufijo *-uelo* 4: patizuelo 2, pedrezuelas, riachuelos.
Sufijo *-ejo* 1: caminejo.
Sufijo *-ico* 1: tántico.
Sufijo *-ino* 1: botinas.
Sufijo *-ito* 54: barbita, bolitas, chiquitas, callejita 2 (callejita, callejitas), campanita, cantaritos, carritos, casitas 2, cuartito 3, estampita, estrellitas, florecitas 3, fondita, huerte-

cito, jardincito, librito, lucecitas, manchita, melenita, menudita, ojitos, pasillitos, pasito, patitas, pequeñito, poquitas, pueblecito 5 (pueblecito 3, pueblecitos 2), puertecitas, redonditos, sillita, sombrererita 2, sombrerito, ventanita, viejecita 9 (viejecita 6, viejecitas 1, viejecitos 2), viejita.

Diminutivos de *Las confesiones de un pequeño filósofo:*

Sufijo *-illo* 25: arquilla 4 (arquilla, arquillas 3), bovedillas, cacillos, camarilla, cantarillo, casilla, cofrecillos 2, escalerilla 2 (escalerilla, escalerillas), farolillos 2, huertecillo, montoncillos, ojillos, silbantillo 3, tiendecilla 2 (tiendecilla, tiendecillas), torrecilla 2.

Sufijo *-uelo* 9: arroyuelos, ojuelos, patizuelo 2, pedrezuelas, portezuela 2, redonduelas, riachuelos.

Sufijo *-ejo* 1: castillejo.

Sufijo *-ico* 13: espejico, limosnica 2, muchachico 4, perricos 3, Teresica, viñalicos 2.

Sufijo *-ito* 40: Antoñito 3, barquito, cacitos, cajita, cajoncitos, campanita, casita, cintitas, copitas, cornisita, cuadernito, encorvadita, figuritas, golpecitos, lucecita, lunita, manchita, menudita, mujercita 6, orcitas, pasito 2, pequeñita 4 (pequeñita 1, pequeñito 1, pequeñitos 2), perritos, puntitos 2, sillitas, tinajita, viejecito 2.

Diminutivos de *La Voluntad:*

Sufijo *-illo* 52: albardillas, alcucilla, angelillos, animalillos, avecilla 4 (avecilla 1, avecillas 3), balconcillo 2 (balconcillo, balconcillos), banquillo 2 (banquillo, banquillos), bovedillas, braserillos, cajoncillos, camilla, cimbalillo, cortinillas 2, cuartelillo 2, cuentecillo 2, cupulillas, estatuilla, esterillas, figurilla, gobernadorcillo, hacecillo, hombrecillo 3, jardincillo, lucecillas, ojillos, mesilla 2, montecillo 2, maquinillas, musiquilla, ojillos, paredilla, raicillas, ramillas, ruedecillas, sombrillas, tejadillos 2, torrecillas, venillas, vocecilla.

Sufijo -uelo 7: gordezuela, locuela, mozuelas, mujerzuelas, ojuelos 2, portezuelas.

Sufijo -ejo 1: librejo.

Sufijo -ete 5: bacietas, losetas 4.

Sufijo -ico 13: Antoñico 7, coloraíca, machucaícos, mocica, Mudico 3.

Sufijo -ito 33: bajito, bigotito, cabecita, cajita 8, cigarrito, golpecito 4 (golpecito 1, golpecitos 3), hombrecito, letrita, manchitas, menuditos, mesita, muchachita, niñita, Pepito, pobrecitos 2, puntitos 4, toledanita, viudita, zazosita.

GARCÍA LORCA

Los diminutivos de García Lorca son los siguientes:

Sufijo -illo 126: alamillos 3, airecillo 2 (airecillo, airecillos), amargosilla, arbolillos, balconcillo, barberillo 2, borrachilla, bosquecillo, casilla, campanillas 2, campillo, cancioncilla, compadrillo 3, cuerpecillos, demonillo, dientecillos, dinerillos, escalerillas 2, esterillo, farolillo 2 (farolillo, farolillos), fresquillo, fuentecilla, Gabrielillo 2, galancillo 2, gitanilla 2 (gitanillas, gitanillo), hermanillas, hilillos, hombrecillo, huertecilla, interesadillo 2, jardinillos 2, jovencillo, lavabillo, mentirijillas, mentirosilla, miradorcillo, molinillo, monjecillos, morillas 4, mujercillas 2, mulilla 2, naricillas 4, navajillas, ojillos, oscurillo 2, palomilla 2 (palomilla, palomillas), paseíllos, pastorcillo 7, patinillo, pececillos 2, Perlimplinillo 2, perrillo, plumilla 3, pobrecilla 2, polvillo, portalillo, puntillas, raicillas, regalillos, romancillo 4 (romancillo 3, romancillos 1), salivilla, tabernilla 2, tabladillo, tardecillo, tejadillo 2 (tejadillo, tejadillos), temblorcillo, tetilla, tiendecilla, torerillo 3 (torerillo 1, torerillos 2), torrecilla 2, varilla, venillas, vergüencilla, viborilla, viejecilla 2 (viejecilla, viejecillas), vientecillo 2 (vientecillo, vientecillos), vinillos, zapaterilla 4 (zapaterilla 3, zapaterillo 1).

Sufijo *-uelo* 8: colmeruela, hijuelos 2, mantehuelos, mozuela 4 (mozuela 2, mozuelas 1, mozuelo 1).

Sufijo *-ete* 5: arquetas, historietas 3, vejete.

Sufijo *-ico* 2: comadricas, vilanicos.

Sufijo *-ino* 1: hombrines.

Sufijo *-iño* 2: cariña, veiriña.

Sufijo *-ito* 351: abejitas, abuelita, aguilitas, agujita, altarito, amiguito, anillito 2, animalito 4 (animalito 1, animalitos 3), arbolito 4 (arbolito 2, arbolitos 2), arruguitas 2, bajito, barriguita, borrachitos, borriquito 3 (borriquito 2, borriquitos 1), caballerito, caballito 13 (caballito 6, caballitos 7), cabecitas 2, cajita, caminito 3 (caminito 2, caminitos 1), cañoncito, capillita 2 (capillita, capillitas), capita, casita, chalequito, chiquita 10 (chiquita 5, chiquito 4, chiquitos 1), chocita 3, clarita, clavelito, clavellinita, clavitos, copita 2, coronitas, cortinitas, Cristito, Cristobita, cubito, cuchillito 4, cuernecitos, culito 4, cunita, curita, deditos, delantalitos, delgaditos, despacito, dinerito, doncellita, dulcecito, duritos 5, espejito 5 (espejito 3, espejitos 2), estrellitas 2, fragatita 2, fresquita 4 (fresquita 1, fresquito 3), galapaguito 2, gotita, granito 2 (granito, granitos), hermanita, hijita 3 (hijita 1, hijito 2), hilito 2 (hilito, hilitos), hojitas 4, hombrecito 2, hormiguita 7 (hormiguita 4, hormiguitas 3), jamoncitos, jardinito, jovencita 4 (jovencita 2, jovencitas 1, jovencito 1), limoncito 4 (limoncito 2, limoncitos 2), lucecitas, lunaritos, llamita, madurita 2, malita, mamaíta, manecitas, mañanita 3, Marianita 28, maridito 3, meriendita, mocito 6 (mocito 5, mocitos 1), morenita 5 (morenita 3, morenito 2), muchachita 3, muertecita, muñequito 3, nanita, naranjitas 2, niñito, ochavitos, ojito, olivarito 5, ovejita 9 (ovejita 6, ovejitas 3), palitos, panderito, pañolitos, pañuelitos, patita 9 (patita 3, patitas 5, patito 1), pechito 2 (pechito, pechitos), pedacito 3 (pedacito 2, pedacitos 1), pelegrinita 2, pelito, pequeñita 13 (pequeñita 2, pequeñitas 3, pequeñito 6, pequeñitos 2), Perlimplimpinito, perrito 3 (perrito 2, perritos 1), piernecitas, pobrecito 4, poquitirrito, poquito 16, primorcito, pùertecita 2 (puertecita, puertecitas), puñalitos 2, quesito 2, ramitos 2, ranita, refresquito 2, rollito, sapitos, siestecita 3, sillita, sirenita, sobrinita, soldaditos, solita, sombrerito 2 (sombrerito, sombreritos), sopita, sorbitos, tallitos, taruguitos, terroncitos, tetitas, toreritos, torito 2, trajecito 2 (trajecito, trajecitos), urraquita 4, varita, vasito, vecinita 4 (vecinita 2, vecinitas 1, vecinito 1), ventanitas 2, veredita, vidrieritas, viejecita, virgencitas, viudita 4, vocecita, zapaterita 9 (zapaterita 8, zapaterito 1), zapatitos.

Sufijo *-uco* 6: abejaruco 4, casucas, mujeruca.

BIBLIOGRAFÍA

Academia Española, Real, *Gramática de la Lengua Española*, Espasa-Calpe, Madrid, 1931.

Alarcos Llorach, Emilio, *Gramática estructural*, Biblioteca Románica Hispánica, Editorial Gredos, Madrid, 1951; 2.ª ed. Reimpresión, 1972.

Aldrete, Bernardo de, *Del origen i principio dela lengua castellana, ò Romance, que oi se usa en España*, Roma, 1606. Vid. ed. facsimilar y estudio de Lidio Nieto Jiménez, C. S. I. C. Madrid, MCMLXXII.

Alemán, Mateo, *Guzmán de Alfarache*, Clás. Cast., cinco vols., Madrid, 1926-1936.

Alemany, J., *Tratado de la formación de palabras en la lengua castellana*, Madrid, 1920.

Alonso, Amado, «Para la lingüística de nuestro diminutivo», *Humanidades* (La Plata), XXI, 1930, 35-41. Reseña de L. Spitzer, *LGRPh*, LIV, 1933, 319-322.

—, «Noción, emoción, acción y fantasía en los Diminutivos», en *Estudios Lingüísticos. Temas españoles*, Biblioteca Románica Hispánica, Editorial Gredos, Madrid, 1951, 195-229.

Alonso, Dámaso, *Poesía Española. Ensayo de métodos y límites estilísticos*, Biblioteca Románica Hispánica, Ed. Gredos, Madrid, 1950; 5.ª ed. Reimpresión, 1971.

Allende Lezama, Luciano, *El Lenguaje Científico*, El Ateneo, Buenos Aires, 1942.

Amunátegui y Reyes, M. L., «Una lección sobre diminutivos», *Anales de la Universidad de Chile*, CXIV, 1904, 695-718.

Anónimo, *Útil, y breve institución, para aprender los principios y fundamentos de la lengua Hespañola...*, Lovaina, Imp. de Bartolomé Gravio, 1555.

—, *La vida de Lazarillo de Tormes y de sus fortunas y adversidades*, Clásicos Castellanos, Madrid, 1941.

Arce, Joaquín, «El diminutivo italiano y su adaptación española por un traductor clásico», *Bolletino dell'Istituto di Lingue Estere*, VIII, Genova, 1969.

Arniches, Carlos, *Obras Completas*, Ed. Aguilar, Madrid, 1948.

Azorín (J. M. R.), *Un pueblecito. Riofrío de Ávila*, Publicaciones de la Residencia de Estudiantes, Madrid, 1916.

—, *El paisaje de España visto por los españoles*, Col. Austral, Madrid, 1942.

—, *Las confesiones de un pequeño filósofo*, Col. Austral, Buenos Aires, 1944.

—, *La Voluntad. Novela*, Biblioteca Nueva, Madrid, 1939.

Bally, Charles, *Linguistique générale et linguistique française*, Paris, E. Leroux, 1932.

—, *El lenguaje y la vida*, Ed. Losada, Buenos Aires, 1941.

—, *Traité de stylistique française*, 2 vols., Paris, 1909.

—, «L'arbitraire du signe», *Le Français Moderne*, juillet, 1940.

Batres Jáuregui, *Vicios del lenguaje. Provincianismos de Guatemala*, Guatemala, 1892.

Beinhauer, W., *Spanische Umgangssprache*, Berlin, 1930. Trad. española: *El español coloquial*, Gredos, Madrid, 1963, 2.ª ed., 1968.

Belic, A., «Zur Entwicklungsgeschichte der slavischen Deminutiv und Amplifikativsuffixe», *Arch. f. slav. Phil.*, XXIII y XXIV.

Bello, Andrés, y Cuervo, Rufino, J., *Gramática de la Lengua Castellana*, Ed. de Niceto Alcalá Zamora y Torres, Editorial Sopena Argentina, S. R. L., Buenos Aires, 1.ª ed., 1945.

Benot, Eduardo, *Arte de hablar. Gramática Filosófica de la Lengua Castellana*, ed. y prólogo de José Torres Reina, Buenos Aires, 1941.

Benveniste, Émile, *Origines de la formation des noms en indo-européen*, Paris, 1935.

—, «Nature du signe linguistique», *Acta linguistica*, I, 1939.

Berceo, *Milagros de Nuestra Señora*, Clásicos Castellanos, ed. Solalinde (3.ª), Espasa-Calpe, S. A., Madrid, 1944.

—, *Vida de Sancto Domingo de Silos y Vida de Sancta Oria, Virgen*, Col. Austral, 2.ª ed., Buenos Aires, México, 1945.

Blomgren, A. L., *Le développement des proparoxytons latins en «-ulus, a, um» dans les langues romanes*, Upsala, 1913, 110.

Bousoño, Carlos, *Teoría de la Expresión Poética*, Biblioteca Románica Hispánica, Ed. Gredos, Madrid, 1952; 5.ª ed. muy aumentada. Versión definitiva, 2 vols., 1970.

Bretón de los Herreros, Manuel, *Muérete ¡y verás...!*, en *Autores Dramáticos Contemporáneos y Joyas del Teatro Español del Siglo XIX*, dos tomos, Madrid, 1882.

Brüch, J., «Das suffix -*attus*, -*ittus*, -*ottus*», en *Revue de Langues Romanes*, II, 1926, 98-112. Reseña de G. Rohlfs, *Historische Grammatik der italienischen Sprache*, en *Romanische Forschungen*, LXVI, 1955, 465-474.

Brugman, K., *Abrégé de grammaire comparée des langues indo-européennes*, Paris, 1905.

—, «Das Genus der Diminutivbildungen», *Indogermanische Forschungen*, XIX, 1906, 215-216.

Bühler, K., *Teoría del Lenguaje*, traducido por Julián Marías, Biblioteca Conocimiento del Hombre, Rev. de Occidente, Madrid, 1950.

Caballero, Fernán (Cecilia Böhl de Faber), *Un servilón y un liberalito o Tres almas de Dios*, Madrid, 1863.

Calderón de la Barca, Pedro, *Autos Sacramentales*, Clásicos Castellanos, vol. 69, Madrid, 1942.

—, *Teatro escogido*, Ed. de la R. A. E., Bibl. Aut. Clás. Esp., VII y VIII, Madrid, 1868.

Capmany y de Montpalau, Antonio de, *Filosofía de la elocuencia*, Buenos Aires, 1942.

Cervantes, Miguel de, *El Ingenioso Hidalgo Don Quijote de la Mancha*, Clás. Cast., ocho tomos, Madrid, 1941.

—, *Novelas Exemplares*, ed. Schevill y Bonilla, Madrid, t. II, MCMXXIII.

—, *Comedias y Entremeses*, ed. Schevill y Bonilla, ts. II y IV, Madrid, MCMXV y MCMXVIII.

Cisneros, L. J., «Los diminutivos en español», *Mercurio Peruano*, XXXVII, 1956, 327-345.

Conrad, F., «Die Deminutiva in Altlatein», *Glotta*, XIX, Göttingen, 1930-31, 127-148; XX, 1931-32, 74-84.

Cornu, J., «Les noms propres latins en *-ittus, -itta* et les diminutifs romans en *-ett*», en *Romania*, VI, 1877, 247.

Correas, Gonzalo, *Arte Grande de la Lengua Castellana, compuesto en 1612 por el Maestro Gonzalo Correas, catedrático de Salamanca. Publícalo por primera vez El Conde de La Viñaza*, de la R. A. E., Madrid, 1903.

Covarrubias, Sebastián de, *Tesoro de la Lengua Castellana o Española* (según la impresión de 1611, con las adiciones de B. R. Noydens publicadas en la de 1671), Barcelona, 1943.

Cruz, Ramón de la, *Sainetes*, dos tomos, Bib. Arte y Letras, Barcelona, 1882.

Cruz, San Juan de la, *El Cántico Espiritual*, Clásicos Castellanos, Madrid, 1936.

Cuervo, R. J., *Apuntaciones críticas sobre el lenguaje bogotano*, 6.ª ed., París, 1914.

Darmesteter, Arsène, *Traité de la formation des mots composés dans la langue française comparée aux autres langues romanes et au latin*, Paris, 1875.

—, *La vie des mots*, Paris, 1927.

Dauzat, Albert, *La Filosofía del Lenguaje*, Ed. El Ateneo, 1.ª ed., Buenos Aires, 1947.

—, *La vie du langage*, Paris, 1910.

Delacroix, H., *Le Langage et la pensée*, Paris, 1930.

—, *Psychologie du langage*, Paris, 1933.

Díez Blanco, Alejandro, *Filosofía del lenguaje*, Madrid, 1925.

Diez, F., *Grammaire des langues romanes*, 3 vols., Paris, 1874.

Donghi Halperin, Renata, «El diminutivo en Miró», *Por nuestro idioma*, núm. 8 (diciembre de 1936 y enero de 1937), 2 y 3, Buenos Aires.

Dvořák, Josef, *Deminutiva v Jazycich románských. I. Vulgàrní latina a španělština. Les diminutifs dans les langues romanes. I. Le latin vulgaire et l'espagnol* (con un resumen en francés), Facultas Philosophica Universitatis Carolinae Pragensis (XXXI), Praga, 1932, V + 156. — Reseña de E. Glasser, *LGRPh*, LVII, 1936, 39-42.

Engelbert, Manfred, «Zur Sprache Calderóns: Das Diminutiv», *Roma-nistisches Jahrbuch*, XX, 1969, 290-303.

Erfurt, Tomás de, *Gramática especulativa*, Ed. Losada, Buenos Aires, 1947.

Espinosa, A. M., *Cuentos populares* (tres tomos), C. S. I. C., Madrid, 1946.

—, *Estudios sobre el Español de Nuevo Méjico*, Buenos Aires, 1930.

Estébanez Calderón, Serafín, *Escenas Andaluzas*, Madrid, 1883.

Fernández de Moratín, Leandro, *La Comedia Nueva y El Sí de las Niñas*, Bibliotecas Populares Cervantes, Madrid (s. a.).

—, *El Viejo y la Niña*, Manchester, 1921.

Fernández Ramírez, Salvador, «A propósito de los diminutivos españoles», *Strenae*, t. XVI, 1962, págs. 185-192.

Flórez, Luis, *Lengua española*, Publicaciones del Instituto Caro y Cuervo, Bogotá, 1953, págs. 91-98.

Fontanella, María Beatriz, «Algunas observaciones sobre el diminutivo en Bogotá», *BICC*, t. XVIII, 1962, págs. 556-573.

Friedrich, Johannes, *Deminutivbildungen mit nicht deminutiver Bedeutung*, Leipzig, 1916.

García de Diego, V., *Lingüística General y Española*, C. S. I. C., Madrid, 1951.

—, *Lecciones de Lingüística Española*, Biblioteca Románica Hispánica, Editorial Gredos, Madrid, 1951; 3.ª ed. Reimpresión, 1973.

—, *Elementos de Gramática Histórica Castellana*, Burgos, 1914.

—, *Contribución al Diccionario Hispánico Etimológico*, Madrid, 1923.

García Gómez, Emilio, *Cinco poetas musulmanes*, Col. Austral, Madrid, 1944.

García Icazbalceta, Joaquín, *Vocabulario de Mexicanismos*, México, 1899.

García Lorca, Federico, *Obras Completas*, ocho volúmenes, 5.ª ed., Editorial Losada, S. A., Buenos Aires, 1946.

Garcilaso, *Obras*, Clásicos Castellanos, Madrid, 1911.

Gaters, A., «Indogermanische Suffixe der Komparation und Deminutivbildung», *Zeitschrift für vergleichende Sprachforschung*, LXXII, 1955, 47-63.

Gatscha, A., *Die altprovenzalischen und altfranzösischen Diminutiva*, I, 4 (Erster Jahresbericht der K. K. Staats - Realschulle), Viena, 1906.

Gimeno Casalduero, J., «Sentido del diminutivo en la poesía moderna española», *Monteagudo*, Murcia, 3, 1953, 9-17.

Góngora, Luis de, *Soledades*, editadas por Dámaso Alonso, Rev. Occidente, Madrid, 1927.

—, *Antología*, Col. Austral, Buenos Aires, 1943.

González Ollé, Fernando, *Los sufijos diminutivos en castellano medieval*, Anejo LXXV, de la R. F. E., Madrid, 1962. Con importante bibliografía, que nos evita repeticiones inútiles.

—, «Primeros testimonios de algunos sufijos diminutivos en castellano y nuevos datos para su historia», *Actes du Xᵉ congrès international de linguistique et philologie romanes*, Strasbourg, 1962, Klincksieck, Paris, II, 1965, 547-552.

Gooch, Anthony, *Diminutive, augmentative and pejorative suffixes in modern spanish (A guide to their use and meaning)*, 2nd edition, Pergamon Press, Oxford, 1970.

Granada, F. Luis de, *Guía de Pecadores*, Clásicos Castellanos, Madrid, 1942.

—, *Introducción del Símbolo de la Fe*, Col. Austral, Buenos Aires, 1946.

Guevara, F. Antonio de, *Epístolas familiares*, Bib. Aut. Esp., vol. 13.

Haberl, R., «Beiträge zur romanischen Linguistik. I. Die romanischen Suffixe mit -cc- und -tt-», en *ZRPh*, XXXIV, 1910, 26-35.

Hakamies, Reino, «Étude sur l'origine et l'évolution du diminutif latin et sa survie dans les langues romanes», *Annales academiae scientiarum fennicae*, Helsinki, 1951, 147.

Hanssen, F., *Gramática histórica de la lengua castellana*, Buenos Aires, 1945.

Hanssen, J. S. Th., «Les diminutifs chez Caton», *Symbolae Osloenses*, XVIII, Oslo, 1938, 89-101.

—, *Latin Diminutives. A Semantic Study*, Arbok, 1951, 265.

Hasselrot, Bengt, *Études sur la formation diminutive dans les langues romanes*, Universitets Arsskrift, 11, 1957, 344 págs.

Herrera, Fernando de, *Obras de Garci Lasso de la Vega con anotaciones de Fernando de Herrera...*, en Sevilla por Alonso de Barrera, año de 1580. Vid. ed. facsimilar y prólogo de A. Gallego Morell, C. S. I. C., Madrid, 1973.

Hita, Arcipreste de (Juan Ruiz), *Libro de Buen Amor*, Clás. Cast., dos tomos, Madrid, 1946.

Horming, A., «Die Suffixe -accus, -iccus, -occus, -ucus (-uccus), in Romanischen», *ZRPh*, XX, 1896, 334-353.

Ibáñez, Diosdado, «Los diminutivos en la elocuencia», *Ciudad de Dios*, 1924, CXXXVII, 443-453; CXXXVIII, 109-121.

Jespersen, Otto, *Humanidad, Nación, Individuo, desde el punto de vista lingüístico*, Rev. de Occidente, Argentina, Buenos Aires, 1947.

Jesús, Santa Teresa de, *Modo de visitar los conventos*, Bib. Aut. Esp., LIII.

—, *Las Moradas*, Clás. Cast., Madrid, 1947.

—, *Libro de las fundaciones*, Clás. Cast., dos tomos, Madrid, 1940.

Kayser, Wolfgang, *Interpretación y análisis de la obra literaria*, Biblioteca Románica Hispánica, Ed. Gredos, Madrid, 1954; 4.ª ed. revisada. Reimpresión, 1972.

Klein, J., «Kosenamen auf *itta*», en *Rheinisches Museum für Philologie*, XXXI, 1876, 297-300.

Labriolle, P. de, «L'emploi du diminutif chez Catulle», *Revue de Philologie, de Littérature et d'Histoire anciennes*, XXIX, Paris, 1905, 277-288.

Lanchetas, Rufino, *Gramática y vocabulario de las obras de Gonzalo de Berceo*, Rivadeneyra, Madrid, 1900.

Lapesa, Rafael, *Historia de la lengua española*, Madrid, 1942.

Latorre, Federico, «Diminutivos, despectivos y aumentativos en el siglo XVII», *Archivo de Filología Aragonesa*, VIII-IX, 1956-57, páginas 105-120.

Lázaro Carreter, Fernando, *Diccionario de términos filológicos*, Biblioteca Románica Hispánica, Ed. Gredos, Madrid, 1953; 3.ª ed. corregida. Reimpresión, 1971.

—, *Las ideas lingüísticas en España durante el siglo XVIII*, Anejo XLVIII de la *R. F. E.*, Madrid, 1949.

Ledesma y Mansilla, Fr. Jacinto de, *Dos libros de la lengua primera de España*, Toledo, 1626.

Lenz, Rodolfo, *La oración y sus partes. Estudios de Gramática General y Castellana*, 2.ª ed., Madrid, 1925.

Lope de Vega, *La Dorotea*, Col. Austral, Buenos Aires, 1948.

—, *El mejor alcalde, el rey, y Fuente Ovejuna*, Col. Austral, Buenos Aires, 1949.

—, *El perro del hortelano y El arenal de Sevilla*, Col. Austral, Buenos Aires, 1946.

—, *Poesías líricas*, Clás. Cast., dos tomos, Madrid, 1941.

López de Ayala, Adelardo, *Obras Completas*, siete volúmenes, Col. Escritores Castellanos Dramáticos, Madrid, 1882.

Luna, Juan de, *Arte breve y compendiossa para aprender a leer, escrevir, pronunciar, y hablar la Lengua Española. Compuesta por Juan de Luna, Español, Castellano, Interprete della en Londres*, Londres, 1623.

Llorente Maldonado de Guevara, A., *Estudios sobre el habla de la Ribera (comarca salmantina ribereña del Duero)*, C. S. I. C., Salamanca, 1947.

Machado, Manuel, *Poesía. Opera omnia lyrica*, Ed. Nacional, Madrid, 1942.

Malkiel, Y., «Old Spanish *judezno, morezno, pecadezno*», *Philological Quarterly*, XXXVII, 1958, 95-99.

Malón de Chaide, Fr. Pedro, *Libro de la Conversión de la Madalena*, Barcelona, 1588.

Manuel, Don Juan, *El Conde Lucanor*, Serie Escogida de Autores Españoles, X, V. Suárez, Madrid, 1933.

Mariner Bigorra, S., «El sufijo diminutivo *-ín* en nombres propios femeninos», *Archivo de Filología Aragonesa*, VIII-IX, 1956-7, 168-170.

Marouzeau, J., «Comment aborder l'étude du style», *Le Français Moderne*, XI (1943).

—, *Traité de stylistique latine*, Paris, 1946.

Martínez Gómez Gayoso, B., *Gramática de la Lengua Castellana, Reducida a breves Reglas, y fácil methodo para instrucción de la Juventud, por...*, Madrid, MDCCXLIII.

Martínez de Morentín, Manuel, *Estudios filológicos...*, Londres, 1857.

Meléndez Valdés, Juan, *Poesías*, Clás. Cast., Madrid, 1941.

Menéndez Pelayo, *Antología de poetas líricos castellanos*, C. S. I. C., MCMXLV.

Menéndez Pidal, R., *Manual de Gramática histórica española*, 7.ª ed., Espasa-Calpe, S. A., Madrid, 1944.

—, *Tres poetas primitivos. «Elena y María». «Roncesvalles». «Historia Troyana Polimétrica»*, Col. Austral, Buenos Aires, 1948.

—, *Flor Nueva de Romances Viejos*, Col. Austral, Buenos Aires, 1944.

—, *El estilo de Santa Teresa*, en *La Lengua de Cristóbal Colón*, Col. Austral, Madrid, 1942.

—, «El lenguaje del siglo XVI», *Cruz y Raya*, septiembre, 1933.

—, «El dialecto leonés», *Rev. de Archivos*, X, 1906.

Mesonero Romanos, Ramón, *Escenas Matritenses*, Ed. Aguilar, Madrid, 1945.

Miclău, P., «Le signe dans les fonctions du langage», *Zeichen und System*, III, 174-194.

Mills, D. A. H., *A descriptive analysis of the morphology of the diminutives 'ito', 'illo', 'ico', 'uelo', and of their increments (including femenine and plural forms) as used in Spanish American*, California, 1955.

Miranda, Giovanni, *Osservationi della lingua castigliana di M. Giovanni Miranda divise in quatro libri: ne' quali s'insegna con gran facilità la perfetta lingua Spagnuola. Con due tavole: l'una de' capi essentiali & l'altra delle cose notabili*. Con privilegio, In vinegia appresso Gabriel Giolito de' Ferrari, MDLXVI.

Mirisch, M., *Geschichte des suffixes «-olus» in dem romanischen Sprachen mit besonderer Berücksichtigung des Vulgär und Mittellatein*, Bonn, 1892 (tesis).

Miró, Gabriel, *Figuras de la Pasión del Señor*, Ed. E. Domenech, dos tomos, Barcelona, MCMXVI.

—, *El Obispo leproso*, en *Obras Completas*, vol. X, Biblioteca Nueva, Madrid, 1926.

Monge, Félix, «Los diminutivos en español», *Actes du Xᵉ Congrès International de Linguistique et Philologie Romanes*, Strasbourg, 1962, Klincksieck, Paris, I, 1965, 137-147.

Monnot, René, «A propos des diminutifs», *Vie et Langage*, mars, 1956, 127-8.

Montemayor, Jorge de, *Los siete libros de la Diana*, Clás. Cast., Madrid, 1946.

Montes Giraldo, José Joaquín, «Funciones del diminutivo en español. Ensayo de clasificación», *BICC*, t. XXVII, 1972, págs. 71-88.

Montoto, Santiago, *Andalucismos. Estudio leído en el acto de la apertura del curso de 1915 de la Sección de Literatura del Ateneo de Sevilla, por...*, Sevilla, 1915.

Muñoz Cortés, M. y Gimeno Casalduero, J., «Notas sobre el diminutivo en García Lorca», *Archivum*, IV, 1954, 277-304.

Murphy, S. L., «A Description of Noun Suffixes in colloquial Spanish», *Descriptives Studies in Spanish Grammar*, Urbana, 954, 1-48, 1954.

Naert, P., «Arbitraire et nécessaire en linguistique», *Studia Linguistica*, I, 1947, 5-10.

Náñez, Emilio, «El diminutivo en *La Galatea*», en *Anales Cervantinos*, II, Madrid, 1952.

—, «El diminutivo en Cervantes», *A. C.*, IV, 1954, 3-79.

—, «¿Un nuevo sufijo -*lito?*», *Filología Moderna*, 19-20, abril-agosto 1965, págs. 251-253.

—, *La lengua que hablamos. Creación y sistema*. Bedia, Santander, 1973.

Nebrija, Antonio de, *Gramática castellana*, edición crítica de Pascual Galindo Romero y Luis Ortiz Muñoz, Madrid, 1946.

Nyrop, C., *Linguistique et Histoire des Mœurs*, Paris, 1934.

Orellana, F. J., «Observaciones sobre la formación de los diminutivos castellanos», *Revista Europea*, VI, noviembre-diciembre 1875 y enero-febrero 1876.

Orlandi, C., «Diminutivos», *Rev. de Educación*, La Plata, I, 1956, 691-700.

Oudin, César, *Tesoro de las dos lenguas española y francesa*, Bruxelles, 1619.

Pastrana, Luis de, *Principios de Gramática en romance castellano*, Madrid, 1583.

Pellicer de Ossar y Tovar, Ioseph, *Gramática*, Valencia, 1672.

Pereda, José María de, *El Sabor de la Tierruca*, en *Obras Completas*, tomo X, Ed. Aguilar, Madrid, 1951.

—, *Sotileza*, en *Obras Completas*, t. XII, Ed. Aguilar, Madrid, 1950.

Pérez de Ayala, Ramón, *Belarmino y Apolonio*, Calleja, Madrid, MCMXXI.

Pérez Galdós, B., *Fortunata y Jacinta (Dos historias de casadas)*, cuatro tomos, Sucesores de Hernando, Madrid, 1915.

—, *Marianela*, 3.ª ed., La Guirnalda, Madrid, 1880.

—, *Gloria*, en *Obras Completas*, t. IV, Aguilar, Madrid, 1941.

—, *Doña Perfecta*, Madrid, 1919.

Pérez Guerrero, E., «El diminutivo en El Ecuador», *Rev. del Colegio Nacional Mejía*, núms. 46-47.

Pichardo, Esteban, *Diccionario provincial casi razonado de voces y frases cubanas*, 4.ª ed., Habana, 1875.

Pichon, E., «Sur le signe linguistique. Complément à l'article de M. Benveniste», *A. L.*, 2, 1940-1941, 51-52.

Piel, J. M., «Sobre o sufixo *-ellus, -ella* no onomástico tardío hispano latino», *Humanitas*, Coimbra, II, 1948-9, 241-248.

Platner, S. B., «Diminutives in Cattullus», *American Journal of Philology*, XVI, New-York, 1895, 186-202.

Pottier, B., «Les infixes modificateurs en portugais. Note de morphologie générale», *Boletim de Filologia*, XIV, 1955, 233-256.

Puigblanch, A., *Opúsculos gramático-satíricos del Dr. D.... contra el Dr. D. Joaquín Villanueva*, dos tomos, Londres, 1832.

Quevedo, Francisco de, *Los Sueños*, Clásicos Castellanos, vol. 31, Madrid, 1916.

—, *Obras Satíricas y Festivas*, Clás. Cast., vol. 56, Madrid, 1948.

—, *Historia de la Vida del Buscón*, Col. Austral, Buenos Aires, 1946.

—, *Obras en verso*, Ed. Aguilar, Madrid, 1932.

Ramos y Duarte, F., *Diccionario de mejicanismos*, México, 1898.

Ranson, H. M., «Diminutivos, aumentativos, despectivos», *Hispania*, California, XXXVII, 1954, 406-408.

Restrepo, Félix, *El alma de las palabras. Diseño de semántica general*, Barcelona, 1917.

Ribezzo, F., «A proposito della perseverazione del vocativo e del diminutivo», *Rivista Indo-Greca-Italica di Filologia*, XXI, 1937, 161-162.

Rojas, Fernando de, *La Celestina*, Clás. Cast., dos tomos, Madrid, 1931.

Román, Manuel Antonio, *Diccionario de chilenismos y de otras voces y locuciones viciosas*, 5 vols., Santiago, Chile, 1901-1918.

Ronconi, Alessandro, «Per la storia del diminutivo latino», *Studi esegetici e stilistici. Studi Urbinati di storia, filosofia e letteratura*, XVIII, Urbino, 1940, 45.

Ruiz de Alarcón, Juan, *La prueba de las promesas*, Bib. Aut. Esp., vol. 20.

Salazar, Ambrosio de, *Espexo General de la Gramática en diálogos, para saber la natural y perfecta pronunciación de la Lengua Castellana. Servirá también de Vocabulario...*, Rouen, 1614.

Salvá, Vicente, *Gramática de la lengua castellana, según ahora se habla, ordenada por...*, 6.ª ed., Valencia, 1844.

Sánchez Moguel, Antonio, *El lenguaje de Santa Teresa de Jesús*, Madrid, 1915.

Sánchez de Muniain, José M.ª, «El lenguaje como arte bella», *Rev. de Filosofía*, t. V, núm. 16, 1946.

Santillana, Marqués de, *Canciones y Decires*, Clás. Cast., Madrid, 1942.

—, y Mena, Juan de, *Poesía y El «Proemio»*, Clásicos Ebro, Zaragoza, 1944.

Saussure, Ferdinand de, *Cours de linguistique générale*, Édition critique préparée par Tullio de Mauro, Payot, Paris, 1972. Su bibliografía nos ahorra incrementar la nuestra innecesariamente.

—, *Curso de Lingüística General*, trad. y notas de Amado Alonso, Ed. Losada, Buenos Aires, 1945. Citamos por esta edición.

Seidel-Slotty, Ingeborg, «Über die Funktionen der Diminutiva», *Bulletin Linguistique*, XV, Copenhague-Bucarest, 1947, 23-54.

Sieberer, A., «Das Wesen des Deminutivs», *Die Sprache*, II, 1950-1951, 85-121.

Spitzer, Leo, «Das suffix -one in Romanischen», *Beiträge zur Romanischen Wortbildungslehre*, Ginebra, 1921.

—, *Stilstudien*, 2 vols., Munich, 1928.

—, «Arribota», *RFE*, VIII, 1921, 58-60.

—, «*Espagnol spagnuolo, spaniard*: Deminutiva und Augmentativa bei Ethnica», *Travaux du Seminaire de Philologie Romane*, Estambul, I, 1937.

—, «Les diminutifs basques avec -ch-», *Revista Internacional de Estudios Vascos*, XXV, 1934, 353-359.

Stabile, F., *Del suffisso «-cello, -cillo» e le sue propaggini nelle lingue romance*, Leipzig, 1890.

Strodach, G. K., *Latin diminutives in «-ello/a» and «-illo/a». A study in diminutive formation* (Language dissertations... the Linguistic Society of America, XIV), Baltimore, 1933.

Talavera, Arcipreste de, *Corbacho o Reprobación del Amor Mundano por el Bachiller Alfonso Martínez de Toledo*, Sociedad de Bibliófilos Españoles, vol. XXXV, Madrid, MCMI.

Togeby, K., «Les diminutifs dans les langues romanes du moyen âge», *Studia Neophilologica*, XXX, 1953, 192-199.

Tovar, E. D., «Paliques filológicos: Diminutivos afectivos o familiares de nombres propios, en el Callejón de Huailas», *BAAL*, Perú, X, 1942, 749-763.

Trueba, Antonio de, *Cuentos*, en *Las mejores páginas de la lengua castellana*, Madrid, 1942.

Úbeda y Gallardo, P. Luis, *Compendio de Gramática Española, para uso de los niños de Instrucción primaria*, por..., 5.ª ed., Madrid, 1920.

Ullmann, S., *Introducción a la semántica francesa*. Traducción y anotación por Eugenio de Bustos Tovar, C. S. I. C., 1965.

Valdés, Juan de, *Diálogo de la Lengua*, Clás. Cast., Madrid, 1946.

Valle Lersundi, F., «Una forma del femenino y el valor de la letra 'ch' como diminutivo en los nombres de los guipuzcoanos de los siglos xv y xvi», *Revista Internacional de Estudios Vascos*, XXIV, 1933, 176-181.

—, «El valor de la letra 'ch' como diminutivo en los nombres de los vascongados de los siglos xv y xvi», *Revista Internacional de Estudios Vascos*, XXV, 1934, 192-194.

Valverde, José María, *Estudios sobre la palabra poética*, Ediciones Rialp, S. A., Madrid, 1952.

Villalón, Cristóbal de, *Gramática Castellana. Arte breve y compendiosa para saber hablar y escrevir en la lengua castellana congrua y decentemente*, Amberes, 1558.

Vincent, A., «Les diminutifs de noms propres d'îles», *I Congrès International de Toponymie et d'Anthroponymie*, 1938, 284.

Viñaza, Conde de la (Muñoz y Manzaño, Cipriano), *Biblioteca histórica de la Filología castellana*, Madrid, 1893.

Vossler, K., *Filosofía del lenguaje*, Buenos Aires, 1943.

Walsh, D. D., «Some Spanish Diminutives», *Hispania*, California, XXV, 1942, 461-462.

—, «Spanish Diminutives», *Hispania*, California, XXVII, 1944, 11-20.

Wartburg, W. von, *Problemas y métodos de la Lingüística*, trad. de Dámaso Alonso y E. Lorenzo, y anotado para lectores hispánicos por Dámaso Alonso, C. S. I. C., Madrid, 1951.

—, *Évolution et structure de la langue française*, Berne, 1946. Traducción española: *Evolución y estructura de la lengua francesa*, Gredos, Madrid, 1966.

Wolfflind, E., «Bemerkungen über das vulgärlatein», *Philologus*, XXXIV, Leipzig, 1876.

Ynduráin, F., «Sobre el sufijo *-ezno*», *Archivo de Filología Aragonesa*, IV, 1952, 195-200.

Zamora Elizondo, H., «Los diminutivos en Costa Rica», *BICC*, I, 1945, 541-546.

Zimmermann, A., «Wie sind die aus den Romanischen zu erschliessenden Vulgarlateinische Suffixe *attus (a), ottus (a)* und *itta* entstanden?», *ZRPh*, XXVIII, 1904, 343-350.

Zuluaga, A., «La función del diminutivo en español», *BICC*, t. XXV, 1970, págs. 23-48.

ÍNDICE GENERAL

CUARTA PARTE

ÍNDICES DE SUFIJOS Y CUADROS DE FRECUENCIA
DE LOS ESCRITORES ESTUDIADOS

QUINTA PARTE

SUPLEMENTOS

BIBLIOTECA ROMÁNICA HISPÁNICA

Dirigida por: DÁMASO ALONSO

I. TRATADOS Y MONOGRAFÍAS

1. Walther von Wartburg: *La fragmentación lingüística de la Romania.* Segunda edición aumentada. 208 págs. 17 mapas.

2. René Wellek y Austin Warren: *Teoría literaria.* Con un prólogo de Dámaso Alonso. Cuarta edición. Reimpresión. 432 págs.

3. Wolfgang Kayser: *Interpretación y análisis de la obra literaria.* Cuarta edición revisada. Reimpresión. 594 págs.

4. E. Allison Peers: *Historia del movimiento romántico español.* Segunda edición. Reimpresión. 2 vols.

5. Amado Alonso: *De la pronunciación medieval a la moderna en español.* 2 vols.

6. Helmut Hatzfeld: *Bibliografía crítica de la nueva estilística aplicada a las literaturas románicas.* Segunda edición, en prensa.

9. René Wellek: *Historia de la crítica moderna (1750-1950).* 3 vols. Volumen IV, en prensa.

10. Kurt Baldinger: *La formación de los dominios lingüísticos en la Península Ibérica.* Segunda edición corregida y muy aumentada. 496 págs. 23 mapas.

11. S. Griswold Morley y Courtney Bruerton: *Cronología de las comedias de Lope de Vega.* 694 págs.

12. Antonio Martí: *La preceptiva retórica española en el Siglo de Oro.* Premio Nacional de Literatura. 346 págs.

13. Vítor Manuel de Aguiar e Silva: *Teoría de la literatura.* 550 págs.

14. Hans Hörmann: *Psicología del lenguaje.* 496 págs.

II. ESTUDIOS Y ENSAYOS

1. Dámaso Alonso: *Poesía española (Ensayo de métodos y límites estilísticos).* Quinta edición. Reimpresión. 672 págs. 2 láminas.

2. Amado Alonso: *Estudios lingüísticos (Temas españoles).* Tercera edición. 286 págs.

3. Dámaso Alonso y Carlos Bousoño: *Seis calas en la expresión literaria española (Prosa - Poesía - Teatro).* Cuarta edición. 446 págs.

4. Vicente García de Diego: *Lecciones de lingüística española (Conferencias pronunciadas en el Ateneo de Madrid).* Tercera edición. Reimpresión. 234 págs.

40. Emilio Carilla: *El Romanticismo en la América hispánica.* Segunda edición revisada y ampliada. 2 vols.

41. Eugenio G. de Nora: *La novela española contemporánea (1898-1967).* Premio de la Crítica. 3 vols.

42. Christoph Eich: *Federico García Lorca, poeta de la intensidad.* Segunda edición revisada. 206 págs.

43. Oreste Macrí: *Fernando de Herrera.* Segunda edición corregida y aumentada. 696 págs.

44. Marcial José Bayo: *Virgilio y la pastoral española del Renacimiento (1480-1550).* Segunda edición. 290 págs.

45. Dámaso Alonso: *Dos españoles del Siglo de Oro.* Reimpresión. 258 págs.

46. Manuel Criado de Val: *Teoría de Castilla la Nueva (La dualidad castellana en la lengua, la literatura y la historia).* Segunda edición ampliada. 400 págs. 8 mapas.

47. Ivan A. Schulman: *Símbolo y color en la obra de José Martí.* Segunda edición. 498 págs.

49. Joaquín Casalduero: *Espronceda.* Segunda edición. 280 págs.

51. Frank Pierce: *La poesía épica del Siglo de Oro.* Segunda edición revisada y aumentada. 396 págs.

52. E. Correa Calderón: *Baltasar Gracián. Su vida y su obra.* Segunda edición aumentada. 426 págs.

53. Sofía Martín-Gamero: *La enseñanza del inglés en España (Desde la Edad Media hasta el siglo XIX).* 274 págs.

54. Joaquín Casalduero: *Estudios sobre el teatro español.* Tercera edición aumentada. 324 págs.

55. Nigel Glendinning: *Vida y obra de Cadalso.* 240 págs.

57. Joaquín Casalduero: *Sentido y forma de las «Novelas ejemplares».* Segunda edición corregida. 272 págs.

58. Sanford Shepard: *El Pinciano y las teorías literarias del Siglo de Oro.* Segunda edición aumentada. 210 págs.

60. Joaquín Casalduero: *Estudios de literatura española.* Tercera edición aumentada. 478 págs.

61. Eugenio Coseriu: *Teoría del lenguaje y lingüística general (Cinco estudios).* Tercera edición revisada y corregida. 330 págs.

62. Aurelio Miró Quesada S.: *El primer virrey-poeta en América (Don Juan de Mendoza y Luna, marqués de Montesclaros).* 274 págs.

63. Gustavo Correa: *El simbolismo religioso en las novelas de Pérez Galdós.* Segunda edición, en prensa.

131. Antonio Sánchez Romeralo: *El villancico (Estudios sobre la lírica popular en los siglos XV y XVI).* 624 págs.

132. Luis Rosales: *Pasión y muerte del Conde de Villamediana.* 252 páginas.

133. Othón Arróniz: *La influencia italiana en el nacimiento de la comedia española.* 340 págs.

134. Diego Catalán: *Siete siglos de romancero (Historia y poesía).* 224 páginas.

135. Noam Chomsky: *Lingüística cartesiana (Un capítulo de la historia del pensamiento racionalista).* Reimpresión. 160 págs.

136. Charles E. Kany: *Sintaxis hispanoamericana.* 552 págs.

137. Manuel Alvar: *Estructuralismo, geografía lingüística y dialectología actual.* Segunda edición ampliada. 266 págs.

138. Erich von Richthofen: *Nuevos estudios épicos medievales.* 294 páginas.

139. Ricardo Gullón: *Una poética para Antonio Machado.* 270 págs.

140. Jean Cohen: *Estructura del lenguaje poético.* 228 págs.

141. Leon Livingstone: *Tema y forma en las novelas de Azorín.* 242 páginas.

142. Diego Catalán: *Por campos del romancero (Estudios sobre la tradición oral moderna).* 310 págs.

143. María Luisa López: *Problemas y métodos en el análisis de preposiciones.* Reimpresión. 224 págs.

144. Gustavo Correa: *La poesía mítica de Federico García Lorca.* 250 páginas.

145. Robert B. Tate: *Ensayos sobre la historiografía peninsular del siglo XV.* 360 págs.

146. Carlos García Barrón: *La obra crítica y literaria de Don Antonio Alcalá Galiano.* 250 págs.

147. Emilio Alarcos Llorach: *Estudios de gramática funcional del español.* Reimpresión. 260 págs.

148. Rubén Benítez: *Bécquer tradicionalista.* 354 págs.

149. Guillermo Araya: *Claves filológicas para la comprensión de Ortega.* 250 págs.

150. André Martinet: *El lenguaje desde el punto de vista funcional.* 218 págs.

151. Estelle Irizarry: *Teoría y creación literaria en Francisco Ayala.* 274 págs.

152. Georges Mounin: *Los problemas teóricos de la traducción.* 338 páginas.

EL DIMINUTIVO, 30*

6. *Todo Ben Quzmān.* Editado, interpretado, medido y explicado por Emilio García Gómez. 3 vols.

7. *Garcilaso de la Vega y sus comentaristas (Obras completas del poeta y texto íntegro de El Brocense, Herrera, Tamayo y Azara).* Edición de Antonio Gallego Morell. Segunda edición revisada y adicionada. 700 págs. 10 láminas.

V. DICCIONARIOS

1. Joan Corominas: *Diccionario crítico etimológico de la lengua castellana.* En reimpresión.

2. Joan Corominas: *Breve diccionario etimológico de la lengua castellana.* Tercera edición muy revisada y mejorada. 628 págs.

3. *Diccionario de Autoridades.* Edición facsímil. 3 vols.

4. Ricardo J. Alfaro: *Diccionario de anglicismos.* Recomendado por el «Primer Congreso de Academias de la Lengua Española». Segunda edición aumentada. 520 págs.

5. María Moliner: *Diccionario de uso del español.* Reimpresión. 2 vols.

VI. ANTOLOGÍA HISPÁNICA

1. Carmen Laforet: *Mis páginas mejores.* 258 págs.

2. Julio Camba: *Mis páginas mejores.* Reimpresión. 254 págs.

3. Dámaso Alonso y José M. Blecua: *Antología de la poesía española. Lírica de tipo tradicional.* Segunda edición. Reimpresión. LXXXVI + 266 páginas.

6. Vicente Aleixandre: *Mis poemas mejores.* Tercera edición aumentada. 322 págs.

7. Ramón Menéndez Pidal: *Mis páginas preferidas (Temas literarios).* Reimpresión. 372 págs.

8. Ramón Menéndez Pidal: *Mis páginas preferidas (Temas lingüísticos e históricos).* Reimpresión. 328 págs.

9. José M. Blecua: *Floresta de lírica española.* Tercera edición aumentada. 2 vols.

11. Pedro Laín Entralgo: *Mis páginas preferidas.* 338 págs.

12. José Luis Cano: *Antología de la nueva poesía española.* Tercera edición. Reimpresión. 438 págs.

13. Juan Ramón Jiménez: *Pájinas escojidas (Prosa).* Reimpresión. 264 págs.